ro
ro
ro

Simon Beckett arbeitete als Hausmeister, Lehrer und Schlagzeuger, bevor er sich ganz dem Schreiben widmete. Als Journalist hatte er Einblick in die Polizeiarbeit; dieses Wissen verarbeitet er in seinen Romanen. Die Thriller «Die Chemie des Todes» (rororo 24197) und «Kalte Asche» (rororo 24195) standen monatelang auf Platz 1 der Taschenbuch-Bestsellerliste. Für seinen dritten Roman aus der Serie um David Hunter, «Leichenblässe», recherchierte er auf der *Body Farm* in Tennessee. Simon Beckett ist verheiratet und lebt in Sheffield. Im Rowohlt Taschenbuch Verlag erschien außerdem der Thriller «Obsession» (rororo 24886), der ebenfalls die Bestsellerliste im Sturm nahm.

Simon Beckett

Flammenbrut

Thriller

Deutsch von Michaela Link

Rowohlt Taschenbuch Verlag

Die Originalausgabe erschien 1997 unter dem Titel
«Where There's Smoke» bei Hodder and Stoughton, London.

Veröffentlicht im Rowohlt Taschenbuch Verlag,
Reinbek bei Hamburg, August 2009
Copyright © 2009 by Rowohlt Verlag GmbH,
Reinbek bei Hamburg
«Das Kind des Prometheus», Copyright der
deutschen Übersetzung von Michaela Link © 1998 by
Bastei-Verlag Gustav H. Lübbe GmbH & Co., Bergisch Gladbach
«Where There's Smoke» Copyright © 1997 by Hunter Publications, Ltd.
Redaktion Jan Möller
Umschlaggestaltung PEPPERZAK BRAND
Satz Aldus PostScript (InDesign) bei
hanseatenSatz-bremen, Bremen
Druck und Bindung CPI – Clausen & Bosse, Leck
Printed in Germany
ISBN 978 3 499 24916 7

Vorwort

Flammenbrut ist mein dritter Roman. Damals wollte ich unbedingt einen psychologischen Thriller schreiben, der im Ton weniger literarisch ist als meine ersten Bücher, *Voyeur* und *Tiere*. Der Zufall half mir dabei. Eines Tages stieß ich in einer Zeitung auf eine kurze Meldung: Eine Leihmutter weigerte sich, ihr Baby dem Ehepaar zu übergeben, das sie für die Schwangerschaft bezahlt hatte. Ich begann darüber nachzudenken, wie es wohl wäre, wenn eine Frau sich einen Spender für ihr Kind sucht. Mir schien, als wäre eine Situation wie diese dafür prädestiniert, zu eskalieren – besonders dann, wenn der Mann nicht der ist, der er zu sein vorgibt.

Flammenbrut war der erste meiner Romane, der eine ausgiebige Recherche nach sich zog; nicht nur, was die Gesetzgebung hinsichtlich künstlicher Befruchtung und Spender-Vermittlung betrifft, sondern auch die der Brandstiftung und Pyromanie. Außerdem steht hier – zum ersten Mal in meiner Schriftstellerkarriere – eine Frau im Zentrum des Romans.

Mein Ziel war es, einen gut konstruierten und spannenden Thriller zu schreiben, der zeigt, wie sich ein normales Leben in einen Albtraum verwandeln kann. Und einen Roman, der Männer und Frauen gleichermaßen anspricht.

Das Buch erschien 1997 in Großbritannien und wurde später verfilmt. Ich habe die Gelegenheit genutzt, einige Änderungen vorzunehmen, mich aber gegen eine Aktualisierung entschieden. *Flammenbrut* ist weder ein Dr.-Hunter-Thriller noch ein Kriminalroman. Aber fest steht: Ohne diesen Roman hätte es Dr. Hunter nie gegeben.

Viel Spaß bei der Lektüre!

Simon Beckett / Mai 2009

Prolog

Manche Augenblicke brennen sich uns unauslöschlich ein.

Im Flur ist es dunkel. Durch ein Fenster am anderen Ende fällt Licht, genug, um sich zu orientieren. Ihr Atem geht schwer. Von der Treppe hallen die polternden Schritte des Verfolgers. Der Flur endet an einer letzten Tür. Es gibt keinen Ausweg mehr, sie muss sich verstecken.

In dem Raum ist es noch dunkler als im Flur. Es ist wie ein Gang durch Tinte. Blind tastet sie sich durch die halbvertraute Einrichtung aus Betten und Bücherregalen. Dann kommt die Wand. Sie presst sich dagegen, versucht den Atem anzuhalten, der ihr in der Kehle brennt. Ihr Herz hämmert. Das Blut aus der Wunde ist klebrig, und als sie die Stelle berührt, durchzuckt sie ein gleißender Schmerz, der das Dunkel erhellt.

Jetzt hört sie die Schritte wieder, sie kommen näher. Überall im Flur werden Türen geöffnet, immer eine nach der anderen, bis nur noch ihre übrig ist. Der süßliche Geruch nach Benzin ist intensiv und wie eine Drohung. Sie presst die Arme vor den Bauch, spürt den kleinen Puls des neuen Lebens darin, in sich zusammengerollt und verletzlich. Die Schritte setzen aus. Das wispernde Geräusch der sich öffnenden Tür. Ihr Name.

«Kate.»

Das Licht wird eingeschaltet.

Manche Augenblicke brennen sich uns unauslöschlich ein.

Kapitel 1

Das Lagerhaus hatte die ganze Nacht gebrannt. Rauch stieg gen Himmel, eine dunklere Wolke in einem verhangenen Morgenhimmel. Der Feuergeruch machte die Luft zum Schneiden dick, verlieh dem Frühlingstag einen verfrühten Hauch von Herbst.

Die Rushhour-Gesichter draußen vor King's Cross waren der dunklen Säule zugewandt, als Kate die Treppe der U-Bahn-Station heraufkam. Zuerst sah sie den Rauch über den Dächern vor sich, dann versperrte ihr die dichte Bebauung den Blick darauf.

Kate beachtete ihn kaum. Ein Schmerzgefühl, wie von einer Verspannung, kroch ihren Nacken hinauf. Sie hatte gerade ein Aspirin genommen und verzog bei dem bitteren Geschmack das Gesicht, als sie um eine Ecke bog und das Feuer direkt vor sich hatte.

Sie hielt inne, verblüfft, dem Brand so nah zu sein, ging aber weiter, sobald ihr klar wurde, dass die Straße nicht abgesperrt war. Als sie sich weiter näherte, wurde das Tosen und Prasseln der Flammen lauter. Das etwas abseits von der Straße gelegene Lagerhaus war umringt von einem Gewimmel aus Uniformen und gelben Helmen, weißen Autos und roten Feuerwehrwagen. Wasserschläuche schlängelten sich über den Boden, schleuderten Wasserfontänen in den Rauch. Die Flammen züngelten vielfarbig in alle Richtungen, kümmerten sich nicht um das schnell verdampfende Wasser.

Ein heißer Windhauch strich über ihr Gesicht und überzog es mit Asche. Kate wandte sich mit brennenden Augen ab und stellte mit einiger Überraschung fest, dass sie tatsächlich stehengeblieben war. Sie ärgerte sich darüber, und statt weiter zu gaffen, machte sie einen großen Bogen um die kleine Menschenmenge, die sich hinter dem Polizeikordon angesammelt hatte.

Das Lagerhaus lag jetzt hinter ihr. Als sie mehrere Straßen davon entfernt zu den georgianischen Reihenhäusern kam, hatte Kate es bereits vergessen. Die meisten Reihenhäuser hier waren ziemlich heruntergekommen, nur eines von ihnen stach mit seinem frischen Anstrich hervor wie eine erhobene Hand in einem Klassenzimmer. Auf einem Fenster im unteren Stock standen in Goldlettern die Worte: «Powell PR & Marketing».

In dem kleinen Büro drängten sich drei Schreibtische; sie waren so aufgestellt, dass man von jedem aus die anderen sehen konnte. An einem dieser Schreibtische stand ein hochgewachsener Westinder mit glattrasiertem Kopf und goss Wasser in einen Kaffeefilter. Er begrüßte sie mit einem Grinsen.

«Morgen, Kate.»

«Hallo, Clive.»

Die Kaffeemaschine zischte und gurgelte. Der Mann kippte den Rest Wasser in den Filter und setzte die Kanne ab. «Tja. Der große Tag.»

Er sprach mit ganz leichtem Tyneside-Akzent. Kate trat vor einen der großen Aktenschränke und zog eine Schublade auf. «Erinnere mich bloß nicht daran.»

«Nervös?»

«Sagen wir, ich bin froh, wenn ich endlich Gewissheit habe, so oder so.»

Die Kaffeemaschine gab nur noch ein leises Zischen von sich. Clive schenkte zwei Tassen ein und reichte eine davon Kate. Er hatte fast von Anfang an für sie gearbeitet, seit sie vor beinahe drei Jahren die Agentur eröffnet hatte, und wenn sie sich jemals einen Partner nahm, würde er es sein.

«Bist du unterwegs an dem Feuer vorbeigekommen?»

«Mhm.» Kate ging die Aktenordner im Schrank durch.

«Hat anscheinend die halbe Nacht gebrannt. Schlimme Sache, das mit dem Kind, was?»

Sie sah ihn an. «Was für ein Kind?»

«Das Baby. Da haben doch ein paar Hausbesetzer gewohnt. Sie sind alle rausgekommen, nur das Baby nicht. In den Nachrichten hieß es, die Mutter habe sich schwere Brandverletzungen zugezogen, als sie es noch retten wollte. Zwei Monate alt.»

Kate setzte ihre Kaffeetasse ab. Sie bemerkte, dass ihr noch immer der Rauchgestank anhaftete, und blickte an sich herab; winzige Flöckchen grauer Asche bedeckten ihre Kleider. Sie erinnerte sich an die federleichte Berührung der Asche auf ihrem Gesicht, das Kitzeln in ihrer Kehle, als sie sie eingeatmet hatte. Noch einmal spürte sie das Brennen in ihrem Hals.

Sie schloss den Aktenschrank, ohne etwas herauszunehmen. «Ich bin dann oben.»

Ihr Büro lag im ersten Stock. Kate schloss die Tür und klopfte sich die grauen Pünktchen von ihrem marineblauen Kostüm. Sie wusste, dass sie sich in dem Kostüm erst wieder wohl fühlen würde, wenn es gereinigt war.

Sie hängte ihre Jacke hinter die Tür und trat an das einzige Fenster des Raumes. Als sie hinausblickte, konnte sie ihr Spiegelbild als Schemen auf der Fensterscheibe sehen. Dahinter breitete sich der Rauch am Himmel aus und ließ den Umriss ihres dunklen Haares verschwimmen. Nur ihr Gesicht war zu erkennen: ein bleiches Oval, das im leeren Raum hing.

Sie wandte sich ab und ging an ihren Schreibtisch. Von unten hörte sie Stimmen, als die anderen kamen. Das vordere Büro war zu klein für Clive und die beiden Mädchen, aber der einzige weitere Raum im Haus musste erst renoviert werden und eine neue Decke bekommen, bevor irgendjemand darin arbeiten konnte. Es würde nicht billig werden. Kate seufzte und griff nach einer Aktenmappe. Als sie sie öffnete, klopfte es an ihrer Tür.

«Herein.»

Ein Mädchen trat mit einem zellophanverpackten Strauß roter Rosen ein. Ihr rundliches Gesicht verriet unverhohlene Neugier, als sie Kate die Rosen überreichte. «Die sind gerade geliefert worden.»

Zwischen den Stängeln klemmte ein kleiner Umschlag. Kate öffnete ihn und nahm die schlichte weiße Karte heraus. Darauf stand mit einer schwungvollen, nach vorn geneigten Handschrift eine kurze Nachricht. Sie las sie und schob die Karte wieder in den Umschlag. Dann gab sie dem Mädchen die Rosen zurück. «Vielen Dank, Caroline. Bring sie raus und gib sie der ersten alten Dame, die dir über den Weg läuft.»

Die Augen des Mädchens weiteten sich. «Was soll ich denn sagen?»

«Irgendwas. Sag einfach, sie wären von uns, mit den besten Empfehlungen.» Kate brachte ein mühsames Lächeln zustande. «Und je näher sie den neunzig ist, umso besser.»

Sobald die Tür geschlossen wurde, hörte sie auf zu lächeln. Sie nahm die Karte aus dem Umschlag und las sie noch einmal. «Mein Beileid im Voraus. Gruß Paul.»

Sorgfältig riss Kate die Karte in zwei Hälften, die sie dann noch einmal zerriss, bevor sie die Fetzen in den Papierkorb warf. Erst da bemerkte sie, dass ihr ganzer Körper sich verkrampft hatte, und zwang sich, sich zu entspannen.

Sie wandte sich wieder der Mappe zu, aber das plötzliche Schrillen ihres Telefons ließ sie innehalten. Sie griff nach dem Hörer.

«Ja?»

Es war Clive. «Paul Sutherland von CNB Marketing ist am Apparat.» Sein Tonfall war neutral. «Soll ich ihm sagen, dass du zu tun hast?»

Kate zögerte. «Nein, das geht in Ordnung. Ich nehme den Anruf an.»

Dann folgte ein mehrmaliges Klicken. Kate schloss für einen Moment die Augen. Eine Sekunde später hörte sie die vertraute Stimme.

«Hallo, Kate. Ich dachte, ich klingele mal durch und frage, ob du die Blumen bekommen hast.»

«Ja. Ein bisschen verfrüht, würde ich sagen.» Sie war froh, dass ihre Stimme ruhig klang.

«Ach, komm schon. Du glaubst doch nicht ernsthaft, dass du immer noch eine Chance hast, oder?»

«Warten wir doch einfach ab, was passiert, ja?»

Sie hörte ihn seufzen. «Kate, Kate, Kate. Du *weißt* doch, was passieren wird. Du hast dich wacker gehalten, dass du überhaupt so weit gekommen bist, aber mach dir doch nichts vor.»

«Ist das alles, was du zu sagen hast? Wenn ja, habe ich noch zu arbeiten.»

Am anderen Ende der Leitung ertönte ein Kichern. «Ach, sei doch nicht so. Ich geb dir bloß einen freundschaftlichen Rat, das ist alles. Um der alten Zeiten willen.»

Kate biss die Zähne zusammen.

«Kate? Bist du noch dran?»

«Du hast dich nicht geändert, Paul. Du warst schon immer ein Arschloch.» Sie bedauerte ihre Worte sofort. Wieder klang das belustigte Lachen durch die Leitung, diesmal mit unverkennbarer Selbstzufriedenheit.

«Und fandest du es nicht einfach herrlich? Aber ich sehe, ich verschwende nur meine Zeit, wenn ich versuche, dich zur Vernunft zu bringen. Die arme kleine Kate muss die Dinge auf ihre Art und Weise tun, auch wenn das heißt, dass sie sich die Finger verbrennt. Versuch wenigstens, nicht allzu enttäuscht zu sein.»

Dann war die Leitung tot. Kates Knöchel waren weiß, als sie den Hörer auf die Gabel knallte.

Mistkerl.

Kate wühlte in ihrer Tasche und förderte ein Einwegfeuerzeug und ein zerknittertes Zigarettenpäckchen zutage. Ihre Hand zitterte, als sie sich eine Zigarette zwischen die Lippen schob. Sie machte das Feuerzeug an und hielt die Flamme dicht an die Zigarette, ohne sie zu entzünden. Der Geschmack schal gewordenen Tabaks lag kalt auf ihrer Zunge, als sie einatmete. Die Flamme erzitterte, kam aber nicht mit der Zigarettenspitze in Berührung.

Kate hielt sie in dieser Position und zählte bis zehn, dann noch einmal bis zehn. Beim zweiten Mal fiel es ihr leichter. Sie verzog das Gesicht, ließ dann die Flamme verlöschen und die unversehrte Zigarette in den Papierkorb fallen. Die Packung und das Feuerzeug wanderten zurück in ihre Tasche. Sie schob sich ein zuckerfreies Pfefferminzbonbon in den Mund, um den Geschmack zu vertreiben.

Das Zittern hatte sich gelegt, aber die Kopfschmerzen waren wieder da, tasteten buchstäblich ihren Schädel ab. Kate wünschte, sie hätte sich ihr Haar am Morgen nicht so straff zurückgebunden. Sanft knetete sie ihre Schläfen. *Ist es das wert?*

Als vor sechs Wochen das Angebot auf ihrem Schreibtisch gelandet war, ein Marketingkonzept für den Parker Trust vorzuschlagen, hatte sie sich ohne große Erwartungen darauf eingelassen. Der Trust war Spezialist für unauffällige Investitionen im Auftrag wohlhabender Klienten und verwandte gerade so viele Mittel auf «Förderungswürdige Zwecke» (in der Selbstdarstellung des Trusts waren beide Worte großgeschrieben), wie nötig war, um noch als wohltätige Einrichtung anerkannt zu werden. Kate hatte es überrascht, dass ihre Firma dem Trust überhaupt bekannt war, ganz zu schweigen davon, dass man Powell PR dort für eine langfristige, teure Kampagne in Betracht zu ziehen schien.

Dann war sie erstaunlicherweise in die engere Wahl gekommen. Sie hatte sich noch nicht ganz von diesem Schock erholt, als sie herausfand, welche Firma außerdem im Rennen blieb und gegen wen sie also antreten musste.

Von da an war die Herausforderung zu so gewaltiger Größe angewachsen, dass sie ihren ganzen Horizont ausfüllte. Clive witzelte, sie solle sich doch gleich ein Bett ins Büro stellen lassen, damit sie überhaupt nicht mehr nach Hause gehen müsse. Du bist doch nur glücklich, wenn du arbeitest, hatte er gesagt. Sie hatte gelächelt, aber hinter dem Lächeln war eine dunkle Woge der Panik aufgebrandet.

Glücklich? An diesem Abend hatte sie sich im Fitnessstudio gequält, bis ihre Muskeln schrien, hatte versucht, ihre Rastlosigkeit zu verbrennen wie Kalorien.

Jetzt komprimierte sich die Wartezeit wie eine Ziehharmonika auf die allerletzten Stunden. Redwood, der Vorsitzende des Kuratoriums, hatte ihr gesagt, er werde ihr die Entscheidung des Trusts vor Mittag mitteilen. Ein Sieg würde finanzielle Sicherheit bedeuten, vielleicht sogar ein größeres Bürogebäude. Er würde den Ruf der Agentur untermauern und ihr den Weg zu größeren und besseren Aufträgen ebnen.

Kate gestattete sich nicht, darüber nachzudenken, was eine Niederlage bedeuten würde.

Sie bemerkte, dass sie ziellos auf ihrem Kugelschreiber herumklickte. Sie hielt inne, legte den Kuli weg und griff entschlossen nach der Mappe, die sie einige Minuten zuvor geöffnet hatte. Sie begann, darin zu lesen und sich Notizen zu machen, zuerst stockend, dann flüssiger. Aber alle paar Minuten verirrte sich ihr Blick zur Uhr an der Wand.

Der Morgen verstrich langsam. Jedes Mal, wenn das Telefon klingelte, versteifte sie sich, weil sie glaubte, es sei der Trust. Aber Fehlanzeige. Um fünf vor zwölf versuchte Kate nicht einmal mehr, so zu tun, als arbeite sie. Sie saß in der Stille ihres Büros, blickte zur Uhr und wartete auf den entscheidenden Anruf. Der zweite Zeiger kroch über das Zifferblatt und brachte die entscheidende Mittagsstunde immer näher. Kate sah zu, wie er mit den beiden anderen Zeigern zur Deckung kam. Alle drei Zeiger bildeten einen Augenblick lang einen einzigen, aufgerichteten Finger; dann tickte der zweite Zeiger gleichgültig weiter.

Kate spürte, wie die Angst langsam von ihr abfiel und

einer schweren Enttäuschung Platz machte. Der Parker Trust war für seine beinahe zwanghafte Pünktlichkeit bekannt. Wenn sie den Wettbewerb für sich entschieden hätte, wäre sie mittlerweile benachrichtigt worden. Reglos saß sie am Schreibtisch, während ihr langsam zur Gewissheit wurde, dass sie gescheitert war. Es war nicht mehr nur eine von zwei Möglichkeiten, sondern eine Realität, der man sich stellen musste. Unvermittelt schüttelte sie sich. *Du hast den Auftrag also nicht bekommen. Es war nur eine Ausschreibung. Es wird weitere geben.*

Sie setzte sich aufrecht hin und schlug mit verbissener Miene wieder die Mappe auf, an der sie gearbeitet hatte.

Das Telefon klingelte.

Kate zuckte zusammen. Es klingelte noch einmal. Sie nahm den Hörer ab. «Ja?»

Caroline meldete sich. «Da ist ein Anruf von Mr. Redwood vom Parker Trust.»

Obwohl sie wusste, was er sagen würde, spürte Kate das Hämmern ihres Herzens. Sie räusperte sich. «Stell ihn durch.»

Während die Verbindung hergestellt wurde, schien es in der Leitung häufiger zu klicken als gewöhnlich. Ein schwaches Summen drang an Kates Ohr. «Miss Powell?»

«Guten *Nachmittag*, Mr. Redwood.» Sie nahm sich heraus, die Tageszeit extra zu betonen, immerhin hatte Redwood sein Versprechen, sie vor Mittag anzurufen, nicht eingehalten.

«Ich möchte mich dafür entschuldigen, dass der Anruf so spät kommt. Mir ist klar, dass Sie erwartet haben, früher von uns zu hören.»

Die Stimme vermittelte ein korrektes Bild von dem Mann. Ein Schotte. Dünn, trocken und humorlos. Clive hatte ihn einen Pedanten genannt, und Kate war nichts zu seiner Verteidigung eingefallen.

«Ja», sagte sie nur.

«Das tut mir leid.» Es klang nicht sehr überzeugend. «Es ist unsere Geschäftspolitik, den erfolglosen Bewerber zuerst zu informieren», fuhr er fort, «sozusagen, um ihn von seinem Elend zu erlösen, und es hat ein wenig länger gedauert, als wir erwartet hatten.»

Es dauerte einen Augenblick, bis Kate klar wurde, was das zu bedeuten hatte. Mit einem Mal war sie vollkommen verwirrt. «Verzeihung ... Sie haben also mit CNB-Marketing gesprochen?»

Sie vernahm Redwoods gereizten Seufzer am anderen Ende. «Vielleicht sollte ich nochmal von neuem beginnen. Ich freue mich, Ihnen mitteilen zu dürfen, dass Ihre Bewerbung erfolgreich war. Das Kuratorium hat beschlossen, Ihrer Agentur die Betreuung unserer Werbekampagne anzubieten.»

Kate hatte für einen Augenblick das Gefühl, zu schweben, körperlos zu sein. Draußen näherte sich der Klang einer Sirene und entfernte sich wieder.

«Miss Powell? Ist irgendetwas nicht in Ordnung?»

«Nein! Nein, ich ...» Sie riss sich zusammen. «Ich freue mich. Vielen Dank.»

«Ich möchte mich noch einmal für die Verzögerung entschuldigen.» Seine Stimme nahm einen missbilligenden Tonfall an. «Ich fürchte, CNB hat unsere Entscheidung leider nur widerstrebend akzeptiert. Die Person, mit der wir es zu tun hatten, erwies sich als ziemlich ... hartnäckig.» Er unterbrach sich. «Nun ja. Meinen Glückwunsch, Miss Powell. Wir freuen uns auf die Zusammenarbeit mit Ihrer Agentur.»

Kate erwiderte irgendetwas – was, das wusste sie selbst nicht so genau. Sie kamen überein, sich einige Tage später zu treffen. Er legte auf. Sie lauschte eine Weile dem Wählton, bevor sie den Hörer wieder auf die Gabel legte. Von unten konnte sie das Summen eines Fotokopierers hören; irgendjemand brach in helles Gelächter aus. Sie starrte mit leerem Blick aus dem Fenster. Einen Moment lang dachte sie, der dunkle Fleck draußen sei eine Regenwolke. Dann fiel es ihr wieder ein.

Nach einer Weile stand sie auf, um es den anderen zu erzählen.

Der Bus hielt draußen vor den Läden, in der Nähe ihrer Wohnung in Fulham. Als sie ausstieg, kam ihr ein wenig verspätet zu Bewusstsein, dass sie es sich jetzt wahrscheinlich leisten konnte, von der U-Bahn-Station aus ein Taxi zu nehmen. Nun ja, die Macht der Gewohnheit. Sie ging in den asiatischen Supermarkt und kaufte sich eine Tüte Milch und ein Päckchen Reis. Nach einem Augenblick der Unentschlossenheit legte sie noch eine Flasche weißen Rioja in den Einkaufskorb.

Auf dem Weg zu ihrer Wohnung – eine Viertelmeile vom Supermarkt entfernt – lag eine deutliche Kälte in der Luft. Bisher hatte der Frühling nur dem Kalender nach angefangen. Ein leichter Nieselregen setzte ein, und Kate beschleunigte ihre Schritte, hoffte, nach Hause zu kommen, bevor der Regen so heftig war, dass man einen Regenschirm brauchte. Beinahe wäre sie auf den Kinderhandschuh getreten, der am Rand einer Pfütze lag. Er war ein leuchtend roter Fleck auf dem schmutzig braunen Pflaster und konnte noch nicht lange dort gelegen haben, denn er sah immer noch neu und sauber aus.

Kate hob ihn auf und suchte die Straße nach dem Kinderwagen oder Buggy ab, aus dem er herausgefallen sein musste. Es war keiner zu sehen, daher hielt sie nach einer Mauer oder einem Fenstervorsprung Ausschau, um den Handschuh daraufzulegen. Aber es gab nichts dergleichen; sie konnte ihn lediglich wieder auf das schmierige Pflaster legen. Da es ihr widerstrebte, den Handschuh einfach fallen zu lassen, betrachtete sie das verlorene kleine Ding in ihrer Hand. Der Handschuh war nicht größer als ihr Handteller, und plötzlich musste sie wieder an das Feuer im Lagerhaus denken. Mit einem Mal war ihre Kehle wie zugeschnürt, und bevor sie selbst begriff, was sie tat, hatte sie den Handschuh bereits in ihre Jackentasche gesteckt und war weitergegangen.

Als sie zu ihrer Wohnung kam, hatte der Nieselregen aufgehört. Das schmiedeeiserne Tor vor dem viktorianischen Reihenhaus stand offen wie immer – die ausgeleierten Angeln fixierten es in dieser Stellung. Der winzige Garten, nicht größer als ein großer Läufer, war von einem früheren Bewohner gepflastert worden, aber in der Mitte hatte man für ein dorniges Gewirr von Rosenbüschen Platz gelassen. Sie mussten dringend beschnitten werden, bemerkte Kate gedankenverloren. Sie trat auf die kleine offene Terrasse und schloss die Haustür auf.

Auf den Kacheln im engen Flur lagen einige Briefumschläge verstreut. Sie bückte sich und hob sie auf, dann suchte sie die an sie adressierten heraus. Es waren nur zwei, eine Rechnung und ein Kontoauszug. Der Rest war Reklame oder Post an ehemalige Mieter. Es handelte sich eigentlich um ein Zweifamilienhaus, aber die andere Hälfte stand leer, seit die alte Dame, die dort gelebt hatte, im vergangenen Jahr gestorben war. Meist genoss es Kate, das Haus für sich zu haben, aber an manchen Tagen hatte das unbewohnte Apartment etwas Trauriges und Einsames.

Sie lächelte, als sich eine grau getigerte Gestalt lautstark durch die Katzenklappe in der Haustür zwängte.

«Hallo, Dougal», begrüßte sie ihren Kater und hob ihn auf, um ihn zu streicheln. Dougal miaute ungeduldig, während Kate ihre Wohnung aufsperrte. Auch deren Tür hatte eigentlich eine Katzenklappe, aber Dougal sah keinen Sinn darin, sie zu benutzen, wenn Kate da war, um ihn einzulassen. Sie schloss die Tür hinter sich, bevor sie den Kater herunterließ. Nachdem er die mit Teppich ausgelegte Treppe hinaufgesprungen war, verklang sein Miauen in Richtung Küche. Kate folgte ihm, zog ihre Jacke aus und rümpfte die Nase, als sie den Geruch von Rauch daran wahrnahm, der sich noch immer nicht ganz verzogen hatte. Sie hängte die Jacke auf einen Kleiderbügel, um sie demnächst in die Reinigung zu bringen, und erst, als sie die Ausbuchtung in einer der Taschen sah, erinnerte sie sich wieder an den Handschuh.

Der irrationale Impuls, aus dem heraus sie den Handschuh behalten hatte, ärgerte sie. Entschlossen nahm sie ihn aus der Jackentasche und ging zum Mülleimer in der Küche. Als sie auf dessen Fußhebel trat, sprang der Deckel auf und gab einen leichten, süßlichen Fäulnisgeruch frei. Kate betrachtete das Durcheinander aus Eierschalen und Gemüseabfällen und hielt den Handschuh einen Augenblick lang darüber. Aber sie konnte ihn jetzt genauso wenig wegwerfen wie zuvor. Sie nahm den Fuß von dem Hebel, ließ den Deckel zuschlagen und ging wieder in ihr Schlafzimmer. Dort zog sie eine Schublade auf, legte den Handschuh ganz weit nach hinten unter einen Stapel sauberer Handtücher und schob die Schublade entschlossen zu.

Anschließend ging Kate wieder in den Flur und band sich mit einem leisen Seufzer der Erleichterung das Haar auf. Das Lämpchen am Anrufbeantworter blinkte, jemand hatte eine Nachricht hinterlassen. Sie ließ das Band zurücklaufen, aber wer es auch gewesen sein mochte, er hatte aufgelegt, ohne etwas zu sagen.

Barfuß ging sie ins Wohnzimmer. Wie in der übrigen Wohnung waren die Wände hier von reinem Weiß, teils weil ihr diese schlichte Farbgebung gefiel, teils weil das Haus nach Norden lag und ziemlich dunkel wirkte. Selbst jetzt, da es draußen noch hell war, vermochten die weißen Wände kaum etwas gegen das düstere Zwielicht auszurichten.

Kate schaltete eine Tischlampe an. Die Möbel in dem Raum waren modern und von klaren Linien geprägt – bis auf eine alte Seemannskiste aus Kiefernholz, die als Couchtisch diente. An der Wand hing ein abstraktes Ölgemälde, das sie auf einer Ausstellung gekauft hatte, der einzige Farbtupfer vor dem ansonsten vollkommen ausdruckslosen Hintergrund. Die Wohnung war im Winter viel gemütlicher, wenn die langen Nächte kamen und Kate die Vorhänge zuziehen und die Ecken mit künstlichem Licht ausfüllen konnte. Aber jetzt schien es ihr trotz der Dunkelheit in der Wohnung nicht angemessen, eine Lampe einzuschalten, solange es draußen noch hell war.

Kate löschte das Licht und machte stattdessen den Fernseher an. Gelangweilt zappte sie sämtliche Kanäle durch. Keine dieser Sendungen hätte sie genauer verfolgen wollen, aber der Fernseher beleuchtete den Raum ein wenig, und der Klang der Stimmen milderte die Leere, die in der Wohnung herrschte.

Mit einem leisen Miau schlang der Kater sich um ihre Beine und stieß mit dem Kopf gegen ihre Knöchel.

«Hast du Hunger, Dougal?» Sie nahm ihn auf die Arme. Er war groß, selbst für einen Kater, und hatte eng nebeneinanderliegende Augen, die ihm einen dümmlichen, stets verblüfften Ausdruck verliehen. Sie hatte ihn mit der Wohnung übernommen, eine Dreingabe, die der Makler beim Verkauf nicht erwähnt hatte. Die Vormieter, ein Paar in den mittleren Jahren, hatten sich nicht die Mühe gemacht, ihr Haustier beim Umzug mitzunehmen. Kate hatte eigentlich keine Katze im Haus gewollt, aber Dougal war entweder zu dumm oder zu entschlossen gewesen, um das zu begreifen.

Er strampelte sich frei und sprang miauend auf den Boden.

«Schon gut, ich weiß, es ist Essenszeit.» Kate ging in die Küche und nahm eine Dose Katzenfutter aus dem Wandschrank. Die Katze sprang auf die Arbeitsfläche und versuchte, das Fleisch schon zu fressen, während Kate es noch mit der Gabel in die Schüssel häufte. Sie schob den Kater wieder runter.

«Warte ab, bis du dran bist, du Gierschlund!»

Kate stellte den Fressnapf auf den Boden und beobachtete, wie der Kater sein Abendessen in sich hineinschlang. Sie überlegte, ob sie sich selbst auch etwas zu essen machen sollte. Sie öffnete den Kühlschrank, schaute hinein und schloss ihn wieder. Ein tosendes falsches Gelächter tönte aus dem Wohnzimmer. Kate ging wieder hinüber. Im Fernsehen lief eine Sitcom, lautstark und bunt. Sie griff nach der Fernbedienung und schaltete ab. Die grellen Bilder entschwanden, und das Gelächter erstarb abrupt.

Eine lähmende Stille legte sich über den Raum. Er schien jetzt dunkler denn je, aber Kate machte keine Anstalten, die Lampe einzuschalten. Aus der Küche hörte sie das leise Geräusch des Fressnapfes, der über den Küchenboden schrammte.

Was ist nur los mit mir?

Der Auftrag vom Parker Trust war der größte Coup ihrer Karriere. Sie hätte euphorisch sein sollen. Stattdessen fühlte sie nichts. Keine Befriedigung, keine Freude darüber, etwas erreicht zu haben. Schließlich hatte sich nichts geändert. Sie sah sich in dem immer dunkler werdenden Wohnzimmer um. *War es das? Ist das alles, was es jemals für mich geben wird?*

Aus dem Flur kam das Geräusch der Katzenklappe, die zuschlug. Dougal hatte sich satt gefressen und ging wieder auf Streifzug. Sie war allein. Urplötzlich erschienen ihr die Dunkelheit und die Stille erdrückend. Sie schaltete erst die Lampe und dann den CD-Spieler ein, ohne sich darum zu scheren, was drinlag.

Tom Jones schmetterte «It's not unusual», und die Stimme füllte den Raum. Kate ging in den Flur und griff nach dem Telefonhörer. Sie hatte keine Verabredung für diesen Abend geplant – für den Fall, dass sie den Auftrag nicht erhalten hätte. Aber jetzt erschreckte sie der Gedanke, ganz allein in der Wohnung rumzusitzen. Am anderen Ende der Leitung klingelte das Telefon nur zweimal, bevor sich eine Frauenstimme meldete.

«Hallo?»

«Hallo, Lucy, ich bin's, Kate.»

«Oh, Kate, hallo! Moment mal.» Es folgte ein dumpfes Klappern, als der Hörer abgelegt wurde. Kate hörte Lucy im Hintergrund die Stimme erheben. Dann ein kindlicher Einwand, den sie beiseitefegte, und Lucy war wieder dran. «Entschuldige. Kleine Meinungsverschiedenheit über das heutige Fernsehprogramm.»

«Wer hat gewonnen?»

«Ich. Ich habe ihr gesagt, sie könne entweder mit mir zusammen *EastEnders* sehen oder ins Bett gehen. Also ist sie plötzlich ein *EastEnders*-Fan. Na egal. Wie ist es gelaufen?»

«Wir haben den Auftrag.»

«O Kate, das ist ja phantastisch! Du musst doch überglücklich sein!»

«Na ja, ich glaube, es ist noch nicht so richtig zu mir durchgedrungen.»

«Das kommt schon noch! Dann werdet ihr heute Abend doch sicher feiern, oder?»

Kate nahm den Hörer ans andere Ohr, damit sie ihre Freundin über dem Lärm der CD besser hören konnte. «Nein. Also – ich hab mich gefragt ob du vielleicht Lust hättest, irgendwohin zu gehen? Ich lad dich ein, wenn Jack nichts dagegen hat, auf die Kleinen aufzupassen.»

«Heute Abend? Ach, Kate, ich kann nicht! Jack kommt erst spät nach Hause.»

Kate versuchte, sich ihre Enttäuschung nicht anmerken zu lassen. «Macht nichts. War ja auch ziemlich kurzfristig.»

«Ich weiß, aber wir sind schon eine ganze Ewigkeit nicht mehr zusammen ausgegangen! Ich sag dir was, warum kommst du nicht rüber? Bring ein paar Flaschen Wein mit, und mit etwas Glück sind wir schon herrlich besoffen, bevor Jack nach Hause kommt.»

Kates Laune hob sich sofort. «Wirklich?»

«Natürlich. Solange es dir nichts ausmacht, wieder mal die gute Tante zu spielen, wenn ich die Kinder nicht ins Bett kriege.»

Bei dem Gedanken an Lucys Kinder lächelte Kate. «Ich

freu mich drauf.» Sie sagte Lucy, dass sie in einer Stunde bei ihr sein würde, und legte auf; ihre Melancholie war wie weggeblasen. Sie hatte wieder etwas zu tun, hatte ein Ziel und einen Plan. Sie würde mit Emily und Angus lachen und spielen, sich mit Lucy ein wenig betrinken und ihr Selbstmitleid und ihre Depressionen zum Teufel jagen. Während Tom das Letzte aus seiner Stimme herausholte, tanzte sie mit schwingenden Hüften durchs Zimmer.

Dann rief sie sich per Telefon ein Taxi und schenkte sich ein Glas Wein aus dem Kühlschrank ein.

«Cheers», prostete sie sich zu. Sie nahm das Glas mit ins Badezimmer und stellte es, während sie sich auszog, auf den Rand der Badewanne. Während sie darauf wartete, dass das Wasser heiß wurde, warf sie einen kurzen Blick auf ihr Spiegelbild und wünschte sich wie gewöhnlich, sie wäre groß und elegant statt klein und dünn. Aber jetzt in ihrer Hochstimmung konnte sie auch das nicht kratzen.

Sie duschte schnell und summte vor sich hin, während das prickelnde Wasser die Ereignisse des Tages wegspülte. Sie hatte sich abgetrocknet und wollte sich gerade anziehen, als es an der Tür klingelte. Das Taxi kam zu früh. *Verdammt.* Kate zögerte und überlegte, ob sie noch ein paar Kleider überwerfen sollte, bevor sie die Tür öffnete. Ein zweites, längeres Klingeln gab den Ausschlag. Sie zog sich einen Bademantel über und lief die Treppe hinunter.

Durch die bunten Rhomben der Glasvertäfelung war die verschwommene Silhouette eines Mannes zu sehen. Kate schloss die Tür auf und öffnete sie einen Spalt weit.

«Entschuldigung, Sie sind zu ...», begann sie und brach ab.

Paul stand auf der Veranda. Er grinste sie an. «Zu was?»

Sein Anblick ließ sie erstarren. Sie versuchte, sich mit einem Ruck aus ihrem Schockzustand herauszureißen.

«Was willst du hier?»

«Ich bin hergekommen, um dir zu gratulieren.»

Er hob die Champagnerflasche, die er am Hals gefasst hatte. Kate konnte das Bier in seinem Atem riechen, säuerlich und mit einem Hauch Zigarette durchmischt. Etwas an seinem Lächeln gefiel ihr nicht. Sie hielt die Tür fest, versperrte ihm den Weg.

«Ich will ausgehen.»

Sein Grinsen wurde breiter, und er ließ seinen Blick über ihren Körper wandern. Sie widerstand dem Impuls, den Bademantel enger um sich zu ziehen. «Das Taxi muss jeden Augenblick hier sein. Ich muss mich noch anziehen.»

Er wandte den Blick von ihren Brüsten ab. «Kümmer dich nicht um mich. Gibt schließlich nichts, was ich nicht schon mal gesehen hätte, oder?»

Trotz ihrer Proteste trat er vor, und sie wich instinktiv zurück. Das war alles, was er brauchte, um seine Schulter in die Tür zu zwängen und sie gegen ihren Widerstand aufzuhebeln. Er zwang sie einen weiteren Schritt zurück, dann stand er in der Wohnung.

«Paul …!», begann sie, aber er schob sich an ihr vorbei.

«Na komm schon, Kate, ich dachte, du hättest es eilig?» Er stolperte schwerfällig die Treppe hinauf und prallte einmal von der Wand ab, als er dagegentaumelte. Während seine Schritte schon durchs Wohnzimmer dröhnten, stand Kate noch immer in dem kleinen Flur. *Geh nicht rauf, halt dich von ihm fern, geh nicht rauf!*, schrillte eine dünne Stimme. Aber Kate wusste nicht, was sie sonst hätte tun können. Also schloss sie zwar die Haustür, aber nicht die Wohnungstür am Fuß der Treppe, und lief hinter ihm her.

Paul saß lässig auf dem Sofa, beide Arme über die Rückenlehne gelegt. Sein Gesicht war gerötet. Er hatte sich, seit sie ihn das letzte Mal gesehen hatte, nicht sehr verändert. Sein dunkelblondes Haar war ein wenig länger, und sie bemerkte, dass das Hemd über dem Bauch ein wenig spannte. Aber die herablassende Arroganz, mit der er die Welt betrachtete, war unverändert.

Er feixte. «Hübsch hast du es hier.»

«Wie hast du rausgefunden, wo ich wohne?»

«Wenn du das geheim halten willst, solltest du dich nicht im Telefonbuch eintragen lassen. Und ich würde meinen Anrufbeantworter neu besprechen, wenn ich du wäre. Du klingst furchtbar gelangweilt.»

Kate blieb an der Tür stehen. «Ich möchte, dass du gehst.»

«Willst du mir nicht mal einen Drink anbieten?» Er schwenkte den Champagner. «Nein?» Er ließ die Flasche aufs Sofa fallen. «So viel zu meinen Glückwünschen.»

«Warum bist du gekommen, Paul?»

Eine Spur von Unsicherheit legte sich über sein Gesicht, als kenne er sich selbst nicht richtig. Dann war der Eindruck verflogen. «Um dich zu sehen. Was ist los, bist du jetzt zu fein geworden, um mit mir zu reden?»

«Es gibt nichts zu sagen. Und ich habe es dir bereits mitgeteilt, ich will ausgehen.»

«Wohin?»

«Zu Lucy.» Der Reflex, die Wahrheit zu sagen, kam, bevor sie etwas dagegen tun konnte. Sie hasste sich für diese automatische Kapitulation.

Wieder legte sich dieses unfreundliche Lächeln um Pauls Mundwinkel. «Du triffst dich also immer noch mit dieser Kuh?»

«Sie ist keine Kuh, und außerdem geht es dich nichts an, mit wem ich mich treffe.»

Sein Lächeln erstarb. «Ich hatte ganz vergessen, wie beschissen eingebildet du doch bist.»

Kate sagte nichts.

«Ach, verschon mich mit deinem gekränkten Blick!» Paul sah sie mürrisch an. «Gott, du hast dich nicht verändert, was? Die heilige Kate, die immer noch so tut, als könne sie kein Wässerchen trüben.»

Plötzlich beugte er sich vor. «Komm schon, tu doch nicht so, als würdest du die Situation nicht genießen! Du hast es geschafft, du hast mich geschlagen! Brüste dich ruhig damit, mir macht es nichts aus.»

«Ich möchte bloß, dass du gehst.»

«Was, einfach so?» Er sah sie mit gespielter Überraschung an. «Das ist deine große Chance! Endlich hast du diesem Mistkerl Paul Sutherland eins übergebraten! Willst du es mir nicht unter die Nase reiben?»

Kate spürte, wie sich die alten Schuldgefühle regten. Der Triumph über ihn hatte zwar nicht den erwarteten Jubel mit sich gebracht, aber sie konnte nicht leugnen, dass es ein Anreiz gewesen war. Ihr starker Drang, sich zu entschuldigen, zu sagen, er habe recht, brachte sie auf die Palme. «Wieso glaubst du eigentlich, du wärst so wichtig für mich, dass mich das überhaupt interessiert?»

Er grinste, weil er sich freute, sie provoziert zu haben. «Weil ich dich kenne. Ich weiß, wie du bist. Himmel, ich sollte es wirklich wissen; ich habe ja lange genug mit dir zusammengelebt.» Die dünne Tünche über seinem Zorn wurde langsam brüchig. «Mein Gott, sieh dich doch an. Fräulein Großkotz. Du glaubst, du bist große Klasse, was? Bist du nicht. Du bist gar nichts. Ohne mich würdest du dich immer noch mit beschissenen kleinen Aufträgen abschinden!»

«Mir ist das etwas anders in Erinnerung.»

«Ja? Wer hat dir denn deine erste Chance gegeben, verdammt nochmal?»

Die Antwort rutschte ihr heraus, bevor sie es verhindern konnte. «Und das war noch nicht alles, was du mir gegeben hast, oder?»

Er starrte sie an. «Was soll das wieder heißen?»

Kate wandte den Blick ab. «Sieh mal, Paul, das ist doch sinnlos. Es tut mir ja leid, dass du enttäuscht bist, aber –»

«Enttäuscht? Scheiße, warum sollte ich enttäuscht sein? Bloß weil irgendeine intrigante Nutte mich aus einem Auftrag rausbumst, für den ich mir die Eier wund gearbeitet habe?»

«Ich habe dich aus überhaupt nichts rausgebumst.»

«Nein? Wen hast du denn dann gebumst? War es das ganze Kuratorium oder nur Redwood?»

Sie hielt ihm die Tür auf. «Ich möchte, dass du gehst. Sofort.»

Er lachte, aber es war ein freudloses, hämisches Lachen. «Komm schon, Kate, mir kannst du es doch erzählen. Hat er die gleiche Stelle gekitzelt wie ich immer?»

«Raus! Sofort!»

Er war vom Sofa aufgesprungen, bevor sie sich bewegen konnte. Er packte sie mit einer Hand an der Kehle. Die andere Hand presste er ihr gegen das Kinn und zwang so ihren Kopf zurück.

«Sag mir ja nicht, was ich tun soll!»

Kate spürte seinen Speichel auf ihrem Gesicht. Sein Atem war von Alkohol getränkt. Sie versuchte, seine Hände wegzudrücken, aber er war zu stark. In seinem Gesicht zuckte es.

«Du Nutte! Du hältst dich für so verdammt klug, nicht wahr?»

Er presste sie mit dem Rücken gegen die Tür. Der Griff bohrte sich schmerzhaft in ihr Rückgrat. Dann sah sie, wie der Ausdruck seiner Augen sich wandelte, und plötzlich wusste sie, was als Nächstes geschehen würde. Als hätte der Gedanke die Tat herausgefordert, ließ Paul eine seiner Hände sinken, riss ihren Bademantel auf und packte, ohne sich um ihre Gegenwehr zu scheren, ihre Brust. Dann bohrte er ihr die Finger ins Fleisch.

«Paul ... *Nein* ...!»

Die Hand an ihrer Kehle würgte sie und erstickte ihre Schreie. Sein Bein drängte sich zwischen die ihren und machte sie bewegungsunfähig. Sie hatte nicht genug Platz, um zu treten oder ihm das Knie in den Leib zu rammen. Sie zerrte an seinem Handgelenk. Winzige Lichtpunkte standen ihr vor Augen. Sie spürte seine Hand an ihrer Taille; er riss an dem Gürtel, der den Bademantel noch immer geschlossen hielt.

Nein! Gott, nein!

Mit einem Mal hörte sie auf, sich zu wehren. Paul, der das Schwinden ihres Widerstandes gespürt hatte, blickte auf. Sie zwang sich, ihn über seine Hand hinweg anzulächeln.

«... Schlafzimmer ...», krächzte sie.

Einen Augenblick lang rührte er sich nicht von der Stelle, und sie glaubte, er sei zu betrunken, zu berauscht, um noch auf sie zu hören. Dann legte sich ein Grinsen über seine Züge. Er trat zurück, und als der Druck auf ihrer Kehle nachließ und sein Bein zwischen ihren hervorglitt, rammte sie ihm mit aller Kraft ihr Knie in die Weichteile.

Aber sie hatte zu früh angegriffen. Ihr Knie rutschte von

seinem Schenkel ab, und noch während er zurücktaumelte, bekam er sie bereits wieder zu fassen. Sie rannte durch die Tür, spürte ihn dicht hinter sich, während sie durch den Flur taumelte. Als sie die oberste Treppenstufe erreicht hatte, bekam er ihren Bademantel zu fassen, hielt ihn fest und zerrte Kate in einem ungleichen Kampf zurück. Sie konnte die Tür unten offen stehen sehen, wirbelte in ihrer Verzweiflung herum und entriss ihm den Bademantel.

Als der Stoff freikam, prallte sie gegen die Wand, und ihre Zähne schlugen schmerzhaft aufeinander. Paul stolperte in die andere Richtung, in das offene Treppenhaus. Er prallte vom Geländer ab und stürzte polternd die Treppe hinunter. Dann krachte er gegen die Tür, die gegen die Wand schlug, und blieb schließlich lang hingestreckt auf dem gefliesten Boden liegen.

Atemlos lief Kate zu ihm hinunter. Seine Augen waren fest geschlossen, der Mund zu einem gequälten «Ah» erstarrt, als sie über seine Beine trat und die Wohnungstür öffnete. In seiner Benommenheit leistete er keinen Widerstand, als sie ihm die Hände unter die Achseln schob und ihn rückwärts aus dem Flur zerrte. Er war schwer, aber sie musste ihn nicht weit ziehen. Erst als seine Hüften die Veranda hinunterpolterten, schien ihm klar zu werden, was da mit ihm geschah.

«Hey», murmelte er und versteifte sich, woraufhin Kate ihn fallen ließ. Sein Kopf krachte auf den Betonweg, aber noch während ihm das «Au!» über die Lippen kam, rannte sie bereits zurück ins Haus. Sie schlug die Haustür zu und lehnte sich keuchend dagegen. Ihr Rücken und ihre Schultern schmerzten, so sehr hatte sie sich anstrengen müssen.

Draußen herrschte einige Sekunden lang Stille, dann

hörte sie ihn ächzen und fluchen, während er sich mühsam hochhievte.

«Scheiße!» Noch ein Ächzen. «Nutte!»

Sie hörte, wie er ein paar Schritte auf die Veranda zu machte. «Wenn du immer noch da bist, wenn ich nach oben komme, rufe ich die Polizei!», schrie sie.

Hastig zog sie ihren Bademantel enger und lief hinauf ins Wohnzimmer. Dort trat sie vorsichtig neben das Fenster und schob sich so weit vor, bis sie nach unten auf den Weg schauen konnte. Paul stand am Tor, rieb sich den Hinterkopf und starrte voller Zorn auf die Veranda. Dann blickte er zum Fenster hoch. Kate wich zurück, aber sie wusste nicht, ob er sie bereits gesehen hatte. Schließlich drehte er sich mit einem letzten finsteren Blick um und stapfte langsam davon.

Kate sah ihm nach, bis sie ihn in dem fahlen Abendlicht nicht mehr erkennen konnte. Dann sackte sie in sich zusammen. Ihre Beine waren wie aus Gummi, und sie schaffte es gerade noch bis zu einem Stuhl, bevor sie unter ihr nachgaben. Sie zog sich den Bademantel über der Brust zusammen und legte sich beide Arme um den Leib.

Das plötzliche Schrillen der Türklingel ließ sie auffahren. *O Gott, was ist jetzt?* Vorsichtig trat sie wieder ans Fenster und spähte hinaus. Wer es auch war, er stand auf der Veranda, wo man ihn nicht sehen konnte. Sie zögerte und schlich sich dann wieder nach unten. Als sie auf halber Höhe der Treppe war, klingelte es abermals, und sie wäre beinahe gestrauchelt. Mit trockenem Mund sperrte sie im Erdgeschoss die Wohnungstür auf. In dem schwindenden Licht wirkte die Gestalt hinter der bunten Verglasung noch undeutlicher als zuvor.

Sie merkte, dass sie den Atem anhielt. «Wer ist da?»

«Taxi für Powell.»

Was ihr da entgegenschlug, war reinstes Cockney-Englisch, keine Ähnlichkeit mit Pauls Stimme. Erleichtert legte Kate den Kopf an die Wand. Beinahe hätte sie dem Taxifahrer gesagt, dass sie ihre Meinung geändert habe. Der Drang, sich in ihrer Wohnung einzuschließen und ins Bett zu kriechen, war schier überwältigend.

«Ich brauche noch zehn Minuten», rief sie stattdessen und lief wieder nach oben, um sich anzuziehen.

Kapitel 2

Das kleine Mädchen kämpfte verbissen gegen den Schlaf. Ein aussichtsloser Kampf; ihre Augenlider sanken herab, wurden aufgerissen und sanken abermals herab. Diesmal blieben sie geschlossen. Kate wartete, bis sie sicher sein konnte, dass Emily schlief. Erst dann schloss sie leise ihr Buch und stand auf. Die leichte Bewegung der Matratze schreckte das kleine Mädchen auf, sodass es sich nun umdrehte und sich unter der Decke vergrub, bis nur noch ein Büschel hellen Haares zu sehen war.

Kate schob das Buch leise wieder ins Regal. In dem zweiten Bett des Zimmers schlief Emilys um zwei Jahre jüngerer Bruder. Er lag auf dem Rücken, die kräftigen Arme und Beine mit der Sorglosigkeit eines Einjährigen von sich gestreckt. Angus hatte seine Decke mehr oder weniger vollständig weggetreten. Kate deckte ihn wieder zu. Dann drehte sie den Dimmer an der Wand, bis das Licht aus der Mickymaus-Lampe zu einem fahlen Schimmer verblasste.

Der Atem der beiden Kinder ließ sich als sanftes Säuseln im Halbdunkel ausmachen. Kate hatte sich geradezu absurd geschmeichelt gefühlt, als beide Kinder sich von ihr zu Bett bringen lassen wollten, Angus als Erster und seine Schwester eine halbe Stunde später. Eine Woge der Zuneigung schnürte ihr die Kehle zu, als sie die schlafenden kleinen

Gestalten betrachtete. Lautlos zog sie die Schlafzimmertür hinter sich zu und ging wieder nach unten.

Das Haus, eine heruntergekommene, frei stehende Villa in Finchley, besaß Stuckdecken, ein Treppenhaus mit Mahagonigeländer und einen kleinen, von Mauern umschlossenen Garten, den Lucy als «den Dschungel» zu bezeichnen pflegte. Der Stuck an den Decken blätterte ab, und das Geländer wies zahllose Risse auf, aber es war immer noch besser als die enge, kalte Wohnung, in der Lucy und Jack vorher gewohnt hatten. Eine Tante hatte ihnen das Haus vor einigen Jahren vermacht, und sie schienen immer noch nicht richtig ausgepackt zu haben. Spielzeug, Papiere und Kleider verteilten sich über Stühle, auf dem Fußboden und auf den Heizkörpern. Es war die Art Haus, in der Kate gern aufgewachsen wäre. Sie stieg über ein umgekipptes rotes Dreirad am Fuß der Treppe und zwängte sich um einen unordentlichen Stapel Kisten herum, der sich vor der Wand auftürmte. Jack betrieb sein Geschäft – Desktop-Publishing – in dem umgebauten Keller, und alles, was seiner Betätigung dort weichen musste, verteilte sich nach und nach im ganzen Haus.

Als Kate ins Wohnzimmer kam, gab Lucy gerade noch mehr Kohlen auf das Feuer. Sie rasselten aus der Kohlenschütte und deckten die Flammen vollkommen zu. Ein feuchter Geruch stieg auf. Lucy setzte die Kohlenschütte ab und wischte sich an einem Lumpen die Hände ab. Als sie Kate ansah, waren ihre Augen von einem leuchtenden, beinahe violetten Blau.

«Sind sie gut eingeschlafen?»

«In null Komma nichts.»

«Du solltest öfter kommen. Wenn du hier bist, benehmen sie sich wie die reinsten Engel.»

Kate lächelte und setzte sich auf den Boden. Die Kohle hatte dem Feuer alle Wärme geraubt, aber schon erhob sich über den schwarzen Brocken dampfender Rauch. Das Wohnzimmer war groß und zugig, und außer in den heißesten Nächten ließen Lucy und Jack grundsätzlich ein Feuer brennen. Kate begab sich in den Schneidersitz und lehnte sich gegen das Sofa. Der Couchtisch vor ihr war mit den Resten des Abendessens übersät; der gebratene Reis und die Nudeln, die sie sich vom Chinesen geholt hatten, waren in ihren Aluminiumbehältern zu einer öligen Masse erkaltet. Dazwischen stand eine halbleere Weinflasche.

Lucy schob sich eine blonde Locke aus den Augen und setzte sich neben Kate auf den Boden. Sie nahm sich eine kalte Garnele.

«Ich wusste, ich hätte das wegräumen sollen», sagte sie kauend. «Morgen habe ich sicher zwei Kilo drauf.»

«Du könntest ja mit mir ins Fitnessstudio gehen.»

«Nein danke. Wenn Gott gewollt hätte, dass Frauen schlank sind, hätte er nicht die Schokolade erfunden.» Sie schob sich noch eine Garnele in den Mund. «Und du weißt ja, was beim letzten Mal passiert ist, als ich in einem Fitnessstudio war. Ich habe Jack kennengelernt.»

Sie lachten. Kate schenkte Wein nach, dann lehnte sie sich wieder gegen das alte Ledersofa. Sie fühlte sich wohlig schläfrig. Eigentlich kannte sie Lucy erst seit sieben Jahren, aber es kam ihr viel länger vor. Lucy war Empfangsdame in der Agentur gewesen, bei der Kate ihren ersten PR-Job bekommen hatte – der Agentur, deren Marketing-Direktor Paul Sutherland gewesen war. Ihre ausgeprägten Rundungen und ihr Hang zu engen Kleidern hatten reihenweise Männerköpfe herumschnellen lassen, aber zwei Kinder und ein süßer Kerl hatten alldem ein Ende bereitet. Und wenn ihr dieser Tausch etwas ausmachte, zeigte sie es nicht. Manchmal beneidete Kate sie.

Lucy leckte sich die Finger ab. «Du willst Paul also wirklich nicht anzeigen?»

«Ich glaube nicht, dass das viel brächte. Es würde ja doch nur sein Wort gegen meins stehen.» Kate griff nach ihrem Weinglas. «Außerdem ist im Grunde genommen nichts passiert.»

«Es wäre aber was passiert, wenn du ihn nicht aufgehalten hättest. Und woher willst du wissen, dass er es nicht wieder versuchen wird?»

«Ich werde eben vorsichtiger sein müssen. Ich glaube aber nicht, dass er es nochmal probiert. Er war nur betrunken und aufgebracht, weil er die Ausschreibung verloren hatte. Ich glaube, nicht mal Paul wäre dumm genug, daraus eine große Sache zu machen.»

Lucy lachte laut auf. «Ich kann mir das durchaus vorstellen.»

Kate nahm diese Bemerkung ohne Kommentar zur Kenntnis. Lucy hatte sie von Anfang an vor Paul Sutherland gewarnt. Sie hatte nicht auf sie gehört.

«Also, wie geht es jetzt weiter, nachdem du die Ausschreibung gewonnen hast?», erkundigte sich Lucy. «Wirst du jetzt ein bisschen kürzertreten und die Sache langsamer angehen lassen?»

«Würde ich gern. Aber jetzt fängt die harte Arbeit erst richtig an.»

Lucy suchte sich die nächste Garnele aus. «Dann gib einen Teil deiner Arbeit weiter. Du behauptest doch immer, Clive sei so gut.»

«Ist er auch, aber ich kann nicht alles auf ihn abladen.»

«Dann wirst du also versuchen, alles selbst zu machen,

bis du einen …» Lucy brach ab. «Na ja, bis du umkippst», beendete sie ihren Satz.

Die Flammen züngelten durch die Kohlen, und Kate starrte in das Feuer. «Ich arbeite gern», sagte sie.

«Das heißt nicht, dass du nicht auch ein Sozialleben haben könntest.»

«Ich habe eins.»

Lucy schnaubte. «Ab und zu ein Besuch im Fitnessstudio macht noch keinen Partylöwen aus dir.»

Kate rieb sich den Nacken. Eine neuerliche Kopfschmerzattacke kündigte sich an. «Bitte, hör auf damit.»

«Es tut mir leid, Kate, aber ich kann mich nicht einfach zurücklehnen und zusehen, wie du dich zu Tode schuftest.» Der Feuerschein verlieh Lucys blondem Haar einen rötlichen Schimmer. «Ich weiß, dass es nicht einfach ist, ein Geschäft zu leiten – mein Gott, Jack investiert genug Zeit in seins. Aber du brauchst auch ein Leben jenseits der Arbeit.»

Plötzlich sah Kate den Raum um sich herum nur noch verschwommen. Das Feuer löste sich in funkelnde Prismen auf. Sie wandte den Kopf ab und blinzelte.

«Kate? Stimmt was nicht?»

«Schon gut. Mir geht's bestens.»

Lucy riss ein Stück Papier von der Küchenrolle ab und reichte es ihr. «Nein, das tut es nicht. Du warst den ganzen Abend über in so einer seltsamen Stimmung.» Sie wartete, bis Kate sich die Nase geputzt hatte. «Geht es um das, was mit Paul passiert ist?»

«Nein, ich bin einfach eine blöde Kuh, das ist alles.»

Lucy sah sie nur an.

«Ich weiß nicht, was los ist», stieß Kate hervor. «Ich müsste außer mir vor Freude sein, aber ich empfinde bloß ...» Sie warf das zerknüllte Küchenpapier ins Feuer. Einen Augenblick lang bewahrte es seine Form, dann war es in einem Auflodern der Flammen verschwunden. «Ich weiß nicht, was ich empfinde.»

Die Flamme erstarb und hinterließ nur eine graue Aschenflocke, über der eine dünne Rauchwolke aufstieg. Kate wandte den Blick ab und strich sich unbewusst über den Ärmel.

Lucy beobachtete sie. «Du brauchst Urlaub.»

«Ich habe keine Zeit.»

«Dann nimm dir die Zeit. Ich weiß, die Eröffnung deiner eigenen Agentur war das Beste, was du nach dieser Katastrophe mit Paul tun konntest, das will ich nicht bestreiten. Aber es kann nicht gesund sein, dich weiter darin zu begraben. Wenn du glücklich dabei wärst, hätte ich ja nichts dagegen, aber du bist es offensichtlich nicht.»

«Ich fühle mich bloß ein bisschen down, das ist alles.»

«Na, komm schon, Kate, das ist doch totaler Blödsinn, und das weißt du.» Lucy seufzte und stellte ihr Glas auf den Couchtisch. «Sieh mal, ich will mich nicht in dieses Thema verbeißen. Aber du kannst dir nicht von einer schlechten Erfahrung dein Leben versauen lassen. Es ist langsam Zeit, dass du die Sache hinter dir lässt.»

«Ich habe sie hinter mir gelassen.»

«Nein, hast du nicht. Bevor du dich mit Paul getroffen hast, bist du ständig ausgegangen, aber seither hast du dich von allen abgekapselt.»

Kate zuckte mit den Schultern. «Es kommt eben vor, dass man zu manchen Leuten den Kontakt verliert.»

«Nur, wenn man es selber zulässt. Wie vielen Leuten hast du denn überhaupt deine neue Adresse gegeben, als du umgezogen bist? Ich wette, die meisten von deinen früheren Bekannten wissen gar nicht mehr, wo du wohnst.» Lucy wartete nur darauf, dass sie es leugnete. Aber Kate schwieg. «Und seit deiner Trennung von Paul hast du mit keinem anderen Mann auch nur einen Drink genommen – und eure Trennung liegt jetzt mehr als drei Jahre zurück.»

«Ich habe einfach niemanden kennengelernt, mit dem ich gern ausgehen würde.»

«Du hast es auch gar nicht versucht. Ich habe dich beobachtet, wenn wir zusammen weggegangen sind. Du sendest ununterbrochen die Botschaft ‹Nicht anfassen› aus.»

«Was soll ich deiner Meinung nach tun? Mich jedem Mann, den ich kennenlerne, gleich an den Hals werfen?»

«Nein, aber du brauchst dich auch nicht in eine Nonne zu verwandeln. Na, komm schon, sei ehrlich. Kannst du allen Ernstes behaupten, du würdest den Sex nicht vermissen?»

Kate wich ihrem Blick aus. «Ich denke nicht viel darüber nach.»

«Das ist keine offene Antwort.»

«Na schön, na schön. Ich vermisse ihn nicht besonders. Okay?»

«Dann stimmt irgendwas nicht mit dir.» Lucy wollte einen Schluck trinken, senkte dann aber ihr Glas, als ihr ein anderes Argument einfiel. «Ich weiß, es gibt Frauen, die ihre Karriere mit Freuden vor alles andere setzen, aber ich glaube einfach nicht, dass du dazugehörst. Und sehen wir den Dingen ins Auge – du wirst auch nicht jünger.»

«Vielen Dank.»

«Nun, das ist eine Tatsache. Du wirst nächstes Jahr vierunddreißig. Du bildest dir vielleicht ein, Miss Superwoman persönlich zu sein, aber deine biologische Uhr läuft genauso ab wie bei allen anderen Menschen auch. Meinst du nicht, du solltest langsam anfangen, über eine eigene Familie nachzudenken, und ...»

«Oh, ich bitte dich!» Kates Wein schwappte über, als sie das Glas auf den Tisch knallte.

«Hör mich doch wenigstens an ...»

«Das muss ich nicht, ich weiß, was du sagen willst! Ich soll heiraten, mich häuslich niederlassen, Tee kochen! Tut mir leid, aber ich sehe das anders! Du magst ja als Hausfrau glücklich und zufrieden sein, aber in meinem Leben ist Raum für mehr als das!»

Sie staunte selbst über die Hitzigkeit, mit der ihre Worte kamen. Lucy sah sie einen Augenblick lang an, dann schlang sie die Arme um die Beine und blickte ins Feuer. «Vielleicht ist es so. Aber ich bin ja nicht diejenige, die in Tränen ausgebrochen ist, oder?»

Die Flammen zischten und prasselten in dem stillen Raum.

«Tut mir leid», sagte Kate nach einer Weile. «Ich hab's nicht so gemeint.»

«Schon gut.» Lucy sah sie wieder an. «Ich habe gemeint, was ich gesagt habe. Und du kannst das Blaue vom Himmel herunterschwören, dass du keine Beziehung willst, dass du dich nicht häuslich niederlassen willst. Aber ich habe doch gesehen, wie du mit Angus und Emily umgehst, also versuch mir nicht zu erzählen, du wolltest keine Kinder, weil ich dir das nämlich nicht glauben werde.»

Kate suchte nach Worten, mit denen sie Lucy Lügen strafen konnte, aber sie fand keine. Lucy nickte, als ob das ihre Vermutung bestätigen würde, aber bevor sie noch irgendetwas sagen konnte, wurde die Haustür aufgeschlossen.

«Hört sich an, als wäre die Lesung früh zu Ende gewesen», bemerkte Lucy und drehte den Kopf zur Zimmertür. Dann beugte sie sich hastig vor und legte Kate eine Hand auf das Knie. «Ich will nur eins sagen: Frag dich selbst mal, was du wirklich willst. Und dann unternimm etwas deswegen.»

Sie musterte Kate mit einem entschlossenen Blick und lehnte sich dann, als Schritte durch den Flur kamen, wieder zurück. Kate griff nach dem nächsten Papiertuch.

«Sind meine Augen rot?»

Lucy streckte sich und dehnte ihre Arme über dem Kopf zu beiden Seiten. «Nein, und es würde auch keine Rolle spielen, falls doch», sagte sie gähnend. «Sobald Jack ein paar Bier intus hat, würde er es nicht einmal merken, wenn du splitternackt wärst.»

Die Wohnzimmertür wurde geöffnet, und ein stämmiger Mann platzte grinsend herein. Sein drahtiges schwarzes Haar war auf den Unterarmen dichter als auf seinem Kopf. Er bückte sich und küsste Lucy.

«Hallo, Schatz, 'n Abend, Kate.»

Kate lächelte ihn an. Er betrachtete den kalten Inhalt der Aluminiumbehälter, rieb sich geistesabwesend über seinen leichten Bauch und ließ sich hinter Lucy in den hohen Ledersessel sinken. Lucy lehnte sich an seine Beine.

«War die Versammlung gut?»

«Nicht schlecht. Gabin hat eine neue Lyriksammlung, die er vielleicht rausgeben will, und Sally hat eine Idee für ein neues Verteilersystem ...»

Kate hörte nicht länger zu. Obwohl sie sich in der Gesellschaft von Jack und Lucy wohl fühlte wie in einem bequemen Paar Hausschuhe, wusste sie, dass sie bald gehen würde. Der Gedanke, in die Leere ihrer kargen Wohnung zurückzukehren, war niederschmetternd, aber manchmal fühlte sie sich einfach als Außenseiterin, wie ein überflüssiges Gedeck an einem bereits kompletten Tisch.

Während Lucys und Jacks Stimmen um sie herum plätscherten, blickte sie wieder ins Feuer. Ein Kohlebrocken gab ein lautes Knacken von sich. Die Flammen tanzten und bebten und nahmen stets vage vertraute Gestalten an, die sie nie so recht zu erkennen vermochte.

Kapitel 3

Später sollte sie sich fragen, was wohl geschehen wäre, wenn sie die Zeitschrift nicht gesehen hätte. Redwood hatte wieder angerufen und Ergänzungen zu der Werbekampagne angeregt. Zwei Wochen nachdem sie die Ausschreibung gewonnen hatte, erhielt sie immer noch fast täglich einen Anruf von ihm, und als er endlich auflegte, ließ Kate den Hörer voller Überdruss auf die Gabel sinken. Sie schlug die Akte des Trusts auf, starrte sie einen Augenblick lang an, warf sie dann auf den Schreibtisch und lehnte sich zurück.

Scheiß drauf.

Sie ging in die Kellerküche hinunter und beschloss, zur Abwechslung mal Tee zu trinken statt Kaffee. Der Kessel war halb voll. Kate setzte ihn auf und hängte, während sie darauf wartete, dass das Wasser kochte, einen Teebeutel in einen Becher. Auf der Arbeitsfläche vor ihr lag eine Ausgabe der *Cosmopolitan*. Ohne sich etwas dabei zu denken, nahm sie die Zeitschrift zur Hand. Das glänzende Deckblatt bot die gewohnte Mischung aus Prominenz und Sex. Eine der Überschriften lautete: «Männer: Wer braucht sie schon!» Darunter stand in kleineren Buchstaben: «Künstliche Befruchtung: Der Weg der Zukunft?» Kate ließ den Blick über die anderen Überschriften schweifen und kehrte dann wieder zur ersten zurück. Sie schlug den entsprechenden Artikel auf und begann zu lesen. Hinter ihr blies der Kessel schon Dampf aus, bevor er sich schließlich selbst abstellte. Kate sah nicht auf. Mit der Hüfte an die Arbeitsfläche gelehnt, stand sie reglos da und verschlang eine Seite nach der anderen. Einmal blätterte sie zurück, um einen schwierigen Absatz noch einmal zu lesen. Als die Tür geöffnet wurde, schlug sie gerade eine Seite um.

Kate riss den Kopf hoch. Josefina blieb zögernd in der Tür stehen. Das spanische Mädchen hatte einen leeren Kaffeebecher in der Hand. Sie sah Kate mit einem nervösen Lächeln an.

«Entschuldigung. Ich wollte Sie nicht erschrecken.»

«Nein, ich war ... Ich mache mir gerade eine Tasse Tee.» Verlegen drehte Kate sich zu dem Kessel um und bemerkte, dass er sich bereits abgestellt hatte. Sie klickte ihn wieder an. Das Mädchen ging zur Spüle. Kate sah, dass sie einen Blick auf die Zeitschrift warf, und schlug sie hastig zu. «Entschuldigung, ist das Ihre?»

Josefina strich sich ihr schweres Haar aus der Stirn. «Ach, das macht nichts. Sie können sie gern lesen, wenn Sie wollen.»

«Nein, ich bin fertig damit, danke.»

Kate legte die Zeitschrift wieder auf die Anrichte, und Josefina ließ Wasser aus dem Hahn in den Kaffeebecher laufen. Das Lächeln des spanischen Mädchens hatte nichts Wissendes, sagte sich Kate. Warum auch? Um Himmels willen, sie hatte lediglich ein Frauenmagazin gelesen. Daran gab es doch nichts auszusetzen. Also, warum errötete sie?

Das Wasser kochte. Geschäftig goss Kate kochendes Wasser auf ihren Teebeutel.

Auf dem Heimweg kaufte sie sich an einem Kiosk eine Ausgabe der Zeitschrift.

Lucy saß bereits im Café, als Kate eintraf. Es war Mittags-
zeit, die meisten Tische waren besetzt, aber Lucy hatte es
geschafft, einen Tisch draußen unter der roten Markise
zu ergattern. Als Kate näher kam, flirtete ihre Freundin
gerade mit einem Kellner; sie hatte sich eine Sonnenbrille auf den Kopf geschoben, damit ihr das Haar nicht in
die Augen fiel. Der Kellner grinste, als er wieder hineinging.

Kate zog sich einen weißen Plastikstuhl vom Tisch und
setzte sich. Er war warm von der Sonne.

«Ich störe doch nicht bei irgendwas, oder?»

Lucy zuckte unbekümmert mit den Achseln. «Missgönn
mir meine kleinen Freuden nicht. Ich habe nur noch gut
eine Stunde Zeit, dann muss ich die Kinder von der Krippe
abholen.»

Sie studierten die Speisekarten; Kate bestellte einen
griechischen Salat, ohne wirklich hinzusehen. – Lucy
bestellte Moussaka und schenkte dem Kellner, während
sie ihm dankte, ein weiteres Lächeln. Er nahm die Speisekarten mit einer schwungvollen Gebärde entgegen. Sie sah
ihm nach.

«Ist dir jemals aufgefallen, dass griechische Männer wunderbare Hintern haben?» Mit einem Seufzen wandte sie
sich wieder zu Kate um. «Was soll's. Das ist jedenfalls eine
Überraschung. Ich dachte, ich würde dich überhaupt nicht
mehr zu Gesicht bekommen, jetzt, da du den neuen Auftrag
hast. Wie läuft es denn?»

«Frag nicht.»

Also fragte Lucy nicht mehr. Augenblicklich interessierte
sie sich auch viel mehr für ihre Auseinandersetzungen
mit Jack. Es ging um den Kauf neuer Hardware für sein
Geschäft. Kate quittierte den Monolog ihrer Freundin mit

einem gelegentlichen Nicken oder einem Lächeln, ohne den Inhalt überhaupt aufzunehmen. Weiter unten auf der Straße rissen einige Arbeiter die Fahrbahn auf. Ein Verkehrspolizist blieb neben einem Wagen stehen und notierte sich die Zulassungsnummer. Ein paar Meter von ihm entfernt durchstöberte ein Stadtstreicher einen Abfallkorb. Kate beobachtete diese Gestalten, bevor sie den Blick wieder auf Lucy heftete. Sie versuchte zuzuhören, aber es klappte nicht. Sie drehte sich die Serviette um den Finger, wickelte sie wieder ab und fing von vorn an. Sie musste sich zwingen, damit aufzuhören.

Der Kellner kam zurück und stellte ihr Essen auf den Tisch. Kate stocherte ohne Appetit in dem öldurchtränkten Salat und den weißen Schafskäsewürfeln. Sie spürte, dass Lucy sie erwartungsvoll ansah.

«Wie bitte?»

«Ich sagte, wie ist der Salat? Diese Auberginen sind himmlisch! Ich habe ein Moussaka-Rezept aus einer Zeitschrift, aber mit dem hier ist das nicht vergleichbar!»

Die günstige Gelegenheit ließ Kates Herz schneller schlagen.

«Ich habe neulich auch was Interessantes in einer Zeitschrift gelesen.» Ihre Stimme klang betont beiläufig. «Über künstliche Befruchtung.»

«Ach ja?» Lucy blickte nicht einmal auf.

«Ja, es ist … weißt du … schon überraschend, wie viele Frauen das machen lassen.»

Lucy war von einem großen Bissen Moussaka in Anspruch genommen. «Jacks Cousine auch. Ihr Mann war impotent. Irgendein grässlicher Unfall oder so was, und die einzige Art, wie sie Kinder bekommen konnte, war dieses Dingsbums. Künstliche Duweißtschonwas.»

Kate vergaß ihre Nervosität. «Haben sie sein Sperma benutzt oder das eines Spenders?»

«O Kate, bitte, nicht während des Essens!» Lucy schnitt ein Gesicht. «Außerdem kenne ich die Einzelheiten nicht. Sie sind ausgewandert.»

Lucy beugte sich wieder über ihren Teller und hielt dann inne. Sie warf Kate einen scharfen Blick zu.

«Wie kommt's, dass du dich so dafür interessierst?»

Kate schaufelte sich mit besonderer Sorgfalt Salat auf die Gabel. «Das tu ich gar nicht. Es ist nur ... weißt du, ein interessantes Thema.»

Ihr war überdeutlich bewusst, dass Lucy immer noch nicht weiteraß. Es herrschte Schweigen. Kate richtete ihre Aufmerksamkeit weiterhin auf ihr Essen. Dann sagte Lucy:

«Sag, dass das nicht wahr ist!»

«Was denn?»

«Du denkst doch nicht etwa darüber nach, so was machen zu lassen!»

Kate versuchte sich an einem ungläubigen Lachen. «Ich? Ach, komm schon!»

«Gib's zu!»

«Nein! Natürlich nicht!» Sie versuchte, Lucy in die Augen zu sehen, konnte es aber nicht. «Jedenfalls nicht ernsthaft. Ich dachte nur, du weißt schon ... sag mal, könntest du bitte aufhören, mich so anzustarren?»

«Es tut mir leid, Kate, aber was erwartest du?» Lucy legte ihr Besteck weg; die Moussaka war vergessen. «Na, das ist doch einen Eintrag ins Tagebuch wert, was? Was hat dich denn auf die Idee gebracht? Doch nicht das, was ich neulich Abend gesagt habe, oder?»

Kate war erleichtert, dass das Thema endlich zur Sprache kam. «Nur teilweise. Aber wenn ich darüber nachdenke, du hattest recht. Es ist tatsächlich Zeit, dass ich mir überlege, was ich will.»

«Ich meinte aber nicht, dass du Hals über Kopf etwas unternehmen sollst.» Lucy sah sie ungläubig an. «Und schon gar nicht so etwas!»

«Ich weiß, dass du das nicht so gemeint hast, aber als ich diesen Artikel sah, hat es bei mir einfach geklingelt. Ich meine, ich will *wirklich* Kinder haben. Ich habe sogar einmal versucht, mit Paul darüber zu sprechen, obwohl es nichts brachte. Nach unserer Trennung schien es dann keinen Sinn mehr zu haben, auch nur darüber nachzudenken.» Sie beugte sich vor, erwärmte sich langsam für ihre Argumente. «Da ich Single bin und auch bleiben will, bin ich ohne weiteres davon ausgegangen, dass ein Baby einfach nicht in Frage kommt. Aber warum eigentlich nicht?»

Lucy runzelte die Stirn. «Du meinst das doch nicht ernst, oder?»

Kate spürte, wie ihr Enthusiasmus langsam abflaute. «Ich habe noch nichts Endgültiges entschieden, wenn du das meinst. Ich wollte hören, was ich deiner Meinung nach tun sollte.»

Lucy lehnte sich zurück. «Meine Güte, Kate, ich kann nicht glauben, dass du mich das wirklich fragst! Versteh mich nicht falsch, ich habe nichts gegen künstliche Befruchtung an sich. Für ein Paar, das keine Kinder bekommen kann, wie bei Jacks Cousine, ist es wahrscheinlich ein Gottesgeschenk. Aber doch nicht für eine alleinstehende Frau.»

«Du findest die Idee also schlecht?» Enttäuschung machte sich in Kates Magen breit.

«Natürlich! Ich meine, es ist schon schwer genug, Kinder großzuziehen, wenn man zu zweit ist. Für alleinstehende

Eltern muss es der reine Albtraum sein! Eine Frau, die sich freiwillig in so einen Schlamassel stürzt, sollte sich mal den Kopf untersuchen lassen. Und was ist mit der Agentur? Du hast gerade erst diesen großen Auftrag bekommen, dem du seit Ewigkeiten hinterherjagst. Die werden sich wirklich freuen, wenn du denen deinen Mutterschaftsurlaub ankündigst!»

Kate bemerkte, dass die Frau am Nachbartisch nichts mehr sagte. Sie senkte die Stimme.

«Es wäre noch fast ein ganzes Jahr hin. Und ich würde mir gar nicht so viel Zeit freinehmen müssen. Ich könnte von zu Hause aus arbeiten. Außerdem, hast du nicht gesagt, ich solle mir ein Leben außerhalb der Agentur schaffen? Was ist damit? Sollte ich nicht darüber nachdenken, was ich will, und dann etwas deswegen unternehmen?»

«Ja, aber doch *vernünftig*! Na schön, wenn du ein Baby willst, das kann ich verstehen. Aber meinst du nicht, dass du da in das andere Extrem verfällst? Wieso versuchst du es nicht zuerst auf die normale Weise? Du weißt schon, erst der Ehemann, dann das Baby?»

Kate sah aus den Augenwinkeln zu der Frau am Nebentisch hinüber, die auf ihrem Stuhl vorsichtig näher gerückt war. Sie beugte sich zu Lucy vor. «Weil ich keinen Mann *will*. Und ich werde mich ganz bestimmt nicht mit irgendjemandem einlassen, nur damit ich sein Baby bekomme. Ich stehe auf eigenen Füßen, seit ich neunzehn bin. Ich bin gern unabhängig. Warum sollte es dabei anders sein?»

«Weil es etwas anderes *ist*.»

«Aber warum? Nur weil ich keinen Partner habe, heißt das doch nicht zwangsläufig, dass ich kein Baby haben kann. Ich kann es mir leisten: Ich bin kein naiver Teenager mehr. Also, warum nicht?»

«Komm schon, Kate, das weißt du genauso gut wie ich! Wenn du dir versehentlich eins eingefangen hättest, das wäre eine Sache, aber du redest davon, dich von ... von einem vollkommen fremden Mann schwängern zu lassen! Diese Kliniken erzählen einem nicht mal, wessen Samen sie benutzen, oder?»

«Nein, aber sie sind da schon sehr vorsichtig.»

«Das will ich auch hoffen. Aber es ändert nichts an der Tatsache, dass du niemals wissen würdest, wer der Vater ist, oder?»

Das war etwas, womit Kate selbst nicht ganz glücklich war. Aber das würde sie Lucy gegenüber nicht zugeben.

«Hunderte von Frauen haben es getan», sagte sie und wich damit der eigentlichen Frage aus.

«Ja, aber als letzten Ausweg, nicht freiwillig! Du forderst damit doch die Probleme geradezu heraus!»

Plötzlich wandte Lucy sich an die Frau, die am nächsten Tisch gelauscht hatte. «Vielleicht würden Sie uns Ihre Meinung sagen, da Sie sich anscheinend so für die Sache interessieren. Wie hätten Sie Ihr Sperma denn gern, heiß oder kalt?»

Die Frau errötete und wandte sich hastig ab. Lucy drehte sich mit einem harten Lächeln wieder zu Kate um.

«Wo war ich stehengeblieben?»

Kate hatte eine Hand über die Augen gelegt, sie versuchte, sich ein Lachen zu verkneifen. «Du hast mir erzählt, dass ich Probleme herausfordern würde.»

«Ja.» Lucy betrachtete ihren Teller, als wäre ihr gerade wieder eingefallen, dass sie eigentlich zum Essen hier war. «Nun, was soll ich sonst noch sagen? Ich kann nicht glauben, dass du auch nur darüber *nachdenkst*. Es tut mir leid, aber du wolltest meine Meinung, und das ist sie.»

Kate sagte nichts. Sie saß nur da, das Kinn in die Hand gestützt, und stocherte mit ihrer Gabel in dem Salat herum. Lucy seufzte.

«Offensichtlich war das nicht das, was du hören wolltest.»

«Ich wollte einfach nur deine Meinung, das ist alles.»

Lucys Augen schimmerten sehr blau, als sie Kate das nächste Mal ansah. «Ich weiß nicht, warum. Du tust ja doch, was du willst.» Sie schaute auf ihren Teller herunter, hin- und hergerissen zwischen einer Fortsetzung ihrer Ansprache und der erkaltenden Moussaka. Sie seufzte wieder.

«Wenn du wirklich versessen auf diese Idee bist, dann kann es wahrscheinlich nicht schaden, einfach mal mit jemandem darüber zu reden. Die Leute werden dir wahrscheinlich dasselbe sagen wie ich, aber zumindest bist du die Sache dann los.» Lucy breitete die Hände aus. «So. Ist es das, was du von mir hören wolltest?»

Kate grinste, aber Lucy war noch nicht fertig.

«Ich hoffe nur, du tust nichts, was du später bereuen wirst, das ist alles», sagte sie. Dann drehte sie sich, bevor Kate etwas antworten konnte, zu dem Kellner um, der einen der anderen Tische abwischte. Sie strahlte ihn an und hielt ihm ihren Teller hin.

«Seien Sie ein Schatz und schieben Sie das nochmal für zwei Minuten in die Mikrowelle, ja?»

Sie gingen zur U-Bahn-Station. Das Café lag an einer Nebenstraße in der Nähe des Oxford Circus, auf halber Strecke zwischen ihren Wohnungen und war für sie beide bequem zu erreichen. Lucy plauderte über irgendetwas, aber Kate hörte kaum zu. Sie spürte, dass selbst ihre Fingerspitzen vor Erregung kribbelten. Jetzt, da sie Lucy davon erzählt hatte, war es, als hätte sie eine Last, die sie mit sich herumgetragen hatte, endlich abgeschüttelt.

Lucy redete immer noch, als sie die Treppe der U-Bahn-Station hinuntergingen. Plötzlich umklammerte sie Kates Arm.

«O Scheiße.»

Kate blickte auf. Ihre Aufregung erstarb schlagartig.

Paul Sutherland stapfte die Treppe hoch, direkt auf sie zu. Eine Sekunde später sah er sie, und es schien Kate, als husche ein Ausdruck des Unbehagens über sein Gesicht, bevor seine gewohnte Arroganz wieder an dessen Stelle trat. Sie zögerte, aber Lucy zwang sie, die Treppe weiter hinunterzugehen.

«Komm. Dafür ist es jetzt zu spät.»

Er blieb direkt vor ihnen stehen und versperrte ihnen den Weg. Kate ignorierte die gereizten Blicke anderer Leute, die sich an ihnen vorbeidrängen mussten. Ihr Mund war trocken.

«Hallo, Paul», sagte Lucy strahlend. «In letzter Zeit mal wieder jemanden tätlich angegriffen?»

Er bedachte sie mit einem kalten Blick. «Du hast zugenommen.»

«So ist das eben, wenn man zwei Kinder zur Welt bringt. Was ist deine Entschuldigung? Nehmen wir unser Mittagessen immer noch in flüssiger Form zu uns?»

Seine Wangenmuskeln zuckten, aber er antwortete nicht. Er sah Kate an.

«Du hast mein Hemd ruiniert und mir fast den Schädel gespalten. Ich hoffe, du bist zufrieden.»

Der Impuls, sich zu entschuldigen, hätte sich beinahe durchgesetzt. Sie spürte, wie sie ins Wanken geriet, kurz davor war, in ein älteres Verhaltensmuster zurückzufallen, das sie überwunden glaubte. Dann setzte sich ihre Wut durch.

«Was hast du erwartet?»

«Jedenfalls nicht, dass du hysterisch wirst, so viel steht fest.» Sein Tonfall war vernichtend und bitter. «Du solltest mal zu einem Psycho-Fritzen gehen.»

Kate erstickte fast vor Zorn. Lucy sprach an ihrer Stelle. «Einer von euch sollte das bestimmt, aber nicht sie. Und ich glaube, versuchte Vergewaltigung wäre sowieso eher eine Sache für die Polizei.»

Köpfe drehten sich, während immer mehr Leute vorbei-strömten. Paul sah Lucy mit einem mörderischen Blick an. «Du hältst dich da raus!»

Kate hatte sich wieder unter Kontrolle. «Es gibt nichts, wo sie sich raushalten müsste. Du bist es gar nicht wert, dass man sich mit dir beschäftigt.»

Sie machte noch einen Schritt nach unten, sodass sie einander beinahe berührten. Sie starrte ihn an.

«Gehst du jetzt zur Seite?»

Es folgte ein Augenblick absoluter Reglosigkeit. Dann wandte er als Erster den Blick ab und trat zur Seite. Kate schob sich an ihm vorbei, ohne ihn noch einmal anzusehen. Sie hielt sich sehr aufrecht, und als sie weiterging, spürte sie, dass er ihr hinterherstarrte. Lucy kam nun ebenfalls die Treppe herunter, ein oder zwei Stufen hinter ihr. Als sie in den kühlen U-Bahn-Tunnel traten, waren sie sofort vom Sonnenlicht abgeschnitten. Pauls Schrei hallte hinter ihnen her.

«*Scheißnutte!*»

Kate ging weiter, den Blick stur auf einen Punkt vor sich geheftet. Die Schreie verfolgten sie, wurden von den harten Mauern zurückgeworfen.

«*Du hältst dich für verdammt clever, wie? Frag doch mal deine Freundin, mit wem sie es früher getrieben hat. Na los, du selbstgefälliges Miststück! Frag sie!*»

Für die beiden scheinbar ungerührt weitergehenden Freundinnen wurden die Schreie undeutlicher. Kate spürte, dass Lucy neben ihr war, wagte sie jedoch nicht anzusehen. Keine der beiden Frauen sagte etwas. Kate kämpfte sich energisch durch die überfüllte Halle und blieb vor einem Fahrkartenautomaten mit dem Schild «Außer Betrieb» stehen. Vor ihnen klapperten und klirrten die Drehkreuze unter dem Ansturm der Fahrgäste. Lucy räusperte sich.

«Hör mal, Kate ...»

«Stimmt das?»

Lucy zögerte, dann nickte sie. Die Starrheit, die Kate bisher aufrecht gehalten hatte, fiel von ihr ab.

«Warum hast du mir das nicht gesagt?»

Lucys Gesicht verriet eine für sie ganz untypische Bekümmerung. «Weil es Ewigkeiten her war, als du anfingst, mit ihm auszugehen. Ich kannte dich damals nicht mal, als ich was mit Paul hatte. Auch Jack hatte ich zu dem Zeitpunkt noch nicht kennengelernt. Es war nichts Ernstes.»

«Warum hast du es dann für dich behalten?»

«Was hätte ich denn sonst tun können? Von dem Augenblick an, als du mit ihm zusammen warst, konnte ich wohl kaum noch etwas sagen, oder? Du hättest jede Bemerkung von mir über das Thema für reine Gehässigkeit gehalten!»

«Aber warum hast du es mir dann nicht *später* erzählt?»

«Was, in dem Zustand, in dem du warst, als ihr euch getrennt habt? Wie hätte ich das tun können?»

«Lucy, das ist jetzt drei Jahre her! Warum hast du nicht irgendwann mal etwas gesagt?»

Lucy zuckte hilflos mit den Schultern. «Es schien mir keinen vernünftigen Grund dafür zu geben. Und je länger ich es hinausschob, umso schwieriger wurde es. Ich *wollte* es dir immer sagen, Kate, wirklich! Ich habe nur ... Na ja, irgendwie hat es sich einfach nie ergeben.» Sie runzelte bestürzt die Stirn. «Tut mir leid.»

Kate wandte sich ab. Nach dem vorangegangenen Gespräch, das sie sehr aufgewühlt hatte, hinterließ diese Enthüllung eine tiefe Leere in ihr. Aber als sich der erste Schock legte, wurde ihr klar: Wenn Lucy ihr gestanden hätte, dass sie mit Paul zusammen gewesen war, ja mit ihm *geschlafen* hatte, das wäre das Ende ihrer Freundschaft gewesen. Noch vor einem Jahr, vielleicht auch später noch, hätte sie es wahrscheinlich nicht verkraftet. Wie konnte sie Lucy da ihr Schweigen zum Vorwurf machen? Und wenn Kate ihn damals noch nicht einmal gekannt hatte – was ging die Sache sie da überhaupt an? Plötzlich schien alles viel zu lange zurückzuliegen, Menschen zu betreffen, an die sie sich kaum noch erinnern konnte.

Lucy beobachtete ihre Freundin ängstlich. Kate sah sie mit einem müden Lächeln an.

«Schau nicht so grimmig drein. Ich werde dich schon nicht exkommunizieren.»

Lucy war immer noch nicht überzeugt. «Du bist mir nicht böse?»

«Nein, bin ich nicht. Im ersten Moment war ich es schon, aber jetzt ...» Sie zuckte mit den Schultern.

Lucys Miene hellte sich vor Erleichterung auf. «Oh, Gott sei Dank! Ich dachte schon, mein Gott, wenn dieser Scheißkerl uns nach all der Zeit mit dieser Sache auseinandertreibt, dann bringe ich ihn um!» Plötzlich kehrten die Zweifel zurück. «Das hat er doch nicht, oder? Du meinst es wirklich so?»

«Natürlich meine ich es so.»

Noch während sie diese Worte aussprach, fragte Kate sich, ob es die Wahrheit war. Zwar regten sich weder Eifersucht noch Groll in ihr, aber ein Keim der Enttäuschung hatte sich doch gebildet. Lucys Verachtung für Paul war immer eine beruhigende Konstante gewesen. Jetzt erschien ihr diese Verachtung nicht mehr verlässlich. Auf einmal wollte Kate allein sein.

«Du gehst jetzt wohl besser», sagte sie. «Sonst kommst du zu spät zum Kindergarten.»

Lucy umarmte sie. «Ich ruf dich an.»

Kate beobachtete, wie ihre Freundin in der Menge verschwand. Dann ging sie durch das Drehkreuz und folgte dem Weg zur Victoria-Linie. Sie ließ sich von der Rolltreppe in gemächlichem Tempo nach unten tragen, statt, wie gewöhnlich, hinunterzugehen. *Lucy und Paul.* Nicht einmal die Namen schienen zusammenpassen zu wollen.

Aus den Augenwinkeln nahm sie eine Bewegung wahr. Ein bärtiger Mann kam die gegenüberliegende Rolltreppe hinauf. In einem Tragetuch auf seinem Rücken saß ein Baby und starrte die Leute auf Kates Seite an. Kate lächelte, als es sie entdeckte. Sie sah ihm hinterher, aber plötzlich kam ihr ein Gedanke, der das Lächeln ersterben ließ.

Sie hätte ein Kind von Paul haben können.

Sie erreichte das untere Ende der Rolltreppe und trat mit einem langen Schritt auf die Metallplatte davor. Die Leute um sie herum eilten zum Bahnsteig, wo ein Zug eingefahren war, aber Kate achtete kaum darauf. Langsam und ganz in die Erkenntnis verloren, wie knapp sie davongekommen war, ging sie weiter. Sofern sie wirklich beschließen sollte, ein Baby zur Welt zu bringen, würde sie verdammt gut aufpassen, dass es einen besseren Vater bekam, selbst wenn sie nicht mit ihm zusammenlebte. Ob es sich um einen gesichtslosen Spender handelte oder nicht – bevor sie sich auf jemanden einließ, musste sie sicher sein, dass es sich nicht um einen zweiten Paul handelte. Oder um ein noch schlimmeres Exemplar der Gattung Mann.

Sie schauderte bei dem Gedanken. Sie hatte schon einmal einen schweren Fehler gemacht.

Diesmal würde sie vorsichtiger sein.

Kapitel 4

Als sie sechs Jahre alt war, hatte sich unweit ihres Elternhauses ein heruntergekommenes Vorstadtkino befunden. Es hatte schon damals um seine Existenz kämpfen müssen und war später einer Spielhalle gewichen, auf die erst ein Supermarkt und zu guter Letzt ein Parkplatz folgten. Aber Kate, die nie zuvor in einem anderen Kino gewesen war, störte sich nicht an dem kaugummigemusterten Teppich und den abgewetzten Sitzplätzen. Sie waren Teil der verdunkelten Atmosphäre, ebenso wie das Rascheln von Popcorntüten und der Zigarettenrauch, der sich in dem flackernden Lichtstrahl des Projektors zur Decke schlängelte. Die Bilder an der Leinwand waren ein Fenster in eine andere Welt, und wenn sie sich in deren grellen Technicolor-Farben verlor, wurden der schäbige Vorführraum, die Schule, ja sogar ihr Elternhaus zu etwas geisterhaft Substanzlosem.

Ihre Besuche in dem alten Kino waren selten, aber dafür umso kostbarer. Als sie herausfand, dass das *Dschungelbuch* wieder gezeigt werden sollte, machte sie es sich zur Lebensaufgabe, den Film zu sehen. Er war nicht gerade neu, aber da Kate ihn beim ersten Mal verpasst hatte, spielte das für sie keine Rolle. Ihre Mutter sagte ihr, sie könnten ihn sich *bald* einmal gemeinsam ansehen; ein typisch vages Versprechen, von dem sie bereits wusste, dass es *niemals* bedeutete, sofern sie nicht immer wieder nachhakte. Was Kate auch tat, bis ihre Mutter sich endlich bereitfand, eines Samstagmorgens mit ihr in die Vorstellung zu gehen.

Zunächst stand allerdings das Ritual des Wochenendeinkaufs auf dem Programm. Kates Mutter hatte sich nicht ausreden lassen, dass die besten Sonntagsbraten noch vor dem Ende des Films verkauft sein würden. Also war Kate am frühen Morgen hinter ihrer Mutter hergetrottet und hatte in jeder Minute, die bei Metzger und Gemüsehändler draufging, Qualen ausgestanden, während ihre Mutter alles einer gründlichen Prüfung unterzog, bevor sie es kaufte oder das Nächste in Augenschein nahm.

Als sie endlich den Kinosaal betraten, hatte der Vorfilm bereits angefangen, und Kates Mutter weigerte sich, für etwas zu bezahlen, das sie nicht zur Gänze zu sehen bekamen. Die Eintrittskartenverkäuferin schlug ihnen vor, eine spätere Vorstellung zu besuchen, aber ihre Mutter steuerte bereits auf den Ausgang zu; sie hatte einen Versuch gemacht, ihre Pflicht war getan.

Wieder zu Hause, hatte ihre Mutter aus der Verköstigung ihres Gatten eine Staatsaktion gemacht. Kate sah zu, wie sie Gemüse hackte und sorgfältig jedes Fitzchen Fett vom Fleisch schnitt, sodass ihr Mann diese Mühsal beim Essen nicht selbst auf sich zu nehmen brauchte. Kate hatte gewartet, bis ihre Mutter ganz und gar in ihre Beschäftigung vertieft war, dann hatte sie sich lautlos zur Bushaltestelle davongemacht.

Die Kartenverkäuferin, eine rotwangige Frau mit einer missglückten Dauerwelle, hatte das Mädchen wiedererkannt, das jetzt ihr Taschengeld durch das Loch in der Glasscheibe schob.

«Hat sie dich allein herkommen lassen, ja?», fragte die Frau, deren Mund sich vor Missbilligung verzog.

Kates Antwort war geduldiges Schweigen. Nach einer Weile schob die Kassiererin ihr die Eintrittskarte durch den Schlitz.

«Manche Leute verdienen gar keine Kinder», hörte Kate sie murmeln, als sie hineinging.

Es war früh am Abend, als sie wieder nach Hause kam. Ihre Eltern waren außer sich. Rückblickend nahm Kate an, dass sie sich Sorgen gemacht haben mussten, aber das hatten sie ihre Tochter damals nicht spüren lassen. Nur den Zorn. Ihr Vater hatte sie geschlagen und ohne Essen ins Bett geschickt. Ihre Mutter, die bestürzt über den Eigensinn ihrer Tochter war, folgte seinem Beispiel, wie gewöhnlich. «Du hast deinem Vater das Abendessen verdorben! Verdorben! Du *böses* Mädchen!», hatte sie gezischt, bevor sie die Tür von Kates Zimmer hinter sich zuzog.

Kate weinte sich in den Schlaf; sie hatte Hunger, und der Handabdruck ihres Vaters brannte auf der Haut ihrer Beine.

Aber sie hatte das *Dschungelbuch* gesehen.

Als sie älter wurde, war der Zwischenfall in die Familienlegenden eingegangen, wurde verwässert und belacht, aber niemals vergessen. «Sie ist einfach verschwunden, ohne ein Wort zu irgendjemandem», erzählte ihre Mutter dann bei Familienzusammenkünften. «Typisch Kate. Schon damals ein bockiges kleines Ding. Immer entschlossen, ihren Kopf durchzusetzen.»

Und Kate, die das höfliche Gelächter über sich ergehen ließ, schaute ihre Mutter an und sah hinter dem leutseligen Lächeln immer noch die Verwirrung in ihren Augen.

Sie fragte sich, was ihre Eltern wohl sagen würden, wenn

sie lange genug gelebt hätten, um mitzubekommen, was sie jetzt tat.

Sobald sie den Parkplatz sah, an dem sie sich orientieren sollte, ließ sie den Taxifahrer anhalten. Sie wusste, es war irrational, aber sie wollte nicht, dass er erfuhr, welches Gebäude sie aufsuchen würde. Der Fahrer, ein Inder von vielleicht fünfundvierzig Jahren, sprach sie über die Schulter hinweg durch die gläserne Trennscheibe an, als sie ihm den Fahrpreis bezahlte.

«Brauchen Sie eine Quittung?», fragte er.

Es war ihr Kostüm, dachte Kate. Ihr Kostüm und die lederne Aktentasche wiesen sie als Geschäftsfrau aus. Jetzt wurde ihr klar, dass sie beides zur Tarnung ausgewählt hatte, um den Anschein zu erwecken, ihr Besuch sei geschäftlich, nicht persönlich.

«Nein danke.» Sie wollte nur endlich aus diesem Taxi raus, mit seinem muffigen Geruch nach Zigaretten und durchgesessenem Leder. Sie stieg hastig aus, trat auf den Bürgersteig und ließ sich über Gebühr viel Zeit, um ihre Brieftasche wegzustecken und ihren Rock zu glätten, bis das Taxi mit einem Schwall blauer Abgase davonfuhr. Der Qualm stand eine Weile in der stillen, warmen Luft und löste sich nur langsam auf.

Kate blinzelte in das grelle Sonnenlicht, um sich zu orientieren. Die Straße war wie ausgestorben. Ganz in der Nähe stand ein Zeitungskiosk, vor dessen offener Tür ein Vorhang aus bunten Plastikstreifen hing, der sich leicht bewegte. Ein Stück weiter eine Autowerkstatt, deren Holztore aufgeschoben waren und einen dunklen Raum dahinter enthüllten. Aus dem Inneren drang das blecherne Echo eines Radios, andere Lebenszeichen gab es nicht.

Die Klinik befand sich auf der anderen Straßenseite, ein

kleines Stück vom Bürgersteig entfernt, mit Parkplätzen davor. Es war ein Backsteinbau mit Flachdach, genauso reizlos wie ein Lagerhaus.

Mit flatternden Nerven trat Kate näher. Eine einzige Stufe führte zu verglasten Doppeltüren. An der Mauer rechts daneben war ein kleines weißes Plastikschild angebracht. In schlichten schwarzen Lettern stand darauf: «Abteilung für Geburtshilfe und Gynäkologie».

Was tue ich hier? Die Frage überfiel sie mit plötzlicher Klarheit. Schuldbewusst sah sie sich um. Aber niemand beobachtete sie. Die Straße war immer noch leer. Die Türen ächzten, als Kate sie aufdrückte und eintrat.

Mit einem leisen Quietschen schwangen sie hinter ihr zu. Sie stand in einem kleinen Foyer. Der Boden war mit gelben Kunststoffquadraten gefliest, abgetreten und voller winziger Löcher, aber sauber. Es roch leicht muffig, wie in jedem öffentlichen Gebäude. Ein Schild mit der Aufschrift «Empfang» zeigte einen Flur hinunter. Kate zögerte einen Augenblick, bevor sie dem Hinweis folgte.

Die Tür zum Empfangsbüro stand einen Spaltbreit offen. Kate klopfte leise an und drückte die Tür auf. Sofort drehten zwei Frauen sich zu ihr um. Eine war vielleicht Mitte vierzig und saß hinter einem Schreibtisch. Die andere war jünger und hielt eine Aktenmappe in der Hand. Sie lächelte und sah Kate mit hochgezogenen Augenbrauen fragend an.

«Ich … Ich habe einen Termin», sagte sie.

Die Frau mit der Mappe lächelte immer noch. «Kate Powell, nicht wahr?» Ohne auf eine Antwort zu warten, trat sie strahlend und mit ausgestreckter Hand auf Kate zu, welche in die angebotene Hand einschlug. «Ich bin Maureen Turner. Wir haben telefoniert.»

Diese Frau wirkte locker und freundlich, und urplötzlich

war das Gebäude nicht mehr ganz so schmutzig und fremd. Kate lächelte erleichtert zurück.

Mrs. Turner wandte sich nun an ihre ältere Kollegin. «Wir sind dann im hinteren Gesprächsraum, Peggy. Kannst du dafür sorgen, dass man uns zwei Tassen Tee reinschickt?» Sie drehte sich wieder zu Kate um.

«Ist Tee in Ordnung? Ich fürchte, die Kaffeemaschine hat ihren Geist aufgegeben.»

«Tee ist schon gut», antwortete Kate und merkte gleichzeitig, dass sie im Grunde gar nichts trinken wollte. Aber die andere Frau hatte sich bereits zum Gehen gewandt.

«Es ist gleich hier drüben.»

Kate folgte ihr, und ihre Schuhe klapperten leicht arrhythmisch auf dem gekachelten Fußboden. Die Beraterin öffnete eine Tür am anderen Ende des Gangs und ließ Kate vorangehen. Der Raum war überhitzt und stickig. Mehrere niedrige Plastiksessel standen um einen hölzernen Couchtisch gruppiert. Es sah aus wie in einem Lehrerzimmer, fand Kate.

Die Frau trat an das große Fenster und mühte sich damit ab, es aufzubekommen. «Ich glaube, wir lassen besser etwas frische Luft rein, bevor wir anfangen», sagte sie, während sie mit aller Kraft gegen den Fensterriegel drückte. «Setzen Sie sich, fühlen Sie sich ganz wie zu Hause.»

Kate erschien die bloße Vorstellung, sich hier wohl fühlen zu können, absurd. Sie entschied sich für den erstbesten Sessel. Als sie sich hineinsetzte, entwich leise zischend die Luft aus dem Plastikkissen.

Mit einem letzten entschlossenen Ruck gelang es der Frau endlich, das Fenster zu öffnen. Sie wischte sich die Hände ab und wandte sich Kate zu.

«Das hätten wir. So ist es schon besser.»

Dann nahm sie ebenfalls Platz und schenkte Kate ein neuerliches Lächeln. «Sie haben uns also ohne große Probleme gefunden?»

«Aber ja. Ich habe an der U-Bahn-Station ein Taxi genommen.»

«War wahrscheinlich klug. Ich bin bei Wegbeschreibungen nicht die Geschickteste.»

Kate lächelte höflich. Sie wusste, dass der Smalltalk ihr die Angst nehmen sollte, aber er hatte die gegenteilige Wirkung. Sie spürte, wie ihre Nervosität zurückkehrte.

Die Frau legte eine Akte auf den niedrigen Tisch zwischen ihnen. «Sind wir die erste Klinik, an die Sie sich wenden?»

«Ja, ich habe Ihre Nummer von meinem Frauenarzt.» Kate hoffte, dass man ihr die Nervosität nicht anmerkte.

«Sie haben also noch kein Beratungsgespräch über künstliche Befruchtung geführt?»

«Äh, nein, nein, habe ich nicht.»

«Gut, das ist kein Problem. Also ...»

Es klopfte an der Tür. Einen Augenblick später trat die ältere Frau herein, die Kate im Empfangsbüro gesehen hatte, stellte ein Tablett auf den Tisch und entfernte sich wieder. Kate kämpfte gegen den Drang an, auf ihrem Sessel hin und her zu rutschen, sagte ja zu Milch, nein zu Zucker, dann wurde der Tee eingeschenkt und umgerührt. Tasse und Untertasse wurden über den Tisch gereicht. Kate nahm beides entgegen und nippte, schmeckte aber nichts als Hitze und eine leichte Säuerlichkeit, die von der Milch herrührte. Sie stellte die Tasse wieder ab.

Die Frau nahm einen Schluck aus ihrer eigenen Tasse, stellte sie dann ebenfalls beiseite und lächelte Kate an.

«Also, zunächst Folgendes: Ich bin eine Beraterin, keine

Ärztin, und das ist nur ein Einführungsgespräch. Wenn Sie irgendwelche Fragen haben, können Sie mich jederzeit unterbrechen.»

Kate nickte verlegen. Nur um ihre Hände zu beschäftigen, griff sie abermals nach ihrer Teetasse.

«So, ich habe unserem Telefongespräch entnommen, dass Sie keinen Partner haben?», fuhr die Beraterin fort.

«Ist das ein Problem?» Kate stellte die Teetasse wieder ab, ohne einen Schluck getrunken zu haben.

«Nein, überhaupt nicht. Ich weiß, dass nicht alle Kliniken partnerlose Frauen behandeln, aber wir versuchen, niemanden zu diskriminieren. Allerdings ... die HFEA – das ist die ‹Human Fertilisation and Embryology Authority› – verlangt von uns, Rücksicht auf das Wohlergehen des Kindes zu nehmen. Daher würde ich mich später gern mit Ihnen darüber unterhalten, wie Sie Ihrer Meinung nach mit gewissen Problemen umgehen werden. Es geht um Fragen, wie Sie zum Beispiel Ihre Arbeit mit einem Kind in Einklang bringen wollen und welche Vor- beziehungsweise Nachteile es mit sich bringt, Ihrem Kind zu eröffnen, wie es gezeugt wurde. Geht das in Ordnung?»

Kate bejahte. Die Worte «Ihr Kind» hallten in ihrem Kopf wider, sodass sie sich konzentrieren musste, um überhaupt antworten zu können.

«Die Prozedur der Befruchtung selbst ist ziemlich unkompliziert», fuhr die Beraterin fort. «Das Sperma wird, bis wir es brauchen, in winzigen tiefgefrorenen Strohhalmen aufbewahrt. Dann benutzen wir so etwas ...» Sie nahm eine schmale Metallröhre vom Couchtisch, die Kate an eine stumpfe Stricknadel erinnerte. «Damit bringen wir das Sperma in den Gebärmutterhals.»

Sie lächelte. «Dort lassen wir es zuerst ein paar Minuten lang auftauen. Aber damit ist die Sache im Grunde auch schon erledigt. Es tut nicht weh, Sie brauchen keine Narkose, und das Risiko einer Fehlgeburt ist nicht größer als bei einer normalen Schwangerschaft auch. Sie brauchen sich nicht einmal auszuziehen, abgesehen von Ihrem Schlüpfer und Ihrer Hose. Und Sie können danach gleich machen, was sie wollen – so wie nach einem normalen Geschlechtsverkehr auch.»

Kate beugte sich vor, um die Röhre zu untersuchen. «Woher wissen Sie denn, wann Sie es machen müssen?»

«Der Zeitpunkt der Befruchtung muss natürlich mit Ihrem Eisprung zusammenfallen, für dessen Ermittlung Sie selbst verantwortlich sein werden. Wir werden das, wenn Sie dann zur Behandlung kommen, selbst noch einmal überprüfen, um sicherzugehen, dass der Eisprung unmittelbar bevorsteht. Wenn das der Fall ist und wir uns davon überzeugt haben, dass alles in Ordnung ist, geht es los.»

«Wie viele, ähm, Behandlungen sind normalerweise nötig?»

«Das kommt drauf an. Manche Frauen werden im ersten Zyklus schwanger, aber wir können es bis zu neun Mal versuchen. Andere Kliniken würden vielleicht noch mehr Versuche unternehmen, aber wir stehen auf dem Standpunkt, wenn es bis dahin nicht funktioniert hat, wird es wahrscheinlich auch später nicht mehr klappen. Und bei dreihundert Pfund pro Zyklus wäre es den Frauen gegenüber auch nicht fair, bis in alle Ewigkeit weiterzumachen.»

Sie sah Kate entschuldigend an. «Ich sollte Sie noch darauf hinweisen, dass Sie keinen Anspruch auf Unterstützung durch die Krankenkasse haben werden. Alleinstehende Mütter stehen bei dieser Regierung leider immer noch nicht sehr hoch im Kurs. Das ist Ihnen doch klar, oder?»

Kate bejahte. Sie hatte ohnehin keinerlei Unterstützung erwartet.

«In diesem Fall werde ich jetzt zu den Spendern selbst übergehen», sagte die Beraterin, und Kate wurde abermals leicht nervös. «Zunächst einmal durchleuchten wir jeden, was alle relevanten medizinischen Fragen und den Familienhintergrund betrifft, und untersuchen ihn auf HIV, Hepatitis und andere sexuell übertragbare Krankheiten. Dann wird das Sperma eingefroren und für ein Minimum von sechs Monaten gelagert, bis ein zweiter HIV-Test durchgeführt wurde, um das Risiko einer Infizierung weitgehend auszuschließen.»

Kate hatte aufmerksam zugehört. «Sind alle Spender anonym?»

«Wenn Sie damit meinen, Ihnen gegenüber anonym, dann ja. Aber der Klinik ist ihre Identität natürlich bekannt.»

«Aber ich hätte keine Möglichkeit herauszufinden, wer es war? Ich meine, wenn ich das wollte?», beharrte Kate. Sie hatte die Antwort auf ihre Frage bereits dem Zeitschriftenartikel entnommen, aber sie wollte sicher sein.

«Absolut keine. Das Gesetz verbietet uns, die Identität der Spender preiszugeben.»

«Aber wenn ein Fehler gemacht würde oder irgendetwas schiefginge?»

Die Beraterin, die solche Bedenken offensichtlich schon oft vernommen hatte, lächelte freundlich. «Wenn wir bezüglich eines Spenders irgendwelche Zweifel hätten, würden wir ihn nicht einsetzen. Das ist der Grund, warum wir bei ihren Ärzten Erkundigungen einziehen und im Vorfeld eine Vielzahl von Untersuchungen durchführen. Aber wir müssen auch die Interessen der Spender wahren. Es wäre ihnen gegenüber kaum fair, wenn sie befürchten müssten, dass zehn Jahre später das Jugendamt an ihre Tür klopft und Unterhaltszahlungen verlangt. Wir können die Identität der Männer genauso wenig preisgeben, wie wir jemals Ihre preisgeben würden. Und ich bin sicher, das Letzte, was Sie wünschen, wäre, dass irgendwann ein Fremder bei Ihnen auftaucht, behauptet, er sei der Vater Ihres Kindes, und ein Besuchsrecht fordert.»

Kate zögerte, ehe sie die nächste Frage stellte. «Wie viel würde ich tatsächlich über den Vater erfahren?»

«Es ist besser, ihn ausschließlich als den Spender zu sehen, nicht als den Vater», stellte die Beraterin fest. «Es ist uns gestattet, gewisse Informationen, anhand deren keine Identifizierung möglich ist, zu enthüllen, wie zum Beispiel Haar- und Augenfarbe, Beruf und Interessen. Aber alles andere könnte möglicherweise die Anonymität des Spenders verletzen.»

«Wer entscheidet also darüber, welcher Spender benutzt wird? Es ist doch nicht nur eine willkürliche Auswahl, die da getroffen wird, oder?»

«O nein! Wir benutzen nur Spender, die derselben ethnischen Gruppe angehören wie die Empfängerin, und wir versuchen, was Körper, Typ und Hautfarbe betrifft, eine größtmögliche Übereinstimmung zu erzielen. Sogar bei der Blutgruppe, wenn möglich. Wir können keine absolute Übereinstimmung garantieren, aber wir tun unser Bestes.»

Trotz dieser Versicherungen verspürte Kate ein wachsendes Unbehagen.

«Angenommen, ich wollte gar nicht, dass der Spender vom selben körperlichen Typ ist wie ich? Kann ich selbst bestimmen, welche Art Spender ich mir vorstelle?»

«Nun, wir versuchen natürlich innerhalb vernünftiger Grenzen auf Ihre Vorlieben einzugehen, aber es ist nicht alles machbar. Zum einen haben wir nur eine begrenzte Spendergruppe, aus der wir unsere Wahl treffen können, daher ist es, wenn wir während der Behandlung den Spender wechseln müssen, vielleicht nicht mehr möglich, genau denselben körperlichen Typus noch einmal zu finden.»

«Sie meinen, Sie würden unter Umständen mehr als einen Spender benutzen?» Diese Möglichkeit war in dem Zeitschriftenartikel, der auf Kate so nachhaltig gewirkt hatte, nicht erwähnt worden.

«Wir versuchen es zu vermeiden, aber manchmal lässt es sich nicht anders machen. Wenn uns zum Beispiel im Laufe der Behandlung der Samen des Spenders, den wir zuerst benutzt haben, ausgeht.» Die Beraterin machte ein besorgtes Gesicht. «Sie sehen so aus, als hätten Sie Probleme damit.»

Kate konnte ihre Enttäuschung nicht verbergen. «Es ist nur so, dass ... Also, ich weiß, dass der Spender anonym bleiben muss, aber ich dachte doch, dass ich bei der Frage, um wen es sich handelt, mehr Einfluss hätte. Oder dass man mir zumindest mehr über den Spender verraten würde. Was für ein Mensch er ist. Mir war nicht klar, dass ich diese Entscheidung einem anderen überlassen müsste.»

«Leider können wir den Patienten nicht so viel Entscheidungsfreiheit gewähren», sagte die Beraterin. Es schien ihr aufrichtig leidzutun. «Es ist nicht dasselbe wie bei einer Partnervermittlung. Wir haben strikte Richtlinien, an die wir uns halten müssen.»

Kate konnte sich nicht dazu überwinden, der jungen Klinikangestellten in die Augen zu sehen. «Mir kommt es trotzdem so vor, als müsste ich da schrecklich viel dem Schicksal überlassen, das ist alles.»

«Wir sehen uns die Spender sehr genau an.»

«Ich weiß; das ist es auch nicht. Ich kann mir nur nicht vorstellen, ein Kind von jemandem zu bekommen, über den ich so wenig weiß.» Sie spürte, wie ihre Wangen zu glühen begannen. «Es tut mir leid, ich habe Ihre Zeit verschwendet.»

«Aber überhaupt nicht. Dafür sind diese Gespräche ja da. Es ist eine wichtige Entscheidung, und Sie müssen sich ganz sicher sein, bevor Sie sie treffen.»

«Das ist in anderen Kliniken wohl genauso?», fragte Kate ohne viel Hoffnung.

«Mehr oder weniger. Jedenfalls würden Sie gewiss nicht mehr Informationen über die Spender erhalten, ganz egal, wo Sie es versuchen. Es sei denn, Sie gehen ins Ausland. In Amerika ist die Gesetzeslage vielleicht anders. Ich könnte mir vorstellen, dass man den Spender dort sogar nach IQ und Schuhgröße aussuchen kann.»

Kate zwang sich zu einem Lächeln. Selbst wenn das der Wahrheit entsprach, hatte sie weder die Zeit noch das Geld, sich in einem anderen Land behandeln zu lassen. Das Gespräch war für sie beendet. Aber bevor sie sich zum Gehen wenden konnte, schien die Beraterin, die sie mit sorgenvoller Miene beobachtet hatte, zu einer Entscheidung zu gelangen.

«Natürlich», sagte sie bedächtig, «geben sich einige Frauen erst gar nicht mit irgendwelchen Kliniken ab.»

Sie sah Kate wachsam an.

«So etwas würde ich natürlich nicht empfehlen. Aber es gibt zum Beispiel eine ganze Reihe lesbischer Paare, welche die künstliche Befruchtung selbst durchführen, weil sich viele Kliniken weigern, sie zu behandeln. Sie bitten einen männlichen Freund, als Spender zu fungieren.» Sie hielt inne, damit Kate ihre Worte verarbeiten konnte. «Wenn man drüber nachdenkt, ist es im Grunde gar nicht weiter schwierig. Man braucht lediglich einen Pappbecher und eine Plastikspritze.»

Kate begriff, warum die Beraterin ihr das erzählte, aber sie war zu bestürzt, um etwas zu sagen.

«Ich würde natürlich niemandem vorschlagen, etwas Derartiges auszuprobieren», fügte die Beraterin hastig hinzu, als sie die Verwirrung in Kates Gesichtszügen bemerkte. «Es würde bedeuten, dass man frisches Sperma benutzen muss, daher würden alle juristischen und medizinischen Sicherheitsvorkehrungen, die man in einer Klinik hat, unter den Tisch fallen. Ich wollte es nur interessehalber erwähnen.»

«Ja, aber ich glaube nicht ...»

«Nein, nein, natürlich nicht. Ich hätte wohl besser gar nichts gesagt.»

Dem konnte Kate innerlich nur beipflichten. Es entstand ein Augenblick des Schweigens. Die Beraterin seufzte.

«Nun, vielleicht würden Sie gern noch einmal darüber nachdenken, was Sie wirklich wollen», sagte sie.

Kapitel 5

Kate tippte mit dem Finger auf das Tastenfeld, um die Geschwindigkeit zu erhöhen, und das Laufband sirrte mit noch schrillerem Ton weiter. Sie lief schneller, und ihre Brust hob und senkte sich, als sie zum Endspurt überging.

Von allen Geräten im Fitnessstudio gefiel Kate dieses am besten. Es hatte etwas leicht Absurdes, zu rennen, so schnell man konnte, ohne wirklich irgendwo anzukommen, wie ein Hamster im Laufrad. Es war Training auf seine grundlegendste, sinnloseste Form reduziert, und doch fand sie es befriedigend. Die schiere Monotonie entspannte sie, löste Verspannungen in ihrem Geist.

In der ersten Zeit nach der Trennung von Paul hatte sie verschiedene Meditationstechniken ausprobiert, angefangen von einfachem, tiefem Atmen bis hin zu Yoga. Sie hatte sie alle wieder aufgegeben, weil ihr die Anstrengung des Stillsitzens zu strapaziös erschien. Aber wenn sie so Meile für Meile dahinstampfte, verstrich manchmal geraume Zeit, ohne dass Kate überhaupt an irgendetwas dachte, oder sie konzentrierte sich auf ein spezielles Problem, während ihr Körper sich wie von selbst bewegte.

Doch heute half es nicht. Kate hetzte weiter über das Laufband und versuchte das Gefühl der Frustration wegzubrennen, das sie während der letzten Tage ergriffen hatte, seit ihrem Besuch in der Klinik. Sie konnte sich noch immer nicht mit dem Gedanken anfreunden, von jemandem schwanger zu werden, von dem sie im Grunde überhaupt nichts wusste. Sie hatte versucht, sich einzureden, dass es keine Alternative gebe, dass sie, wenn sie wirklich ein Kind wollte, mit Freuden die Regeln der Klinik annehmen würde. Aber auch damit konnte sie sich nicht abfinden.

Nachdem sie noch eine Weile auf der Tretmaschine geschwitzt hatte, duschte sie kurz und verschwand schließlich in der Sauna. Die trockene Hitze umschlang sie wie ein warmes Handtuch. Siedend heiße Luft, erfüllt von würzigem Kieferduft, brannte ihr beim Atmen in der Nase. Auf der untersten der drei Bänke saß bereits eine Frau; der Schweiß lief ihr vom Leib. Sie lächelte, als Kate die Tür schloss und zur höchsten Bank hinaufkletterte. Kate erwiderte das Lächeln, breitete ihr Handtuch auf den heißen Holzlatten aus und setzte sich.

Die Wärme ging auf ihren Körper über. Sie lehnte sich zurück, ließ ihre Schultern vorsichtig gegen die aufgeheizte Holzvertäfelung sinken. Sogleich konnte sie fühlen, wie das Wasser von der Dusche auf ihrer Haut trocknete und Schweiß an seine Stelle trat. Durch die Wand konnte Kate den Puls eines fernen Generators spüren. Ansonsten war es hier dunkel und still, ein Ort jenseits der Welt da draußen. Sie schloss die Augen und ließ sich treiben.

«Das ist das Beste daran, finden Sie nicht auch?»

Kate öffnete die Augen und würdigte den Kommentar mit einem Lächeln, sagte aber nichts. Sie war nicht in Stimmung für Gespräche. Im Gegensatz zu der fremden Frau, wie es schien.

«Haben Sie was dagegen, wenn ich etwas Wasser auf die Steine gieße?»

Kate öffnete abermals die Augen. «Nein, machen Sie nur.»

Die Frau erhob sich von der Bank und trat an den Holzeimer neben dem Ofen. Sie griff nach der Schöpfkelle und goss Wasser auf die heißen grauen Steine. Dampf zischte auf, und Kate spürte, wie sie von einer Hitzewelle erfasst wurde. Die Frau setzte sich wieder auf die untere Bank. Sie war ungefähr in Kates Alter, aber von schwerem Körperbau, mit großen, hängenden Brüsten und einem schwabbligen Bauch. Als sie sich zurücklehnte, sah Kate die roten Flecken der Dehnungsstreifen, die quer über ihren Leib verliefen.

«Noch zwei Minuten, dann werd ich wohl gehen», sagte die Frau freundlich. Sie blies die Wangen auf und wischte sich eine feuchte Strähne aus der Stirn. «Hinterher meint man immer, man müsste mindestens zehn Pfund ausgeschwitzt haben, bloß weil man hier gesessen hat, finden Sie nicht auch?»

«Das wär schön», sagte Kate. Die Frau sah sie an und hob eine Augenbraue.

«Sie sehen aber nicht so aus, als hätten Sie's nötig.» Sie klopfte auf ihren Bauch. Das Fleisch wabbelte wie Talg. «Erst wenn man so einen Schlabberbauch vor sich herschiebt, muss man sich Sorgen machen. Ich dachte, gleich nach der Geburt ist alles wieder beim Alten.» Sie grinste. «Na, denkste.»

«Was war es denn? Ein Mädchen oder ein Junge?» Alle Abneigung gegen ein mögliches Gespräch war dahingeschmolzen. Kate versuchte, sich auf das Gesicht der Frau zu konzentrieren, aber der schlaffe Bauch übte eine morbide Faszination auf sie aus.

«Beides. Zwillinge, inzwischen sechs Monate alt. Wir hatten alles geplant, wir wollten warten, bis wir dreißig sind und dann auch nur eins kriegen.» Sie kicherte. «So viel zum Thema Planung. Und um dem Ganzen die Krone aufzusetzen, hab ich jetzt auch noch das da zur Erinnerung.»

Sie deutete mit dem Kopf auf die Speckrollen. «Man nennt es ‹Schürze›! Ist das noch zu fassen? Die Ärzte haben mir gesagt, ich könne eine Schönheitsoperation vornehmen lassen, aber ich dachte, ich versuch erst mal, es so runterzukriegen. Am liebsten würde ich jedem, der mir über den Weg läuft, sagen: ‹Ich bin nicht wirklich dick! Das ist nicht meine Schuld!›» Sie lachte noch einmal. «Na ja, ist es wohl doch. Was muss ich auch Kinder kriegen, geschieht mir ganz recht. Ich wünschte bloß, jemand hätte mir vorher gesagt, dass ich am Ende so aussehe. Vielleicht hätte ich dann nochmal drüber nachgedacht.»

«Meinen Sie das wirklich ernst?», fragte Kate. Sie fühlte sich ein wenig beklommen, aber es war weniger der Gedanke daran, dass ihr eigener Körper sich verändern könnte, als der Gedanke an späteres Bedauern. Die Frau zuckte lächelnd die Achseln.

«Nein, so ganz ernst nicht. Man weiß doch, worauf man sich einlässt, oder? Aber wenn ich an Ihrer Stelle wäre, würde ich das Beste aus meinem flachen Bauch machen, solange ich einen habe. Danach ist es nie wieder dasselbe, ganz gleich, was die Leute behaupten.»

Sie hielt inne und sah Kate plötzlich forschend an. «Erzählen Sie mir nicht, dass Sie schon Kinder haben.» Kate war froh, dass ihr Gesicht bereits von der Hitze gerötet war. «Nein. Noch nicht.»

Die Frau lachte abermals. «Na, Gott sei Dank. Sonst hätte ich das Leben wirklich unfair gefunden!»

Sie stand auf. Ihr Bauch hing an ihr hinab wie ein Strandball, aus dem man die Luft gelassen hatte.

«So, mir reicht's. Bis dann mal.»

Kate lächelte der Frau zum Abschied zu. Ein kühler Windhauch strich über ihren Körper, als die Tür für einen Augenblick geöffnet wurde, dann gewann die Hitze wieder die Oberhand. Kate blickte auf ihren eigenen Bauch hinab, der straff war und keine Streifen aufwies, und stellte ihn sich schwammig und schwabblig vor.

Sie schloss die Augen wieder und versuchte sich zu entspannen, aber es hatte nun keinen Zweck mehr. Als eine andere Frau die Sauna betrat, ging Kate hinaus, um sich zu duschen und anzuziehen.

Nach dem Fitnessstudio war Kate mit Lucy zu einem schnellen Mittagessen verabredet. Sie wollten sich im nahegelegenen Park treffen und sich an einer Imbissstube ein Sandwich holen, während Angus spielen konnte. Aber als Kate auf Lucys Bank zusteuerte, sah sie sofort, dass etwas nicht stimmte. Das Gesicht der Freundin war hinter der Sonnenbrille gerötet, ihr blondes Haar wirkte zerzauster denn je. Emily war im Kindergarten, und Angus saß allein vor seiner Mutter im Gras. Seine Augen waren ebenfalls gerötet, und er schniefte noch. Er hatte offensichtlich geweint, obwohl er mittlerweile, wenn auch halbherzig, wieder mit einem Feuerwehrauto spielte.

Der Kleine sah sie mit ernstem Gesichtsausdruck und durch feuchte Wimpern hindurch an, als Kate ihn begrüßte und sich neben Lucy auf die Bank setzte. Sie hatte gleich mit ihren eigenen Neuigkeiten herausplatzen wollen, aber jetzt drängte sie sie mit Gewalt in den Hintergrund.

«Was war denn los?», fragte sie.

Lucy schüttelte nur missmutig den Kopf. Durch das dunkle Glas der Sonnenbrille waren ihre Augen fast nicht zu sehen.

«Frag nicht. Er tut sich selbst leid, weil er sich einen Klaps eingefangen hat.»

Angus sah seine Mutter mit weinerlicher Miene an. Kate warf einen überraschten Blick vom roten Händeabdruck auf seinem stämmigen Beinchen zu Lucy. Wenn Lucy die Kinder bestrafte, dann gab es für gewöhnlich nicht mehr als strenge Worte, und selbst die waren selten.

«Was hat er gemacht?», fragte sie. «Jemanden umgebracht?»

Mit dieser Formulierung hatte sie die Situation ein wenig entschärfen wollen, aber Lucy presste die Lippen aufeinander und starrte ihren Sohn wütend an. «So gut wie. Wir waren unten am Teich, da kam dieses kleine Mädchen auf ihn zu. Sie wollte lediglich spielen, und er hat ihr sein Feuerwehrauto auf den Kopf geschlagen.»

Kates Lippen zuckten, aber Lucy war offensichtlich nicht zum Lachen zumute. «Er hat ihr doch nicht wehgetan, oder?»

«Natürlich hat er das!» Lucy beugte sich zu ihm hinunter und hob die Stimme. «Du hast ihren Kopf zum Bluten gebracht, nicht wahr? Du böser Junge!»

Angus fing wieder an zu weinen und presste sich seine kleinen Wurstfinger vor die Augen.

«O Lucy ...», sagte Kate.

«Du brauchst gar kein Mitleid mit ihm zu haben! Rowdys verdienen kein Mitleid!» Die letzten Worte galten wieder ihrem Sohn. Immer noch schluchzend, rappelte er sich hoch und tappte mit ausgestreckten Armen auf sie zu.

«Nein, ich will dich nicht haben», sagte Lucy, als er vor sie hintrat. «Mit Rowdys will ich nichts zu tun haben.»

Mit einem jämmerlichen Heulen wandte der kleine Junge sich ab und vergrub den Kopf in Kates Beinen. Sie spürte, wie er, von Schluchzern geschüttelt, am ganzen Leib zitterte, und obwohl sie wusste, dass Lucy es nicht gern sehen würde, konnte sie einfach nicht dagegen an. Sie streckte die Hände aus und nahm ihn auf den Schoß. Sein kleiner Körper war schwer und stämmig und strömte Wärme aus. Er presste sich an sie und bohrte sein Gesicht in ihre Schulter. Es war heiß und feucht.

«Na komm schon, Lucy», sagte sie über seinen Kopf hinweg. «Meinst du nicht, das geht jetzt ein bisschen zu weit?»

Lucy schwieg einen Augenblick, dann schien ein Teil der Anspannung von ihr abzufallen. «Okay. Gib ihn mir.»

Angus spürte, dass seine Mutter nachgab, und drehte sich mit ausgestreckten Armen zu ihr um. Lucy hob ihn von Kates Schoß und setzte ihn sich selbst aufs Knie. Für einen kurzen Moment empfand Kate schmerzlichen Verlust, als das Kind von ihr genommen wurde. Sie sah zu, wie der kleine Junge sich an seine Mutter schmiegte.

«Tut es dir jetzt wenigstens leid?», fragte Lucy. Ihre Stimme klang jetzt nicht mehr so scharf wie zuvor. «Du benimmst dich nicht nochmal wie ein Rowdy, nein?»

Angus schüttelte den Kopf und verfiel in einen heftigen Schluckauf, als das Schluchzen nachzulassen begann. Lucy strich ihm das feuchte Haar aus der Stirn und sah Kate mit einem kläglichen Lächeln an.

«Du hast Schnodder auf der Schulter.»

Kate wischte den Rotz mit einem Taschentuch weg. Sie konnte noch immer das Gewicht des Kinderkörpers in ihren Armen spüren, wie Phantomschmerzen nach einer Amputation.

«Also, was ist denn nun wirklich mit dir los?», fragte sie.

Das Licht spiegelte sich auf Lucys Sonnenbrille und verbarg ihre Augen. «Einer von Jacks Kunden ist gerade pleitegegangen. Steht mit zehntausend bei uns in der Kreide.» Sie brach ab und blickte über den Park. «Einen Verlust in der Größenordnung können wir uns nicht leisten. Und Jack hat gerade neue Geräte gekauft.» Immer noch, ohne Kate anzusehen, schüttelte sie den Kopf. «Ich weiß nicht, was wir tun sollen. Vielleicht müssen wir das Haus verkaufen.»

«Oh, Lucy, nein!»

Lucy seufzte. «Vielleicht kommt es nicht so weit. Jack will heute mit der Bank reden. Aber wenn die auf stur schalten ...» Sie machte sich nicht die Mühe, den Satz zu Ende zu bringen.

Kate ging im Geiste schnell ihre eigenen Finanzen durch. «Ich könnte euch etwas leihen. Nicht zehntausend, aber vielleicht genug, um euch über Wasser zu halten. Damit ihr das Haus behalten könnt.» Sie wusste, wie sehr Lucy und Jack an ihrem Haus hingen. Wenn sie es verkaufen mussten, würden sie nie wieder etwas Vergleichbares finden.

Lucy lächelte trostlos. «Vielen Dank. Ich weiß dein Angebot zu schätzen, aber ... Na ja, warten wir erst mal ab, was die Bank sagt, ja?» Sie holte tief Luft. «Aber du kannst dir sicher vorstellen, dass ich von Anfang an nicht gerade bester Laune war. Und als dieses kleine Ungeheuer hier ...» – sie drückte Angus kurz an sich – «... sich dann auch noch in Hannibal Lecter verwandelt hat, war das genau das, was mir heute noch fehlte.»

Sie grinste. «Na ja, so viel zu meinen Traumata. Wie geht's dir?»

Kate holte tief Luft. «Ich habe eine Klinik gefunden», sagte sie.

Der abrupte Themenwechsel schien Lucy zu verwirren. «Was?»

«Ich habe eine Klinik gefunden. Um die künstliche Befruchtung durchführen zu lassen.»

Lucy war verblüfft. «Ich dachte, du hättest diese Idee aufgegeben?»

«Nein. Mir gefiel nur der Gedanke an einen anonymen Spender nicht. Aber ich habe die HFEA – die ‹Human Fertilisation and Embryology Authority› – angerufen, und die sagten mir, dass die Kliniken zwar die Identität ihrer eigenen Spender vertraulich behandeln müssen, dass es aber einige Kliniken gibt, die einem stattdessen erlauben, einen «bekannten Spender» zu benutzen. Jemanden, den man selber kennt, den man selbst ausgesucht hat.»

«Und an wen denkst du da?» Lucy klang entsetzt.

«Das weiß ich noch nicht.» Für den Augenblick genügte es, zu wissen, dass es möglich war.

«Um Gottes willen, Kate, ich dachte, der eigentliche Zweck des Ganzen wäre, dass du den Vater aus der Sache raushalten willst!»

«Das will ich immer noch, aber das heißt nicht, dass es mir egal wäre, wer es ist.»

«Ja, aber ich meine Folgendes – der Vater würde in dem Falle doch auch wissen, wer *du* bist, oder? Ich dachte, ein anonymer Spender wäre schon schlimm genug, aber dann bräuchtest du dir wenigstens keine Gedanken darüber zu machen, was er nachher anstellen wird! Angenommen, er ändert seine Meinung und kommt zu dem Schluss, dass es genauso gut sein Baby wie deins ist? Du handelst dir da vielleicht alle *möglichen* Probleme ein!»

«Nicht, wenn ich bei meiner Wahl sehr vorsichtig bin. Und juristisch gesehen ist seine Position die gleiche wie die eines normalen Spenders. Er wird nicht als der gesetzliche Vater anerkannt werden, daher wird er auch keine Vormundschaftsrechte haben oder etwas in der Art. Ich muss lediglich aufpassen, dass das von Anfang an klar ist.»

Lucy verkniff sich die Bemerkung, die ihr offensichtlich auf der Zunge gelegen hatte. «Und du hast tatsächlich eine Klinik gefunden, die das machen würde?»

«Es gibt eine in Birmingham ...»

«Birmingham!»

«Ich weiß, das ist ziemlich weit weg, aber die scheinen da sehr gut zu sein.» Das war nicht ihr einziger Grund. Kate hatte einen Gutteil der in der HFEA-Broschüre aufgelisteten Kliniken durchtelefoniert – einschließlich der, die sie bereits aufgesucht hatte –, bevor sie endlich auf eine gestoßen war, die sich bereitfand, sowohl eine alleinstehende Frau zu behandeln als auch einen ihr bekannten Spender zu benutzen.

Lucy verströmte wortlose Kritik. «Also, was willst du jetzt machen?»

«Ich habe einen Termin für ein Beratungsgespräch. Danach muss man weitersehen.»

Angus war unruhig geworden, und Lucy ließ ihn von ihrem Knie rutschen. Schniefend trabte er zurück zu seinem Feuerwehrauto. «Meinst du nicht, die Sache gerät ein wenig außer Kontrolle?»

«Warum? Du hast selbst gesagt, es könnte nicht schaden, mit jemandem darüber zu reden.»

«Ja, aber das hast du doch schon getan.» Lucy beobachtete, wie Angus sich ins Gras plumpsen ließ und nach dem roten Plastikspielzeug griff. «Jetzt geht es doch nicht mehr nur ums einfache ‹Reden›, oder? Du klingst, als hättest du wirklich vor, die Sache durchzuziehen.»

«Du hast wohl geglaubt, dass es mir nicht ernst damit wäre.» Kate hörte selbst, dass ihre Stimme einen scharfen Tonfall angenommen hatte.

«Nein, aber ...» Lucy hielt inne.

«Was?»

«Ach, egal.»

«Nein, es ist nicht egal. Also, was?»

Lucy seufzte. Offensichtlich ermüdete sie das Thema. «Na ja, ich weiß doch, wie du bist. Wenn du dir etwas in den Kopf setzt, bist du wie ein Hund mit einem Knochen. Du wirst nicht lockerlassen, und ich sehe, dass es mit dieser Sache genauso wird. Noch ein ‹Projekt›, das du über die Bühne bringen musst. Und ich glaube, du machst da einen großen Fehler.»

Kate spürte, dass ihr das Blut in die Wangen schoss. «Und das ist alles, wie? Ein neues Projekt?»

Lucy wirkte wie jemand, der gern das Thema gewechselt hätte, aber sich einfach nicht das letzte Wort nehmen lassen konnte. «Nein, ich sage damit nicht, dass das *alles* ist, aber ...»

«O doch, genau das sagst du!» Kate spürte den letzten Rest Selbstbeherrschung durch ihre Finger rinnen. «Du benimmst dich, als wäre das eine Art ... eine Art Laune, die du mir ausreden müsstest!»

Eine leichte Röte war Lucy vom Hals in die Wangen hinaufgestiegen. «Hör mal, Kate, das ist dein Leben. Wenn du ernsthaft auf diese Weise zu einem Baby kommen willst, dann halte ich dich nicht auf. Aber ich finde trotzdem, dass du dir da selber eine Falle stellst, und du wirst mich nicht dazu kriegen, dass ich meine Meinung ändere, also brauchen wir uns eigentlich nicht länger deswegen zu fetzen.»

Die Worte hingen zwischen ihnen in der Luft. Das

Schweigen dehnte sich aus, durchbrochen nur von fernem Gelächter irgendwo im Park und den Geräuschen, die Angus machte, wenn er die Leiter des Feuerwehrautos hoch- und runterschob.

«Ich gehe jetzt wohl besser», sagte Kate.

Lucy nickte steif. Keine der beiden brachte die Rede noch auf das geplante Mittagessen. Kate ging ohne einen Blick zurück auf den Ausgang des Parks zu.

Ihr Ärger ebbte während der U-Bahn-Fahrt zurück zur Agentur kaum ab. Selbst dort angekommen, war sie noch so gereizt, dass sie Caroline anblaffte, weil diese eine Akte nicht schnell genug finden konnte. Kate zog sich nach oben in ihr Büro zurück. Es war furchtbar stickig, daher öffnete sie ein Fenster und stellte den Ventilator an, bevor sie sich an die Arbeit machte.

Während sie die Datei des Parker Trusts aufrief, strich ihr der Luftzug vom Ventilator übers Gesicht. Aber sie konnte sich einfach nicht konzentrieren. Immer wieder starrte sie aus dem Fenster oder kritzelte etwas auf ihren Notizblock, während der Cursor des Laptops wartend blinkte. Als das Telefon klingelte, nahm sie gereizt den Hörer ab.

Es war Lucy.

«Entschuldige», sagte sie. «Ich hätte nicht so auf dich losgehen dürfen.»

Kates Zorn wehrte sich noch einen Augenblick, dann brach er in sich zusammen. «Schon in Ordnung, ich war selbst etwas reizbar.»

«Hättest du vielleicht Lust, irgendwann diese Woche zum Abendessen rüberzukommen? Dann können wir nochmal vernünftig reden. Und ich verspreche dir, ich lasse Jack ganz bestimmt nicht in die Küche.»

Lächelnd nahm Kate die Einladung an; sie war dankbar, dass der Streit beigelegt worden war, bevor er zu gären begann. Dennoch ließen Lucys Worte sie nicht los, sie quälten sie wie ein Splitter unter der Haut.

Tue ich das Richtige?

Plötzlich hörte sie von unten lauten Krach. Kate hoffte, dass ihnen da kein Betrunkener ins Haus gekommen war. Aber irgendetwas war passiert. Sie rückte vom Schreibtisch ab, und genau in diesem Augenblick wurden die zornig erhobenen Stimmen von plötzlichem Poltern und Krachen übertönt. Es folgte ein Schrei. Kate rannte die Treppe hinunter.

Die Tür am Fuß der Treppe öffnete sich, bevor Kate sie erreichte, und Caroline stürmte ihr entgegen. Hinter ihr klang es, als würde das Büro zertrümmert.

«Sie schlagen sich! Sie schlagen sich!», schrie Caroline mit weit aufgerissenen Augen. Kate schob sich an ihr vorbei. Josefina stand mit bleichem Gesicht auf der anderen Seite des Büros. Ein Schreibtisch war umgeworfen worden. Die Stühle lagen überall verstreut, und in der Mitte des Raumes rangen zwei Männer miteinander. Einer von ihnen war Clive. Kate brauchte ein oder zwei Sekunden, um zu begreifen, dass der andere Paul war.

«Hört auf!», rief sie. Keiner der beiden kümmerte sich um sie. Clive warf ihr einen schnellen Blick zu und grunzte leise, einen Augenblick später krachte er mit seinem Kontrahenten gegen einen Aktenschrank. Das Möbelstück schaukelte, fiel beinahe um. Kate rannte in die Kellerküche hinunter. Dort hing ein schwerer roter Feuerlöscher an der Wand. Sie zerrte ihn aus seiner Halterung und taumelte wieder nach oben. Aus dem Büro drang ein neuerliches Krachen. Die beiden Männer, die einander immer noch umklammert hielten, waren auf einen zweiten Schreibtisch gefallen. Kate klemmte sich den Feuerlöscher unter einen Arm, richtete die Mündung auf die beiden Kampfhähne und setzte den Mechanismus in Gang. Ein Wasserstrahl schoss heraus, und Kate richtete ihn auf die beiden zornigen Gesichter. Die beiden prusteten und beschirmten die Augen, aber Kate ließ erst locker, als sie sich voneinander gelöst hatten.

«Geh weg da, Clive!», befahl sie, ohne den Wasserstrahl abzustellen. Clive zögerte. «Ich sagte, weg da! Sofort!»

Widerstrebend machte Clive einen Schritt zurück. Kate hatte einige Mühe, den Feuerlöscher auszuschalten. Endlich erstarb das Wasser zu einem Rinnsal, bevor es ganz versiegte. Dann funkelte sie Paul und Clive zornig an. Beide Männer standen keuchend und mit am Leib klebenden Hemden da, während ihnen das Wasser übers Gesicht rann. Um sie herum ein einziges Chaos. Ein Stuhl war zerbrochen, und an dem umgeworfenen Schreibtisch war ein Bein abgeknickt. Kate sah sie wutschnaubend an.

«Was zum Teufel habt ihr euch eigentlich gedacht?» Plötzlich stellte sie fest, dass sie zitterte, aber es war nicht Furcht, die sie erfüllte, sondern weißglühende Wut. Paul wischte sich das Wasser vom Gesicht. Eine Wange war geschwollen. Verdrossen zeigte er auf Clive. «Ich bin hergekommen, um mit dir zu reden, und dieser Wichser wollte mich nicht zu dir lassen!»

«Er war betrunken und wollte gleich nach oben stürmen», fuhr Clive auf. Paul drehte sich abermals zu ihm um, aber bevor sie sich von neuem aufeinander stürzen konnten, trat Kate zwischen sie.

«Geh da rüber, Clive. Na los.»

Clive, der den anderen Mann immer noch finster anstarrte, ging auf die andere Seite des Büros, wo Caroline und Josefina sich aneinander festhielten. Dann stellte Kate Paul zur Rede.

«Na schön, hier bin ich! Was willst du?»

Ihre Aggressivität schien ihm den Wind aus den Segeln zu nehmen. Er brauchte einen Augenblick, um seinen Zorn wieder so weit zu schüren, dass er antworten konnte. «Ich wollte dir eine erfreuliche Nachricht bringen!», sagte er mit zuckender Miene. «Man hat mich gefeuert! Jetzt bist du doch sicher zufrieden, oder?»

Kate verspürte einen jähen Anflug von Mitleid und schlechtem Gewissen. Sie erstickte beides im Keim. «Es tut mir leid, dass du deinen Job verloren hast, Paul. Aber das hat nichts mit mir zu tun.»

«Nein?» Er lachte bitter auf. «Aber ich wette, es bricht dir schier das Herz, nicht wahr, du hinterhältiges Miststück!» Clive machte einen schnellen Schritt nach vorn. Kate brachte ihn mit einem einzigen Blick zum Stehen, dann wandte sie sich wieder zu Paul um. Ihre Wut war zu einer müden Ungeduld heruntergebrannt.

«Ich werde mich so einfach ausdrücken, wie ich kann», sagte sie, um einen ausgeglichenen Tonfall bemüht. «Ich interessiere mich nicht für dich, deinen Job oder deine Probleme. Du bist gefeuert worden, weil du ein in Selbstmitleid schwelgender Trinker bist, der die Schuld immer bei anderen sucht. Ich möchte dich nicht wiedersehen, ich möchte nichts mehr von dir hören, und ich möchte nicht mehr mit dir reden. Und jetzt verschwinde aus meinem Büro, bevor ich die Polizei rufe.»

Paul blinzelte. Er sah sich um und schien zum ersten Mal zu begreifen, dass andere Leute die Szene beobachteten. Er wirkte verwirrt, als wisse er nicht recht, was er dort eigentlich machte. Dann richtete er sich zu seiner vol-

len Größe auf und starrte seine frühere Freundin feindse-
lig an.

«Na warte. Warte nur.» Er nickte mehrmals und
schwankte langsam auf die Tür zu. «Na warte, du elendes
Miststück.»

Paul schlug die Tür hinter sich zu, sie prallte gegen den
Rahmen und schwang wieder auf. Kate sah ihm nach. Sie
erwartete halbwegs, dass er zurückkommen würde, aber das
tat er nicht. Dann spürte sie, wie der erste Schock von ihr
abfiel und sie langsam zu zittern begann. Mit einem Kloß in
der Kehle sah sie sich in den Trümmern des Büros um.

«Es tut mir leid, Kate. Die ganze Sache ist etwas aus dem
Ruder gelaufen.»

Clive wirkte ehrlich beschämt. Und er war immer noch
tropfnass. Kate bemerkte, dass seine Lippe blutete.

«Bist du in Ordnung?», fragte sie.

Er griff sich an den Mund und grinste schwach. «Ich
denke ja. Ist lange her, dass ich mich mit jemandem geschlagen habe.»

«Es war nicht Clives Schuld», meldete Caroline sich zu
Wort. «Er hat nur versucht, ihn aufzuhalten, als der Typ
nach oben stürmen wollte. Clive hat die Rauferei nicht
angefangen.»

Kate nickte und brachte es fertig, Clive anzulächeln.
«Nein, ich weiß. Aber in Zukunft ...»

Das Fenster hinter ihr zerbarst. Glassplitter trafen sie
am Hinterkopf und an den Schultern, sodass sie hastig in
Deckung ging. Sie sah aus den Augenwinkeln etwas an sich
vorbeifliegen. Kate blickte gerade noch rechtzeitig auf, um
zu sehen, wie Clive zur Tür rannte und sie aufriss.

«Nein, Clive! *Clive!*», schrie sie. Er blieb stehen, verharrte auf der Türschwelle. «Lass ihn gehen.»

Clive zögerte und schloss dann die Tür. Glas knirschte unter seinen Füßen. Kate blickte zum Fenster. Das Rollo hing an der einen Seite halb herunter. Wo sonst der Firmenname auf der Fensterscheibe war, klaffte jetzt nur noch ein gezacktes Loch.

Hinter ihr stöhnte jemand. Kate drehte sich um und sah, dass Josefina ihren Arm umklammert hielt; das Gesicht des Mädchens war vor Schmerz verzerrt. Caroline, die noch erschrockener wirkte als ihre Kollegin, stützte sie.

«Das da hat sie getroffen», sagte sie und zeigte mit dem Kopf auf einen halben Ziegelstein auf dem Fußboden. Kate ging auf die beiden Mädchen zu. Die Spanierin ließ langsam die Hand sinken und enthüllte eine tiefe blutige Schnittwunde an ihrem Unterarm. Josefina sog scharf die Luft ein und setzte sich.

«Der Stein hat nur um Haaresbreite deinen Kopf verfehlt», sagte Clive, der grimmig in Kates Richtung schaute. Sie erinnerte sich daran, dass etwas an ihr vorbeigeflogen war, schob den Gedanken jedoch beiseite.

«Hol den Erste-Hilfe-Kasten, ja?», sagte sie zu ihm. «Ich rufe die Polizei.»

Kapitel 6

Es war bereits spät am Nachmittag, als der Zug nach Euston zurückkam. Kate stieg aus dem Waggon und ging mit einigen anderen Reisenden zum Ausgang. Die Schritte der Gruppe hallten in einem komplizierten, sich vielfach überlagernden Rhythmus durch den Bahnhof, der an diesem heißen Samstag merkwürdig verlassen wirkte. Die Atmosphäre in der vom Sonnenlicht durchfluteten Halle war gedämpft, hatte etwas Traumartiges.

Vor dem Bahnhof stieg Kate in ein Taxi. Es war ein Luxus, da die U-Bahn kaum weiter entfernt war, aber das interessierte Kate im Augenblick nicht. Sie nannte dem Fahrer die Adresse von Jack und Lucy, lehnte sich zurück und überließ sich dem kaum unterdrückten Jubel, der sie erfasst hatte.

Das Taxi setzte sie direkt vor dem Grundstück ab. Einen Augenblick lang hatte sie mit dem Tor zu kämpfen, das fast genauso schlecht aufging wie ihres, dann schritt sie den Weg hinauf. Es dauerte nicht lange, bis Lucy, die sich noch die Hände an einem Handtuch abtrocknete, die Tür öffnete.

«Na, wie war's in Birmingham?», fragte sie, während sie einen Schritt zurück machte, um Kate einzulassen.

«Oh ... gut.»

Lucy zog eine Augenbraue hoch. «Wenn man dein Gesicht so ansieht, war es wohl mehr als ‹gut›.» Sie schloss die Tür. «Geh gleich durch. Wir sind draußen. Ich bin in einer Minute bei euch.»

Lucy ging die Treppe hoch, beugte sich aber noch einmal über das Geländer am ersten Treppenabsatz. «Und wenn's geht, pass auf, was Jack mit dem Grillfleisch anstellt, ja? Er tut so, als wüsste er, was er tut, aber er hat keinen Schimmer.»

Die verzogenen Balkontüren des Wohnzimmers standen weit offen. Dahinter lag der überwucherte und ungepflegte Garten. Jemand hatte einen symbolischen Versuch unternommen, das Gras zu mähen, und ein kahles Viereck in der Mitte des knöcheltiefen Rasens hinterlassen. Über eine Ecke der hohen, zerbröckelnden Ziegelsteinmauer, die das Haus vor seinen Nachbarn abschirmte, hingen die schweren Zweige eines Goldregens.

Als die Kinder Kate erkannten, rannten sie sofort auf sie zu. Emily, die älter und schüchterner war, hielt ihr das Gesicht zum Kuss hin, aber Angus, noch immer ein wenig unsicher auf den Beinen, wollte hochgehoben werden. Sein Gesicht war orangefarben verschmiert von dem Wassereis, das er mit einer Faust umklammert hielt.

Jack stand an einem selbstgebauten Grill aus Ziegelsteinen. Die grauschwarzen Holzkohleklumpen, denen er mit einem Stück Holz heftig Luft zufächelte, kullerten qualmend hin und her. Er trug ein schmutziges weißes T-Shirt, und seine behaarten Beine ragten unter knielangen Shorts hervor. Schwitzend und mit hochroten Wangen grinste er sie an.

«Hallo, Kate! Schnapp dir ein Bier. In der Küche gibt's auch Wein, wenn dir das lieber ist.»

«Bier ist schon in Ordnung, danke.» Kate setzte Angus wieder auf den Boden, trat zu der Kühlbox neben dem Grill und nahm sich eine gekühlte Flasche Bier heraus. Sie öffnete sie und trank. Erst als sie die kalte Flüssigkeit schmeckte, wurde ihr klar, wie durstig sie war.

«Du gibst wirklich ein tolles Bild ab! Piekfeine Klamotten und Bier aus der Flasche trinken!», sagte Lucy, als sie durch die Balkontür kam. «O Gott, du hast Angus an dich rangelassen. Dein ganzer Rock ist mit Orangeneis verschmiert.»

Kate musterte die Flecken auf dem cremefarbenen Stoff. Auch auf ihrem ärmellosen weißen Top entdeckte sie einen orangefarbenen Klecks. Es war ihr egal. «Das geht wieder raus.»

Lucy sah sie an. «Meine Güte, das muss aber wirklich gut gelaufen sein!» Sie führte Kate zu einem Tisch mit einer Reihe von Plastikstühlen, die im Schatten des überhängenden Goldregens standen. Emily kam mit ihnen.

«Geh und hilf Daddy, Emily, sei ein braves Mädchen», sagte Lucy zu ihr.

«Angus kann Daddy helfen», entgegnete das kleine Mädchen und kletterte auch schon auf einen Stuhl neben Kate.

«Angus wird ihm bloß im Weg stehen. Na, mach schon, du kannst Kate noch den ganzen Abend auf die Nerven gehen, aber jetzt will Mami erst mal mit ihr reden.»

Mit einem enttäuschten Maulen glitt Emily vom Stuhl herunter und trottete zum Grill zurück.

«Meinetwegen kann sie ruhig hierbleiben», sagte Kate.

«Aber meinetwegen nicht. Ich habe sie noch nicht aufgeklärt, und ich möchte nicht, dass sie plötzlich im Supermarkt fragt, was ‹Sperma› bedeutet.» Lucy lehnte sich auf ihrem Stuhl zurück. «Also. Was ist passiert?»

Kate bemühte sich um einen gelangweilten Tonfall. «Sie sagte, es gäbe da keine Probleme.»

«Einfach so?»

«Mehr oder weniger. Ich muss auf die Ergebnisse der Blutuntersuchungen und das alles warten», sagte sie und hob den linken Arm, um das Pflaster vorzuzeigen, das die Schwester auf den Nadeleinstich geklebt hatte. «Aber wenn die Ergebnisse in Ordnung sind, kann es losgehen.»

«Und sie sind bereit, jeden Spender zu benutzen, den du dir aussuchst?»

«Das haben sie gesagt, ja.»

Lucys Gesicht zeigte deutlich, was sie davon hielt. «Also würden die im Grunde jeden schwängern, der darum bittet.»

«Das würden sie natürlich nicht.» Kate spürte, wie ein leiser Ärger sich in ihre gute Laune mischte. «Schon gar nicht, wenn es um eine alleinstehende Frau geht, wie in meinem Fall. Man muss sie davon überzeugen, dass man in der Lage ist, ein Kind allein großzuziehen. Sowohl gefühlsmäßig als auch finanziell. Und sie wollten wissen, wie ich damit fertig werden würde, gleichzeitig zu arbeiten und Mutter zu sein.»

Das Wort «Mutter» ließ sie innerlich erbeben. Es schien eine vollkommen neue Bedeutung anzunehmen. Sie räusperte sich. «Ich habe ihr – also, der Beraterin – gesagt, dass ich einen Großteil der Arbeit wahrscheinlich von zu Hause erledigen oder das Baby sogar mit in die Agentur nehmen könnte. Später würde ich wohl darüber nachdenken müssen, mir für einen Teil der Zeit eine Kinderkrippe zu suchen.»

Lucy schnaubte. «Du hast das arme Würmchen noch nicht mal zur Welt gebracht und willst es schon weggeben.»

«Ich bin bloß realistisch. Du wärst die Erste, die mich kritisieren würde, wenn ich es nicht wäre. Na, jedenfalls die Beraterin war zufrieden, und die nehmen das Wohlergehen des Kindes da ziemlich ernst.»

«Also, das war's dann, wie? Du wirst es machen?»

Kate wandte den Blick von Lucys fragendem Gesicht ab und beobachtete Emily und Angus, die in der Nähe ihres Vaters spielten. «Ich weiß nicht. Ich habe mich noch nicht entschlossen.»

«Bist du sicher?»

«Es hat keinen Sinn, irgendetwas zu entscheiden, bevor ich die Ergebnisse der Untersuchungen habe.»

Sie konnte Lucys Blick förmlich spüren. Einen Augenblick später seufzte Lucy. «Was ist das überhaupt für eine Klinik?»

Kate zog eine Farbbroschüre aus ihrer Handtasche und schob sie über den Tisch. Lucy betrachtete das Foto des inmitten von Bäumen gelegenen Gebäudes auf dem Deckblatt.

«Die Wynguard-Klinik», las sie. «Na, das ist doch bestimmt keine öffentliche, oder?»

«Nein, es ist eine Privatklinik.» Kate sagte sich, dass sie keinen Grund hatte, plötzlich in die Defensive zu gehen. «Aber sie arbeiten da nicht nur mit Samenspenden. Da werden alle möglichen Fruchtbarkeitsbehandlungen durchgeführt. Und sie haben eine vollausgerüstete Entbindungsstation.»

Zwischen der ersten Klinik, die sie besucht hatte, und dieser hier, mit ihren dicken Teppichen und ihren Klimaanlagen, lagen Welten. Während Lucy die Broschüre durchblätterte, zogen sich ihre Mundwinkel leicht nach unten.

«Und was wird dich der Spaß kosten?»

Lucy hielt die Sache offenbar schon für entschieden. Kate

widersprach ihr nicht. «Ein bisschen mehr als in der anderen Klinik.»

«Wie viel mehr?»

Kate spürte, wie sie rot wurde. «Es sind ... ähm, fünfhundert. Pro Zyklus.»

Lucy blickte von der Broschüre auf. «Fünfhundert *Pfund*? *Jedes Mal*, wenn du es machen lässt?»

Kate nickte unbehaglich.

«Du liebe Güte!»

«So schlimm ist das gar nicht, wirklich. Weißt du, wenn man bedenkt, wie wenige Kliniken das überhaupt machen. Man bekommt zwei Befruchtungen pro Zyklus. Und sie setzen die Behandlung zwölf Zyklen lang fort, statt nur neun zu machen, wie in der anderen Klinik.»

«Das kann ich mir vorstellen! Schließlich zahlst du ihnen fünfhundert Mäuse pro Versuch!» Lucy starrte sie ungläubig an. «Verdammt nochmal, das ist doch lächerlich! Ich meine, am Ende könnte es dich fünf-, nein, *sechs*tausend kosten! Und es gibt keine Garantie, dass du überhaupt schwanger *wirst*, nicht wahr?»

«Die Chancen stehen gut. Und es könnte gleich beim ersten Mal funktionieren.»

«Oder auch nicht!» Lucy schüttelte den Kopf. «Hör mal, wenn du wirklich unbedingt ein Baby haben willst, warum suchst du dir da nicht jemanden und ...» – sie schaute in die Richtung, wo Angus und Emily in ihr Spiel vertieft waren, und senkte die Stimme – «... und schläfst mit ihm, um Himmels willen! Die Chancen, schwanger zu werden, sind genauso groß, und selbst wenn es nicht klappt, hast du wenigstens Spaß dabei gehabt! Aber das da, das ist doch ...» Sie hob sprachlos die Hände.

Die letzten Überbleibsel von Kates guter Laune lösten

sich in Luft auf. «Also, was soll ich deiner Meinung nach tun? Die Single-Bars abgrasen und jeden Mann, der mir gefällt, auf einen Quickie mit nach Hause nehmen?»

«Nein, das meine ich natürlich nicht!» Lucys Mundwinkel zuckten nach oben. «Wer sagt denn, dass es schnell gehen muss?»

Kate konnte sich das Lachen nicht verkneifen. Aber sie war trotzdem wütend. «Nun, aber genau darauf läuft es doch hinaus, oder? Ich meine, erst bist du dagegen, dass ich ein Baby haben will, Punkt und aus. Und jetzt ist es auf einmal okay, wenn ich schwanger werde, solange es mich nichts kostet, selbst wenn ich mich dafür in ein Superflittchen verwandeln muss!»

Lucy presste die Lippen aufeinander. «Es ist dein Geld, du kannst damit machen, was du willst. Aber Millionen anderer Frauen schaffen es, schwanger zu werden, ohne sechstausend Pfund für das Privileg zu zahlen, und ich begreife nicht, warum du da eine Ausnahme sein musst.»

Ganz in der Nähe wurde schrilles Gelächter laut. Die beiden Frauen blickten sich um und sahen Angus mit unsicherem Schritt auf sie zulaufen. Er hielt die Hände hoch über dem Kopf, und auf seinem mit Orangeneis verkleckerten Gesicht stand ein schelmisches Grinsen. Emily kam lachend hinter ihm hergelaufen, und als sie ihn einholte, stolperte Angus und schlug der Länge nach ins Gras.

Lucy eilte zu ihm hinüber, um ihn auf den Arm zu nehmen. «Oh, jetzt hast du dir wehgetan», sagte sie, als er unsicher das Gesicht verzog. Sie rieb den Grasflecken an seinem Knie. «So, ist das besser?»

Angus schien sich noch immer nicht ganz sicher zu sein, aber Lucy ließ ihn auf den Rasen zurückplumpsen. Emily blickte ängstlich zu ihr auf.

«Ich dachte, ich hätte euch gesagt, dass Mami und Kate sich unterhalten wollen?»

«Ja, aber Angus ist plötzlich zu euch rübergelaufen, und ich wollte nur ...»

«Du wolltest ihn nur jagen. Jetzt geh zu Daddy und hilf ihm, wie ich gesagt habe. Wir brauchen nicht mehr lange.»

«Aber Mami ...!»

«Kein Aber. Ab mit dir.»

Schmollend drehte Emily bei und stapfte davon. Angus rannte hinter ihr her; der Sturz war bereits vergessen. Lucy kam wieder an den Tisch und setzte sich. Die Unterbrechung hatte dem Streit die Schärfe genommen, aber Kate wartete, bis die Kinder außer Hörweite waren, bevor sie wieder zu sprechen begann.

«Hör mal, Lucy, ich weiß, du hältst nichts davon. Aber welche Alternative habe ich denn? Ich will keinen oberflächlichen Sex. Ich will keine Komplikationen. Ich will bloß ein Baby. Auf diese Weise habe ich Einfluss darauf, wer der Vater ist, *und* ich genieße den juristischen und medizinischen Schutz, den eine Klinik mit sich bringt. Das kriegt man nicht bei einem One-Night-Stand, oder?»

Lucy war immer noch nicht überzeugt. «Ich weiß, aber es erscheint mir so ... *unpersönlich*.»

Kate nickte nachdrücklich. «Genau das will ich ja.»

«Und was ist, wenn das Baby älter wird? Was wirst du ihm sagen?»

Diese Frage hatte Kate sich auch gestellt. Sie versuchte eine Unbekümmertheit vorzutäuschen, die sie gar nicht empfand. «Die Wahrheit. Es ist nichts, dessen man sich schämen müsste.» Nun, ganz so einfach würde es vielleicht nicht werden. Aber die Klinik bot an, ihre Patientinnen bei diesem Problem zu beraten. Und sie würde sich ihm stellen, wenn es auf sie zukam.

Kate beugte sich auf ihrem Stuhl nach vorn. «Na, komm schon, Lucy. Das ist das, was ich will. Freu dich doch für mich.»

«Das tue ich ja auch, aber ...» Die Skepsis stand Lucy nach wie vor ins Gesicht geschrieben. Sie sah Kate noch einen Augenblick an und gab dann mit einem Achselzucken nach. «Das tue ich. Vergiss es.» Sie grinste schief. «Aber ich dachte, du hättest noch keine Entscheidung getroffen?»

Kate lächelte, schwieg jedoch. Nach einer Weile stand Lucy auf.

«Komm. Sorgen wir lieber dafür, dass Jack nicht alles verkohlen lässt.»

Sie traten aus dem Schatten des Goldregens heraus und gingen zum Grill hinüber. Jack hatte es aufgegeben, der Kohle Luft zuzufächeln. Mit dem Pfannenwender in der Hand betrachtete er nun zweifelnd die eingelegten Fleischstücke und Würstchen auf dem Grillrost. Sie waren immer noch rosafarben und roh.

«Ist es noch nicht heiß genug?», fragte Lucy, als sie hinter ihm standen.

«Müsste es eigentlich. Ich habe das verdammte Ding lange genug angefacht.» Sein spärliches dunkles Haar klebte auf seiner verschwitzten Stirn.

«Warum kippst du nicht etwas von diesem flüssigen Zeug darauf?»

Er sah Lucy verärgert an. «Das habe ich schon.»

«Na, ich an deiner Stelle würde noch ein bisschen mehr draufkippen. Sonst ist es dunkel, bevor wir essen.»

Er hielt ihr den Pfannenheber hin. «Willst du das übernehmen?»

Lucy warf die Hände hoch. «Nein danke, ich koche jeden Tag. Das mit dem Grillen war deine Idee. Und lass Angus nicht zu nahe ran, sonst verbrennt er sich noch.»

Jack seufzte und lenkte seinen Sohn von den Ziegelsteinen weg.

«Lucy hat erzählt, die Bank hätte euch eine Umschuldung gewährt», sagte Kate in der Hoffnung, einen Familienzank umschiffen zu können. «Meine Glückwünsche.»

Er lächelte. «Ja. Ich habe da ganz schön geschwitzt. Zehn Riesen in den Bach gesetzt, nachdem gerade erst drei für neue Hardware draufgegangen waren. Die Sache sah ziemlich böse aus.» Mit plötzlicher Verlegenheit hielt er inne. «Übrigens, danke für dein Angebot, uns zu helfen. Lucy hat mir davon berichtet.»

«Ich bin froh, dass es nicht so weit gekommen ist.»

«Was wahrscheinlich nur gut ist», warf Lucy ein. «Kate braucht jetzt wohl selbst bald eine Umschuldung, Jack.»

Er sah Kate überrascht an. «Ich dachte, der Agentur ginge es gut?»

«Ich meine nicht die Agentur», setzte Lucy nach und sah ihn vielsagend an.

«Nein? Ach ja!» Seine Miene hellte sich auf. «Also willst du es jetzt machen?»

Kate, die sich über die Art und Weise ärgerte, wie Lucy das Thema angeschnitten hatte, nickte nur. Jack grinste sie an.

«Freut mich wirklich für dich, Kate.»

«Du hast ja keine Ahnung, wie viel das kosten soll», sagte Lucy spitz.

«Na und? Wenn es das ist, was sie will?» Er zwinkerte Kate zu. «Es ist dein Leben. Du machst das schon.»

Er wandte sich wieder dem Grillfleisch zu und rieb sich die Hände. «Also schön, bringen wir die Sache in Gang.»

Er griff nach der Plastikflasche mit Flüssiganzünder, hielt sie um Armeslänge von sich und verteilte sie großzügig auf der Kohle. Nichts passierte. Er zog eine Schachtel Streichhölzer aus der Tasche und zündete eins an.

«Bitte alles zurücktreten.»

Mit einem lauten *Wusch!* schoss eine helle Flamme empor. Sie schraken vor der plötzlichen Hitze zurück. Jack versuchte ein paarmal mit spitzen Fingern nach dem Grillrost zu schnappen und ihn hochzuheben, bevor das Feuer ihn ganz verschlang, aber nach ein paar Sekunden gab er es auf und blies auf seine verbrannten Finger.

«Glaubst du, du hast genug drübergekippt?», fragte Lucy. Sie brachen in Gelächter aus, während die Luft über dem Grill flirrte, das Fleisch in den Flammen schwarz wurde und sich an den Enden nach oben bog.

Sie saßen am Tisch unter dem Goldregenbaum und verzehrten Salat und Pizza vom Schnellimbiss. Die verkohlten und durch den Spiritus ungenießbar gewordenen Überreste des Grillfleisches lagen unberührt über den immer noch heißen Kohlen.

In seiner Müdigkeit war Angus reizbar geworden und unter Tränen ins Bett marschiert, während Emily auf Kates Schoß saß und mühsam die Augen offen hielt. Die Sonne war untergegangen, aber die Luft war immer noch warm. Auf dem Tisch standen neben den Tellern mehrere Bierflaschen und eine Weinflasche. Kate setzte Emily bequemer hin. Das kleine Mädchen ließ ein gewaltiges Gähnen hören.

«Bettzeit, junge Dame», entschied Lucy. Emily stieß ein halbherziges Proteststöhnen aus, das ihre Mutter glattweg ignorierte. «Gib Kate einen Gutenachtkuss. Daddy bringt dich nach oben.»

«Ich will, dass Kate mich ins Bett bringt.»

«Nein, Kate bleibt bei Mami.» Lucy zeigte mit dem Kopf auf Jack. Er verstand den Wink und erhob sich mit knirschenden Kniegelenken von seinem Stuhl. Emily rieb sich die Augen und ließ sich von Kates Schoß auflesen. Als Kate die Kleine küsste, roch ihr Atem nach Kirschsaft.

Lucy wartete, bis die beiden im Haus verschwunden waren. «Also, hast du darüber nachgedacht, wen du als Spender willst?», fragte sie unvermittelt. «Vorausgesetzt natürlich, du entschließt dich tatsächlich, es zu tun», fügte sie ironisch hinzu.

Es war eine Frage, der Kate aus dem Weg gegangen war. «Nein, noch nicht.»

«Irgendwelche Ideen?»

«Eigentlich nicht.»

Lucy schob ihr Glas auf dem Tisch hin und her. «Du musst doch darüber nachgedacht haben.»

Kate bemerkte, dass sie ebenfalls mit ihrem Glas spielte und dabei die nassen Ringe auf der Tischfläche verschmierte. Sie zog die Hand weg. «Ich bin noch nicht weit gekommen. Ich hatte zu viel damit zu tun, erst mal rauszufinden, ob ich es überhaupt machen lassen will, um über irgendetwas anderes nachdenken zu können.»

«Aber du musst doch irgendeine Vorstellung haben?»

«Lucy, ich *weiß* es nicht, okay? Warum kannst du das Thema nicht einfach fallenlassen?»

Lucy sah sie mit einem seltsamen Gesichtsausdruck an. «Nicht Jack.»

«Was?»

«Nicht Jack. Ich möchte nicht, dass du Jack fragst.»

Kate starrte sie an. «Lucy, ich ... Das habe ich nicht mal in Erwägung gezogen!»

Aber noch während sie es aussprach, wurde ihr klar, dass das nicht stimmte. Sie mochte Jack, und was noch wichtiger war, sie vertraute ihm, und der Gedanke, ihn als Spender zu benutzen, musste irgendwo am Rand ihres Unterbewusstseins aufgetaucht sein. Es genügte jedenfalls, um ihr jetzt die Röte in die Wangen zu treiben. Kate und Lucy wandten gleichzeitig den Blick voneinander ab.

«Es tut mir leid, aber ich musste es einfach sagen», platzte Lucy heraus.

«Schon okay.»

«Ich weiß, es ist egoistisch, aber ich könnte damit einfach nicht fertig werden.»

«Es ist schon gut, wirklich.»

Das Schweigen zwischen ihnen zog sich in die Länge. Lucy räusperte sich.

«Also, wirst du eine Liste möglicher Kandidaten aufstellen?», fragte sie mit gezwungener Unbekümmertheit.

«Ich denke schon.»

«Wen ...», begann Lucy, hielt aber inne, als ihr klar wurde, dass sie die Frage schon besprochen hatten. «Ich meine, glaubst du, dass es schwierig wird, jemanden zu finden?»

Kate war wie Lucy erpicht darauf, das peinliche Zwischenspiel hinter sich zu lassen. «Ich weiß nicht.» Sie fühlte sich verpflichtet, noch mehr zu sagen. «Das Problem liegt darin, dass ich nicht allzu viele Männer kenne. Jedenfalls nicht gut genug, um sie darum zu bitten.»

«Was ist mit Clive? Ich hätte gedacht, er wäre die naheliegendste Lösung.»

Kate hatte wieder begonnen, ihr Glas auf dem Tisch herumzuschieben. Sie nahm ihre Hand herunter und legte sie in den Schoß. «Das schon, aber ich glaube, es wäre keine gute Idee.»

«Weil das Baby ein Mischling wäre, meinst du? Ich hätte nicht gedacht, dass dich das stören würde.»

Lucys Stimme hatte einen leicht neckischen Beiklang, den Kate aber mutig ignorierte. «Das würde es auch nicht, aber ich muss danach wieder mit Clive zusammenarbeiten. Und wenn ich ihn frage und er nein sagt, wäre das fast genauso schlimm.»

«Gibt es denn niemanden im Fitnessstudio?»

«Niemanden, den ich darum bitten würde.»

Lucy seufzte, ob aus Mitleid oder Verärgerung, das war nicht auszumachen. «Dann sieht es wohl so aus, als hättest du da ein Problem, wie?»

«Um was für ein Problem geht es denn?», fragte Jack, als er zum Tisch zurückkam. Keine der beiden Frauen hatte ihn näher kommen hören.

«Kate weiß nicht, wen sie als Spender nehmen soll», sagte Lucy, und Kate verkrampfte sich in der Erwartung, dass er irgendeine scherzhafte Bemerkung über sich selbst machen würde.

«Bloß keinen Rotschopf», sagte er und setzte sich. «Das wäre dem Kind gegenüber nicht fair.» Er schenkte sich ein Glas Wein ein. «Wen ziehst du denn in die engere Wahl?»

«Noch niemanden», gab Kate zu.

«Die Qual der Wahl?»

«Wohl kaum.» Sie zuckte die Achseln. «Die einzigen Leute, die mir einfallen, will ich entweder gar nicht erst fragen, oder ich kann es nicht, weil die Sache zu viele Komplikationen heraufbeschwören würde.»

Sie hatte eigentlich Clive gemeint, stellte aber, noch während sie sprach, fest, dass dieser letzte Punkt in gleicher Weise auf Jack zutraf. Lucy sah sie scharf an.

«Was die Idee eines bekannten Spenders wirklich ad

absurdum führt, nicht wahr?», sagte Lucy mit einer leichten Gereiztheit in der Stimme.

«Eigentlich nicht. Nur, weil ich es nicht für eine gute Idee halte, jemanden zu fragen, der mich – und das Baby – regelmäßig sehen würde, heißt das noch lange nicht, dass ich mich mit jemandem abfinde, den ich nie im Leben gesehen habe.»

Lucy schnaubte. «Na, wenn du niemanden willst, den du nicht kennst, und niemanden fragen möchtest, *den* du kennst, bleibt nicht mehr viel übrig, oder?»

Kate holte gerade zu einer hitzigen Antwort aus, als Jack sich in ihre Unterhaltung einmischte.

«Warum versuchst du es nicht mit einer Anzeige?»

«Ach, rede doch nicht solchen Unsinn», brauste Lucy auf.

«Ich rede keinen Unsinn», erwiderte er gleichermaßen gereizt.

«Na, wo soll sie denn eine Anzeige unterbringen? Im Supermarkt aushängen vielleicht?»

Jack bedachte Lucy mit einem finsteren Blick, bevor er sich an Kate wandte. «Hast du mal dran gedacht, eine Anzeige unter der Rubrik ‹private Wünsche› aufzugeben?»

«Na, hör mal!», rief Lucy. «Du kannst doch nicht per Zeitungsannonce nach einem Samenspender suchen!»

«Warum nicht?»

«Weil das einfach unmöglich ist.»

Jack beachtete die Empörung seiner Ehefrau nicht weiter. «Du kannst in der Anzeige genau die Art Mann beschreiben, die du suchst», sagte er zu Kate. «Du weißt schon, intelligent, berufstätig, gutaussehend. Kein Rotschopf. Was auch immer.»

«Um Himmels willen, Jack!», protestierte Lucy. «Ich kann nicht glauben, dass du so etwas vorschlägst!»

Er zuckte die Achseln. Kate hatte den Verdacht, dass Lucys Empörung ihn belustigte. «Warum nicht? Ist doch das Gleiche wie eine Stellenanzeige. Wo liegt denn da der Unterschied?»

«Wo der *Unterschied* liegt? Der Unterschied liegt darin, dass man bei einem Einstellungsgespräch nicht zu masturbieren braucht! So etwas Lächerliches habe ich mein Lebtag nicht gehört! Da könnte doch *jeder* antworten!»

«Dann überprüfst du ihn eben. Und du bist vorsichtig bei der Auswahl der Zeitung, in der du annoncierst. Such dir etwas wie den *Guardian* oder die *Times*, nicht so ein Revolverblatt.»

«Ich könnte auch in Fachzeitschriften annoncieren», sagte Kate, die sich langsam für die Idee erwärmte. «Und spezielle Gruppen ansprechen, von denen ich *weiß*, dass sie ziemlich verantwortungsbewusst und intelligent sind. Wie Lehrer oder Anwälte.»

«Also bei den Anwälten wäre ich mir da nicht so sicher», sagte Jack.

Sie lachte. «Na gut, dann Ärzte. Ich könnte in einer medizinischen Fachzeitschrift inserieren. Einen Arzt würde so etwas doch sicher nicht in seinem Zartgefühl verletzen oder schockieren. Und Ärzte würden die Sache bestimmt ernster nehmen.»

Lucy sah sie entsetzt an. «Du ziehst diese Idee doch nicht ernsthaft in Erwägung!»

«Nun», sagte Kate, «ich finde, man sollte wenigstens darüber nachdenken.»

Sie schlug nach einer Motte, die ihr ins Gesicht geflogen war. Das Tier flatterte in die Dunkelheit davon, auf den immer noch glühenden Grill zu.

Kapitel 7

Kate bekam ihre erste Antwort am selben Tag, als Paul Sutherlands Fall vor Gericht verhandelt wurde. Die U-Bahn hatte Verspätung, und Kate schaffte es nicht, pünktlich zur Verhandlung zu erscheinen. Es nieselte leicht, als sie das Justizgebäude erreichte. Der Regen überhauchte ihr Haar mit zarten Wasserperlen und legte sich in der feuchtkalten, windstillen Morgenluft wie ein Schweißfilm auf ihre Wangen. Ein Mann und eine Frau in mittleren Jahren standen vor dem Gebäude auf der Treppe. Sie weinte und lehnte sich an ihn. Er hatte einen Arm um sie gelegt und blickte über ihren Kopf hinweg ins Leere. Kate lief an den beiden vorbei und ging hinein.

Sie war spät dran, und der Fall war bereits aufgerufen worden, als sie Josefina und Clive im Flur vor dem Gerichtsraum entdeckte. Caroline war die Einzige, die nicht als Zeugin vorgeladen war, und Kate hoffte, dass das Mädchen im Büro allein zurechtkam. Sie setzte sich neben Clive auf die gepolsterte Bank, hin- und hergerissen zwischen der Verärgerung über die verschwendete Zeit und ihrer Angst vor dem Augenblick, da sie hineingehen und ihre Aussage machen musste.

Wie vorherzusehen, hatte Paul auf nicht schuldig plädiert. Man hatte ihm Körperverletzung in Tateinheit mit versuchtem tätlichem Angriff und Sachbeschädigung zur

Last gelegt, nachdem sich die Wunde an Josefinas Arm als weniger gefährlich herausstellte, als es zuerst den Anschein gehabt hatte. Bis das feststand, hatte die Polizei ihn wegen schwerer Körperverletzung anklagen wollen, was ihm möglicherweise eine Freiheitsstrafe eingetragen hätte. Kate war froh, dass es dazu nicht gekommen war. Trotz allem wollte sie ihren Exfreund nicht im Gefängnis wissen.

Sie hatte sich bereits mit einer längeren Wartezeit abgefunden, aber es dauerte keine zehn Minuten, bis ein Angestellter aus dem Gerichtsraum trat und auf sie zuschritt.

«Josefina Mojón, Kate Powell und Clive Westbrooke?»

Kate spürte, wie ihr Magen sich zusammenzog, während sie alle drei gehorsam nickten.

Der Mann war dünn und trug einen zerknitterten Anzug sowie eine farblich nicht dazu passende Krawatte. Er bedachte sie mit einem aufgesetzten Lächeln, das er nach wenigen Augenblicken wieder abstellte.

«Es tut mir leid, aber ich fürchte, wir werden Sie doch nicht brauchen», sagte er. «Mr. Sutherland hat in letzter Minute beschlossen, sich schuldig zu bekennen.»

Der Angeklagte war zu einer Geldstrafe von zweihundert Pfund verurteilt worden, erklärte ihnen der Gerichtsangestellte, und musste überdies einhundertundfünfzig Pfund Schadenersatz an Josefina und dreihundert Pfund für notwendige Reparaturen an Kate bezahlen. Der Mann informierte sie über die Einzelheiten des Zahlungsmodus und ließ sie allein. Die drei rührten sich nicht vom Fleck, vom plötzlichen Abfallen der Anspannung aus dem Gleichgewicht gebracht. Clive fand als Erster die Sprache wieder.

«Tja, der Dreckskerl hat dafür gesorgt, dass wir alle einen ganzen Vormittag verschwendet haben. Und ich wette, er hat es mit Absicht getan.»

Kate machte sich nicht die Mühe, diese Vermutung zu bestreiten. «Dann können wir jetzt wohl gehen», sagte sie. Sie standen auf, aber bevor sie weit gekommen waren, öffnete sich die Tür des Gerichtsraums, und Paul Sutherland trat heraus.

Er funkelte sie wütend an. Seine Miene war düster und anklagend, das Fleisch unter seinen Augen geschwollen. Kate straffte sich in der Erwartung, dass er etwas sagen würde. Aber er starrte nur wortlos auf sie herab, bevor er sich auf dem Absatz umdrehte und davonstolzierte.

Sie atmete tief aus.

«Nicht gerade der versöhnliche Typ, was?», bemerkte Clive.

«Nein», pflichtete sie ihm bei.

Das Gericht lag nicht weit von King's Cross entfernt. Weder Josefina noch Clive sagten etwas, als Kate ihnen mitteilte, sie würden sich dann später im Büro sehen, aber sie kam sich trotzdem wie ein Kind beim Schuleschwänzen vor, als sie die beiden stehenließ und zur U-Bahn ging.

Die Victoria-Linie war aus irgendeinem Grund außer Betrieb, daher nahm Kate eine Bahn zum Piccadilly Circus. Von dort zum Postdepot waren es nur ein paar Minuten zu Fuß, und Kate verließ die Haltestelle in der gespannten Erwartung, die ihr mittlerweile zur Gewohnheit geworden war. Das Gefühl war nicht mehr so intensiv wie bei den ersten Malen, aber es ließ sie immer schneller gehen, als sie dem Gebäude näher kam.

Sie hatte immer vermutet, ein Postfach müsse einem Schließfach gleichen, wie ein kleiner Spind, zu dem sie einen Schlüssel erhielte. Schlüssel gab es auch, aber die waren teurer, und Kate war zu dem Schluss gelangt, dass sie im Grunde so etwas nicht brauchte. Sie ging an den Schalter und gab einer ernst dreinblickenden Frau in Uniform ihre Identifikationskarte. Die Frau nahm sie wortlos entgegen und verschwand hinter einer Tür.

Kate versuchte, sich nicht allzu große Hoffnungen zu machen, während sie wartete. Die Anzeige erschien jetzt seit zwei Wochen. Sie hatte stundenlang über dem genauen Wortlaut gebrütet, bevor sie sich zu guter Letzt für eine simple, schlichte Tatsachenbeschreibung entschied.

«Geschäftsfrau sucht Spender für künstliche Befruchtung.»

Kate hatte sie in verschiedenen medizinischen Zeitschriften aufgegeben, von psychiatrischen Magazinen bis hin zu gynäkologischen. Einige Redaktionen hatten es von vornherein abgelehnt, die Anzeige zu bringen, und bei jeder Zurückweisung war ihr in einem Anflug von Scham die Röte ins Gesicht geschossen. Aber die meisten hatten die Annonce ohne Kommentar angenommen, und Kate hatte sich angewöhnt, regelmäßig im Depot vorbeizuschauen, um etwaige Antworten abzuholen. Aber bisher war ihr Postfach immer leer gewesen.

Die Frau schien lange wegzubleiben. Als sie zurückkam, leuchtete das weiße Rechteck des Umschlags hell vor dem Blau ihrer Uniform auf.

Mit jäher Unbeholfenheit setzte Kate eine hingekritzelte Unterschrift, die nur schwache Ähnlichkeit mit ihrer eigenen hatte, auf die Quittung. Ein Teil von ihr bemerkte, dass der Umschlag dünn und schlabbrig war, die Handschrift unordentlich, aber die Aufregung besiegte ihren Scharfblick. Sie widerstand dem Drang, den Umschlag zu öffnen, bis sie draußen vor dem Depot stand, dann hielt sie inne und riss die Lasche auf.

Es gab keinen Brief. Ihr erster Eindruck war, dass der

Umschlag leer wäre, aber dann sah sie etwas zerdrückt in einer Ecke liegen. Gerade noch rechtzeitig, bevor sie es herausziehen konnte, begriff sie, worum es sich handelte.

Das Kondom war aufgerollt worden, und Kate sah noch, dass der Absender die Spitze abgeschnitten hatte, bevor sie den Umschlag wieder schloss. Bittere Galle stieg ihr in die Kehle; sie fühlte sich gleichermaßen gedemütigt und abgestoßen. Mit brennenden Augen trat sie an einen Abfalleimer in der Nähe und warf den Umschlag hinein. Dann wischte sie sich gründlich die Hände an einem Papiertaschentuch ab und warf es hinterher.

Mit dem Gefühl, auf perverse Weise beschmutzt worden zu sein, kehrte sie zur U-Bahn-Station zurück.

Der Sommer hatte seinen Höhepunkt überschritten. Lucy und Jack fuhren mit den Kindern zum Campen nach Brighton. Es widerstrebte ihnen, das Haus unbewohnt zurückzulassen, daher erbot sich Kate, während ihrer Abwesenheit dort zu schlafen. Sie hatte sich nach Pauls Überfall in ihrer eigenen Wohnung nie mehr so recht wohl gefühlt. Zwei Wochen in Lucys und Jacks geräumigem Haus erschienen ihr wie der reinste Urlaub.

«Du solltest besser selber auch Urlaub machen, und zwar richtig», hatte Lucy bemerkt, als Kate mit ihr darüber sprach.

«Vielleicht später», hatte Kate erwidert, und beide Frauen wussten, dass sie nicht die leiseste Absicht hatte, wirklich zu verreisen.

Das Haus kam ihr merkwürdig vor, viel größer und nicht mehr so freundlich, jetzt, da sie allein darin wohnte. Als sie in der ersten Nacht in ihrem Bett im Gästezimmer lag, hatte sie ein wenig beklommen den unvertrauten Geräuschen gelauscht, bis sie irgendwann eingeschlafen war. Danach hatte sie sich jedoch an die Einsamkeit gewöhnt, bis sie sie nicht länger störte. Noch immer war das Haus erfüllt von den Echos der Familie, überall lagen Spielzeuge, Bücher und Kleider herum, sodass es eigentlich gar nicht leer wirkte. Es schien sich in einer Art Schwebezustand zu befinden, wie eine *Marie Celeste** , die darauf wartete, dass die Stimmen und das Leben wieder einsetzten. Manchmal fühlte sich Kate wie ein Geist, wenn sie durch die Räume ging; sie lebte hier, hinterließ jedoch selbst keinerlei Spur. Es war ein angenehmes, einlullendes Gefühl.

Schließlich freute sie sich jeden Abend darauf, dorthin zurückzukehren, sodass sie im Grunde gar keine Lust hatte, zuerst nach Hause zu gehen, um Dougal zu füttern und nach der Post zu sehen. Die Abende waren heiß und schwül, und Kate machte sich für gewöhnlich einen Salat zurecht, den sie dann draußen im Garten aß. Anschließend blieb sie entweder einfach sitzen, oder sie las, bis es dafür zu dunkel wurde. Dann ging sie ins Haus und hörte sich Jacks Jazz- und Bluesplatten an, den Kopf an das übermäßig dick gepolsterte Sofa gelehnt, während Billy Holiday ihr Herz entblößte und die Motten gegen den Lampenschirm flogen.

Kate hatte seit so langer Zeit keine wirkliche Entspannung mehr genossen, dass ihr das Gefühl nun geradezu merkwürdig erschien. Das Einzige, was noch an ihr nagte, war die Notwendigkeit, einen Spender zu finden, und während die Wochen ohne jegliche Reaktion auf ihre Anzeige

---

* Segelschiff, das am 7. Nov. 1872 von New York nach Genua auslief und am 4. Dez. von einem anderen Schiff völlig intakt, aber ohne Rettungsboot verlassen im Atlantik aufgefunden wurde. Von der elfköpfigen Besatzung fand sich nie eine Spur.

verstrichen, akzeptierte sie nach und nach, dass nun wahrscheinlich auch nichts mehr passieren würde.

Sie hatte seit über einer Woche nicht mehr in ihrem Postfach nachgesehen, und als sie eines Mittags zur Post ging, tat sie es eher aus Pflichtgefühl denn aus Hoffnung. Als die Frau mit einem Umschlag zurückkehrte, spürte Kate förmlich, wie der vor ihr liegende Tag in tiefste Verwirrung abzugleiten drohte. Sie quittierte den Empfang des Briefes und nahm ihn mit hinaus. Eingedenk des Kondoms behandelte sie ihn mit größter Vorsicht und ging abergläubischerweise zu einer anderen Stelle, um ihn zu öffnen.

Diesmal steckte ein Brief im Umschlag, ein cremefarbener Bogen, der mit einer ordentlichen Handschrift bedeckt war. Auf dem Umschlag stand eine Adresse in Ealing mitsamt der dazugehörigen Telefonnummer. Am Datum sah Kate, dass der Brief vor über einer Woche aufgegeben war. Er hatte die ganze Zeit hier auf sie gewartet, während sie in Lucys Haus vor sich hin träumte.

Der Absender kam sofort zur Sache. «Ich antworte auf Ihre Anzeige, in der Sie nach einem Spender für die künstliche Befruchtung suchen», las Kate. «Ich bin vierunddreißig Jahre alt und von Beruf klinischer Psychologe mit Wohnsitz in London. Ich bin ledig und habe keine Kinder» – bei den nächsten Worten lächelte Kate –, «durchschnittlich groß, schlank, mit dunklen Haaren und blauen Augen. Wenn Sie an einem Treffen interessiert sein sollten, rufen Sie mich bitte nach sechs Uhr abends unter obiger Nummer an.» Unterzeichnet war der Brief mit «Alex Turner».

Kate stellte fest, dass sie weiter gegangen war, ohne auch nur die leiseste Ahnung zu haben, wo sie hin wollte. Sie blieb stehen und sah, dass sie die falsche Richtung eingeschlagen hatte. Einen Augenblick lang fühlte sie sich orientierungslos und wusste nicht recht, wo sie war. Dann schob sie den Brief wieder in den Umschlag, steckte ihn in die Tasche und machte sich auf den Weg zur U-Bahn-Station.

An diesem Abend saß sie im Garten, aber nun war der Friede zerstört. Ihre Mahlzeit hatte aus einem Becher Tee bestanden, der halb ausgetrunken auf dem Tisch vor ihr stand und langsam kalt wurde. Daneben lag der Brief. Gelegentlich nahm sie ihn zur Hand und las ihn noch einmal, als könne sie der kleinen, bedächtigen Handschrift noch etwas Neues entnehmen.

Der Gedanke, den Mann kennenzulernen, der ihn geschrieben hatte, jagte ihr plötzlich Angst ein. Genau das hatte sie gewollt, aber jetzt, da es wirklich bevorstand, erschien ihr schon die bloße Vorstellung an ein Telefongespräch mit dem Fremden ungeheuerlich. Plötzlich ging ihr wieder Lucys Warnung durch den Kopf; es konnte sich um wer weiß wen handeln. Ein Stück Borke vom Goldregen lag auf der weißen Plastikoberfläche des Tisches. Als Kate es geistesabwesend mit dem Finger anstieß, erwies es sich als der ausgetrocknete Körper einer toten Motte.

Sie schnitt eine Grimasse und wischte ihn vom Tisch. Abrupt griff sie nach dem Brief und eilte ins Haus. Das Telefon stand auf einem Sekretär in der Diele. Kate steuerte mit schnellen Schritten darauf zu und nahm den Hörer ab. Sie tippte energisch die ersten drei Ziffern der in dem Brief angegebenen Nummer ein, bevor sie den Hörer wieder auf die Gabel knallte.

«Na, komm schon, nimm dich zusammen», murmelte sie. Sie wünschte, Lucy wäre da gewesen, damit sie mit ihr über die Sache reden konnte; mit einem Mal verspürte sie einen maßlosen Zorn auf sich selbst.

Wieder griff sie nach dem Hörer und wählte hastig die Nummer. Eine Zentnerlast lag auf ihrer Brust, während sie darauf wartete, dass die Verbindung zustande kam. Als sie hörte, wie es am anderen Ende der Leitung zu läuten begann, wurde der Hörer in ihrer Hand feucht.

«Hallo?»

Es war eine Männerstimme. Kate stellte fest, dass sie sich überhaupt nichts zurechtgelegt hatte, und geriet in Panik. Sie warf einen schnellen Blick auf den Brief und suchte nach seinem Namen.

«Könnte ich bitte mit ... mit Alex Turner sprechen?»

Es entstand eine kurze Pause. «Ich bin Alex Turner.»

Kate schluckte. «Mein Name ist Kate Powell.» Zu spät fiel ihr ein, dass sie nicht die Absicht gehabt hatte, ihren Namen zu nennen. «Sie haben auf meine Annonce geantwortet. Wegen eines ... eines Spenders.» Sie schloss die Augen und krümmte sich innerlich.

«Oh ... ja.»

«Ich dachte ... das heißt, ich meine, wir sollten uns kennenlernen.»

Noch eine Pause. «Okay.»

Kate versuchte, sich von seinem Mangel an Begeisterung nicht entmutigen zu lassen. «Also ... wann würde es Ihnen denn passen?»

«Jederzeit.»

Kate wünschte, sie hätte nie angerufen. «Nun ... ähm, wie wär's mit ...» Sie hatte einen völligen Blackout. «Morgen, so gegen Mittag?», platzte es aus ihr heraus, und sofort bereute sie es. *Zu früh, zu früh!* Sie wünschte verzweifelt, dass er nein sagen würde.

«Ja, morgen passt mir gut.»

«Oh ... okay. Ähm ...» Ihr Gedächtnis war außerstande,

sich auf einen vernünftigen Treffpunkt zu besinnen. «... Kennen sie *Chando's Brasserie*?»

Es war der erste Name, der ihr in den Sinn kam, und Kate zuckte zusammen. Das Restaurant war französisch, snobistisch und teuer. Sie hatte es nie gemocht, aber sie hatte nicht den Mut, ihren Vorschlag zu widerrufen.

Sie hörte sein Zögern. «Nein. Tut mir leid.»

«Es liegt gleich hinter dem Soho Square», erklärte sie und gab ihm eine Wegbeschreibung. «Wäre ein Uhr okay?»

«Bestens.»

Sie wartete, aber mehr kam nicht. «Na gut. Dann sehen wir uns morgen.»

Kate wartete, bis er aufgelegt hatte, bevor sie selbst den Hörer auf die Gabel sinken ließ. Sie sah sich in dem leeren Raum um. Das Bedürfnis zu reden, irgendjemandem davon zu erzählen, war wie ein unterdrückter Aufschrei. Aber sie war allein.

Sie rief das Restaurant an, um einen Tisch zu reservieren.

Kapitel 8

Die meisten Tische in *Chando's Brasserie* waren besetzt. Überall plätscherten die Gespräche, und gelegentlich bahnte sich leises Gelächter seinen Weg an die Oberfläche. Kellner kreisten um die Tische wie Wasserwirbel in einem Fluss; sie balancierten ihre Tabletts und schienen stets ihre Schreibblöcke gezückt zu haben.

Als durch die offene Durchreiche der Küche ein lautes Zischen und das Knistern von Flammen drangen, zuckte Kate zusammen. Abermals blickte sie auf ihre Armbanduhr. Es war fünf vor eins. Um Viertel vor war sie gekommen, aber sie hatte das Gefühl, als warte sie schon ein ganzes Leben lang.

Die Eingangstür ging auf, und Kate versteifte sich. Ein Mann trat herein; er hatte dunkles, schwungvoll zurückgekämmtes Haar und trug trotz der Hitze eine Fliege und eine karamellfarbene Weste. Er sprach mit dem Mädchen hinter dem Empfangstisch, das einen Blick in ihr Buch warf, bevor sie antwortete. Der Mann sah sich herrisch im Raum um, und sein Blick verharrte auf Kate. Gerade als sie ihn zaghaft anlächeln wollte, wandte er sich ab. Das Mädchen begleitete ihn zu einem anderen Tisch, wo ihn zwei Männer begrüßten.

Kate verspürte eine gewisse Erleichterung.

Sie hatte die vergangene Nacht darauf verwandt, sich so

gut es ging zu beruhigen. Im Grunde war es nichts anderes als ein Geschäftsessen; wenn sie zu einer Übereinkunft kamen, gut. Wenn nicht, was hatte sie dann verloren? Es war ja nicht so, als hätte sie sich zu irgendetwas verpflichtet. Er wusste nicht einmal, wer sie war oder wo sie wohnte, und wenn er ihr nicht gefiel, brauchte sie die Sache nicht fortzusetzen. Nach zwei von Jacks Brandys hatte sie sich beinahe selbst überzeugt.

Aber als sie an diesem Morgen aufgewacht war, hatten sich die Zweifel abermals breitgemacht. In der Agentur hatten sie sich fast zu einer Panik ausgewachsen. Kate war in ihr Büro gegangen und hatte an einer jungfräulichen Zigarette gesogen; die Flamme ihres Feuerzeuges war der Spitze gefährlich nahe gekommen, aber schließlich hatten ihre Nerven sich doch beruhigt.

Die Panik war zwar abgeflaut, jedoch keineswegs vollständig verschwunden. Als sich die Tür des Restaurants erneut öffnete, brandete sie wieder auf. Aber dieses Mal war der Mann, der eintrat, in Begleitung einer Frau. Kate wandte sich ab und blickte aus dem Fenster. Die Straße jenseits des Fensters war hell und sonnig unter der niedrigen Markise. Der Lärm von draußen verlor sich in dem bienenstockartigen Summen des Restaurants. Wenn man nach draußen blickte, war es, als sähe man einen Stummfilm.

Eine Kellnerin näherte sich dem Tisch, und Kate hob den Blick. Hinter ihr ging der Neuankömmling. Kate blickte an ihm vorbei und sah, dass die Frau, mit der er gekommen war, auf der anderen Seite des Raumes jemanden küsste. Einen Augenblick später wandte die Kellnerin sich mit einem Lächeln ab und ließ den Mann an ihrem Tisch zurück. Unsicher blickte er auf sie herab.

«Kate Powell?», fragte er zögernd.

Kate erhob sich halb von ihrem Stuhl und spürte, wie ihr das Blut ins Gesicht schoss. «Oh – Entschuldigung, ich dachte ... Ich habe Sie mit jemandem reinkommen sehen, daher bin ich davon ausgegangen ...»

Einen Augenblick lang schien er verwirrt zu sein. «Oh! Nein, wir sind nur gleichzeitig angekommen.»

Kate bemerkte, dass sie beide an verschiedenen Seiten des Tisches standen. «Bitte, nehmen Sie doch Platz.»

Während sie sich setzten, versuchte Kate, Ordnung in ihre Gedanken zu bringen. Er sah vollkommen anders aus, als sie es sich vorgestellt hatte. Nach seiner Stimme hatte sie eher jemanden erwartet wie den Mann, den sie kurz zuvor gesehen hatte, von Kopf bis Fuß arrogante Eleganz. Aber diesen Eindruck erweckte er überhaupt nicht. Er sah beruhigend normal aus; ein wenig jünger, als sie erwartet hatte, schlank, mit ernstem, auf unaufdringliche Weise attraktivem Gesicht. Sein Haar war dicht und gewellt, beinahe so dunkel wie ihr eigenes, und auf seinem Kiefer war der bläuliche Schimmer von Bartstoppeln zu erkennen. Er war zwanglos gekleidet mit hellbrauner Baumwollhose und marineblauem, kurzärmeligem Hemd. Er hatte den obersten Kragenknopf nicht geschlossen, sodass man ein dünnes Silberkettchen um seinen Hals aufblitzen sehen konnte. Kate fühlte sich overdressed in ihrem eleganten Geschäftskostüm.

Er saß sehr ruhig da und sah sich erst im Raum um, bevor er seinen Blick schließlich auf Kate ruhen ließ. Plötzlich glaubte sie zu spüren, dass er genauso nervös war wie sie.

Sie lächelte. «Sie haben also gut hergefunden?»

«Ja, kein Problem.»

Er erwiderte ihr Lächeln, aber seine Anspannung war beinahe körperlich spürbar. Kates eigene Nervosität ließ weiter nach. Sie machte sich daran, seine Befangenheit zu zerstreuen.

«Die Situation ist ein bisschen merkwürdig, wie?», fragte sie und sprach ihre Gedanken damit laut aus. «Ich meine, sich aus einem solchen Grund zu treffen.»

«Ja.» Er räusperte sich. «Ja, da haben Sie wohl recht.» Abermals sah er sich im Restaurant um, als könne er den Blickkontakt mit ihr nicht länger als ein paar Sekunden ertragen. Sie erinnerte sich, wie seine Stimme gestern Abend am Telefon geklungen hatte: Er war also doch nicht arrogant gewesen. Nur nervös.

«Sie sind also Psychologe?», fragte sie: «Haben Sie die Anzeige im *Psychological Journal* gelesen?»

«Ja.» Er lächelte sie entschuldigend an. «Ich hätte schon früher Kontakt zu Ihnen aufgenommen, aber die Ausgabe war schon ein paar Wochen alt, als ich dazu kam, sie zu lesen.»

Er sprach mit einem leichten Stocken in der Stimme, weniger einem Stottern als einer Synkopierung gewisser Worte. *K-Kontakt.* Kate verbuchte dies als einen weiteren Beweis seiner Nervosität.

Die Kellnerin kehrte zurück und reichte beiden Gästen eine kleine Speisekarte. «Hätten Sie gern etwas zu trinken?»

«Für mich ein Mineralwasser bitte», sagte Kate. Turner zögerte. «Oh … für mich dasselbe, bitte.»

Die Kellnerin entfernte sich wieder.

«Wo arbeiten Sie?», fragte Kate, während sie die Speisekarten aufklappten.

«In Ealing. In einer öffentlichen Klinik.» Er betrachtete flüchtig die französischen Worte auf der Karte und blickte dann zu Kate auf. «Und Sie?»

«Ich betreibe eine kleine PR-Agentur.» Sie besann sich gerade noch rechtzeitig, die Adresse nicht preiszugeben.

«Ihre eigene?» Er schien beeindruckt zu sein.

Kate zuckte die Achseln, konnte aber ihren Stolz nicht ganz unterdrücken. «Sie ist ganz klein.»

«Und sie läuft gut?»

«Im Augenblick schon.» Sie lächelte und schöpfte aus dieser einfachen Antwort unerwartete Befriedigung. Er erwiderte ihr Lächeln, und einen Augenblick lang waren alle Berührungsängste zwischen ihnen beiden wie ausgelöscht.

Die Kellnerin kehrte mit den Getränken zurück, und der Moment war vorüber. Kate bestellte einen Salat. Turner entschied sich nach einer kurzen Pause für ein einfaches Omelett.

«Tja», sagte Kate in das Schweigen hinein, das entstand, als sie wieder allein waren. «Ich sollte Sie wohl darum bitten, mir ein wenig von sich zu erzählen.»

Turner nickte. «Okay.» *O-okay.* «Ich bin in Edinburgh zur Schule gegangen, habe einen Abschluss in Psychologie und einen Magister in Psychotherapie gemacht. Dann habe ich auf einer psychologischen Station in Brixton gearbeitet, bevor ich nach Ealing kam. Ähm … ich bin ledig, ich rauche nicht, nehme keine Drogen …» Er machte eine fahrige Handbewegung. «Das war's auch schon fast.»

«Was ist mit Ihrer Familie?»

Alex hatte nach seiner Gabel gegriffen, hielt sie an beiden Enden zwischen den Fingern und drehte sie langsam hin und her Seine Finger waren schlank, bemerkte Kate. «Meine Mutter und mein Vater sind beide Rentner. Sie leben jetzt in Cornwall.»

«Haben Sie Geschwister?»

«Zwei Brüder, beide älter als ich. Einer ist in Australien,

und der andere lebt jetzt in Kanada. Wir haben uns ziemlich gut über die Kontinente verteilt, könnte man sagen. Und wie steht es bei Ihnen?»

Kate strich die Serviette auf ihrem Schoß glatt. «Nein. Ich habe keine Familie. Meine Eltern sind tot.»

Wieder blickte Alex sie verunsichert an. «Das tut mir leid.»

«Schon gut.» Sie lenkte das Gespräch auf seine Person zurück. «Warum sind Sie Psychologe geworden?»

«Hm ... das kann ich gar nicht genau sagen.» Er legte seine Gabel weg und dachte nach. «Es hat mich wahrscheinlich einfach schon immer interessiert. Ich verstehe mich besser aufs Zuhören als aufs Reden, was in meinem Beruf nützlich ist.» Er grinste schüchtern. «Und ich habe als Kind die *Foundation*-Trilogie gelesen; möglich, dass das auch was damit zu tun hatte. Sie wissen schon, Isaac Asimov?»

«Nein, ich habe zwar von ihm gehört, aber ...» Sie schüttelte den Kopf.

Alex machte eine wegwerfende Geste. «Na, ist auch egal. Ich habe früher Unmengen von Science-Fiction-Büchern gelesen; irgendwann bin ich dann über dieses Buch gestolpert, und ... wow. Es war brillant. Es ging da um ‹Superpsychologen›, die die Psychologie zu einer so hohen Kunst entwickelten, dass sie nicht einmal mehr sprechen mussten, um miteinander zu kommunizieren. Mein Gott, ich fand das einfach umwerfend! Sie wissen schon, der Gedanke, die Menschen so gut zu *kennen*. Zu verstehen, warum sie tun, was sie tun. Und auch sich selbst zu verstehen. Es kam mir einfach ...»

Als die Kellnerin mit dem Essen zurückkam, brach er verlegen ab.

«Was wollten Sie sagen?», fragte Kate, als sie wieder

allein waren. Sie bemerkte, dass er mit dem Essen wartete, bis sie selbst nach ihrer Gabel griff, was sie kurios fand.

«Oh ... nichts. Das war alles, wirklich.»

Mit einem Mal war er so reserviert wie zuvor. Kate lächelte und wünschte sich, dass er sich wieder öffnen würde. «Und sind Sie jetzt selbst ein ‹Superpsychologe›?»

Er lächelte schüchtern und rieb sich den Nacken. «Nein, ich glaube nicht, dass –»

Aus der Durchreiche der Küche drang ein neuerliches lautes Zischen herüber, gefolgt von einem Aufschießen heller Flammen. Alex fuhr zusammen, und ein Stück Omelett von seiner Gabel fiel geradewegs in sein Wasserglas.

«Ach herrje! Entschuldigung!»

Er machte plötzlich ein so beschämtes Gesicht, dass sie nicht anders konnte, als laut loszulachen. Einen Moment lang sah er sie nur an, dann lächelte er. Sein Lächeln war nett, fand sie.

«Es war sowieso zu heiß.» Das Blut stieg ihm in den Kopf, als er das Omelett aus dem Glas fischte und es auf den Rand seines Tellers legte. «Also, wie sind Sie zu Public Relations gekommen?»

Seine Gesichtsfarbe normalisierte sich wieder. Aber die leichte Röte, die ihm kurzzeitig in die Wangen gestiegen war, hatte ihn sehr jung wirken lassen.

«Ach, ich bin irgendwie da hineingeraten», sagte sie. «Ich habe ein paar Jahre Englisch studiert, aber dann sind meine Eltern kurz nacheinander gestorben, und ich bin von der Uni abgegangen. Danach wusste ich nicht recht, was ich anfangen sollte. Also habe ich ein paar Jobs angenommen und bin schließlich in einer PR-Firma gelandet.»

«Wie lange betreiben Sie denn schon Ihre eigene Agentur?»

«Es sind jetzt zwei Jahre.»

«Und was genau tun Sie da?»

Er sah sie mit echtem Interesse an. Sein Benehmen hatte sich geändert; er wirkte jetzt, da er ihr Fragen stellte, langsam etwas selbstbewusster. Von der stockenden Sprechweise war nichts mehr zu hören.

«Sie meinen, für wen ich arbeite? Oder was alles zu dem Job dazugehört?»

«Eigentlich beides. Ich kenne mich in diesem Bereich im Grunde gar nicht aus», gab er zu.

«Nun, wir erledigen alle möglichen Aufträge für verschiedene Kunden, angefangen von kleinen Firmen bis hin zu Verlegern, die irgendjemanden in die Zeitung bringen oder ein Interview in Radio oder Fernsehen platzieren wollen. Es kann auch jemand sein, der ein spezielles Produkt bekannt machen will. Der größte Kunde, den wir zurzeit haben, ist ein Wohltätigkeits-Trust, der möchte, dass wir so subtil wie möglich sein Profil etwas anheben, aber die meisten unserer Klienten wollen so viel Publicity, wie sie nur kriegen können.»

«Und wie gehen Sie die Sache dann an?»

«Das ist von Klient zu Klient unterschiedlich. Aber im Allgemeinen dreht es sich darum, die Aufmerksamkeit der Leute zu erregen. Es kommt nicht darauf an, ob es sich um eine Pressemitteilung handelt, die man an Zeitungen und Zeitschriften verschickt, oder um eine Plakatkampagne – es muss einfach etwas sein, das sofort das Interesse der Leute weckt. Und man muss auch dafür sorgen, dass man die gewünschte Zielgruppe anspricht und sie so lange unter Beschuss nimmt, bis man wahrgenommen wird.» Sie lächelte und zuckte die Achseln. «Oder bis einem die Mittel ausgehen.»

Das Kinn auf die Hand gestützt, sah er sie eindringlich an. «Gefällt Ihnen das?»

Kate dachte nach. «Ja, ich glaube schon. Die Sache hat ihre Höhen und Tiefen. In der Regel hat man allerdings nicht mehr viel Zeit für irgendetwas anderes. Manchmal wünschte ich, ich stünde nicht ständig unter solchem Druck.»

Selber überrascht von diesem Eingeständnis, hielt sie plötzlich inne. Alex beobachtete sie immer noch; er wartete offensichtlich darauf, dass sie weitersprach. Schließlich konzentrierte sie sich auf ihren Salat, um ihre Verlegenheit darüber zu verbergen, dass er sie dermaßen aus ihrer Reserve hatte locken können.

«Um noch einmal auf Ihren Hintergrund zu sprechen zu kommen», sagte sie, nun wieder ganz Geschäftsfrau. «Gibt es in Ihrer Familie irgendwelche Krankheiten? Sie wissen schon, Diabetes, irgendetwas in der Art?»

«Ähm, nein, nicht dass ich wüsste. Meine Großmutter hatte Arthritis, aber das auch erst, als sie schon über siebzig war.»

Kate nickte und versuchte, sich an die anderen Dinge zu erinnern, die sie fragen wollte. Die Fragen, die sie sich zurechtgelegt hatte, fielen ihr jedoch plötzlich nicht mehr ein. Wahllos stürzte sie sich auf das Erste, was ihr in den Sinn kam.

«Warum wollen Sie sich als Spender zur Verfügung stellen?»

Diese Frage schien ihn zu verwirren. «Nun, ich weiß nicht ... Ich dachte, es wäre eine gute Sache. Mir schadet es nicht, und wenn ich jemandem helfen kann, dann ... Sie wissen schon, warum nicht?»

«Haben Sie früher schon mal Samen gespendet?» Kate war fest entschlossen, sich nicht davon aus der Fassung bringen zu lassen, dass sie so direkt mit einem vollkommen fremden Mann sprach. «Oder haben Sie Blut gespendet?»

«N-nein ... nein, habe ich nicht.» Die Synkopierung war wieder da.

«Warum haben Sie sich dann jetzt dazu entschieden?»

«Ähm ...» Eine leichte Röte hatte sich über sein Gesicht gelegt. «Ich ... ich hatte einfach noch nie darüber nach-gedacht, bevor ich Ihre Anzeige sah. Aber ich glaube, mir gefällt der Gedanke an ... na ja, Vaterschaft ohne die Ver-pflichtungen.»

«Dasselbe hätten Sie erreichen können, wenn Sie sich direkt an eine Samenbank gewendet hätten.»

Ihre Einwürfe verwirrten ihn sichtlich. «Ich weiß, aber ... Nun, es klingt vielleicht töricht, aber das war mir einfach alles etwas zu ... anonym.» Er zuckte die Achseln und mied ihren Blick. Sein Gesicht war jetzt sehr rot. «Der Gedanke, irgendjemanden mein ... mein Kind bekommen zu lassen, gefällt mir nicht, wenn Sie verstehen, was ich meine.»

Es war Kate nie in den Sinn gekommen, dass ein Mann in dieser Sache genauso empfinden könnte wie sie. «Ihnen ist doch klar, dass Sie keinerlei Rechte hätten, wie ein Vater sie für gewöhnlich hat, oder? Sie wären trotzdem nur der Spender. Das Kind würde dem Gesetz nach nicht Ihres sein, und es würde nachher keinen Kontakt mehr zwischen uns geben. Das heißt vorausgesetzt, dass wir die Sache über-haupt in Angriff nehmen.»

«Ja, das ist mir klar.»

«Und es wird eine Menge Unbequemlichkeiten für Sie bedeuten. Die Klinik ist in Birmingham, und Sie wer-den ziemlich oft hinfahren müssen. Man braucht dort eine ganze Menge ... eine ganze Menge Proben.»

Er nickte zustimmend.

«Ich komme natürlich für die Unkosten auf», fuhr Kate energisch fort, wobei sie den Gedanken, *was* sie da diskutierten, auszublenden versuchte. «Sowohl für Ihre Zeit als auch für die Reisekosten. Ich zahle Ihnen entweder eine Pauschalgebühr, oder wir rechnen jeden Tag, den Sie dorthin fahren, einzeln ab.»

Alex schüttelte nachdrücklich den Kopf. «Ich will keine Bezahlung.»

«Ich erwarte nicht, dass Sie es umsonst machen.»

«Ich werde es tun, weil ich es so will.»

Kate hielt es für klüger, nicht weiter darüber zu streiten. Schließlich hatte sie noch keine Entscheidung gefällt, daher hatte es ohnehin keinen Sinn. «Man wird Sie auf Krankheiten wie HIV und Hepatitis untersuchen», fuhr sie fort. «Und Sie würden nach sechs Monaten einen zweiten HIV-Test machen lassen müssen. Man wird mit der ... der Behandlung erst anfangen, wenn diese Tests abgeschlossen sind.»

Diese Eröffnung schien ihn erschreckt zu haben.

«Ist das ein Problem?», fragte Kate.

«O nein, es ist nur ... Ich hatte nicht gedacht, dass es so lange dauern würde, das ist alles.»

«Alle Spender werden denselben Untersuchungen unterzogen. Das hat nichts mit Ihnen persönlich zu tun.»

«Nein, nein, es ist schon in Ordnung, wirklich. Es war mir nur nicht klar. Aber ich sehe da keine Probleme.»

Kate überlegte, was sie sonst noch sagen musste. Ihr fiel nichts ein. «Haben Sie noch irgendwelche Fragen?»

Alex legte sein Besteck mit äußerster Gewissenhaftigkeit auf seinem Teller zurecht. Bis auf das Stück, das er in sein Glas hatte fallen lassen, war sein Omelett immer noch unberührt.

«Sind Sie verheiratet?»

Kate sah ihm direkt in die Augen. «Warum?»

Die recht barsch vorgetragene Gegenfrage verunsicherte ihn. «Entschuldigung, ich ... ich wollte nicht neugierig sein. Ich habe mich nur gefragt, ob Sie das tun, weil Sie ledig sind und es so wollen, oder ob Sie verheiratet sind und Ihr Mann vielleicht ... vielleicht ...» – er gestikulierte mit seinem Messer; offensichtlich widerstrebte es ihm, das Thema Sterilität anzuschneiden – «... vielleicht keine Kinder haben kann», beendete er den Satz schließlich. «Der Annonce konnte ich nichts Näheres entnehmen.»

«Ist das wichtig?», fragte sie.

«Nein, natürlich nicht. Es tut mir leid, ich wollte nicht neugierig sein.»

Es widerstrebte ihm so offensichtlich, sie in irgendeiner Weise zu kränken, dass Kate nachgab. «Nein, ich bin nicht verheiratet. Ich tue das, weil ich es will.»

«Schön. Ich ... ich meine, Sie wissen schon, schön für Sie.»

Kate sah ihn einige Sekunden lang aufmerksam an. Er nahm sein Besteck wieder zur Hand und begann halbherzig, das Omelett zu zerschneiden.

«Warum sind Sie so nervös?»

Die Frage war ihr spontan und ohne weitere Überlegung über die Lippen gekommen. Er warf ihr einen schnellen Blick zu.

«Ich bin nicht nervös. Nicht besonders jedenfalls», fügte er einschränkend hinzu, als sei ihm klar geworden, dass es keinen Sinn hatte, es zu leugnen. «Es ist nur ... Wissen Sie, ich habe so etwas noch nie gemacht.»

«Ich tue das auch nicht gewohnheitsmäßig», sagte Kate lächelnd.

Er blickte zu ihr auf und lächelte dann ebenfalls. «Nein, wohl kaum», räumte er ein. «Ich nehme an, Sie haben sicher schon mit einer ganzen Reihe von Leuten gesprochen. Ich meine, ich weiß, dass ich bestimmt nicht der Einzige bin und ... na ja, es ist ein bisschen zermürbend, das ist alles.»

Kate korrigierte ihn nicht. Er hatte von neuem angefangen, mit seinem Omelett zu spielen. Sein Gesicht war wieder ernst geworden.

«Ist diese Sache so wichtig für Sie?», fragte sie.

Einen Augenblick lang zögerte er. Kate hatte den Eindruck, dass er mit der Antwort rang. Dann sah er sie direkt an. Seine Augen waren von einem noch dunkleren Blau als Lucys.

«Ja», sagte er einfach.

«Warum?»

Wieder blickte er auf seinen Teller hinab. «Ich möchte Kinder. Ich bin nur nicht ... Ich bin nicht der Typ zum Heiraten. Ich bin nicht schwul, das ist es nicht. Ich kann mir nur nicht vorstellen, mich niederzulassen und eine normale Familie zu haben oder ...» Seine Stimme verlor sich, als habe er noch etwas hinzufügen wollen und sich dann eines anderen besonnen. «Dies schien mir die zweitbeste Lösung zu sein.»

«Obwohl Sie das Baby niemals sehen werden? Obwohl Sie nicht mal wissen würden, ob es ein Mädchen oder ein Junge ist?» Kate kam sich brutal vor, aber sie musste sicherstellen, dass er wusste, worauf er sich einließ.

Einen Augenblick lang war sein Gesichtsausdruck von unendlicher Traurigkeit. Er starrte die Kerze in der Mitte des Tisches an, aber Kate hatte nicht den Eindruck dass er sie wirklich sah.

«Aber ich werde wissen, dass es da ist.»

Plötzlich richtete er sich auf. Es schien, als hätte er sich wieder unter Kontrolle. «Das heißt, wenn Sie sich für mich als Spender entscheiden sollten. Ich möchte nicht, dass Sie glauben, ich würde das für selbstverständlich halten.»

Jetzt wandte Kate den Blick ab.

«Ich halte Sie von Ihrem Mittagessen ab», sagte sie und wandte sich wieder ihrem Salat zu.

Als sie das Restaurant verließen, bat Kate ihn um seine Visitenkarte. «Ich rufe Sie nächste Woche an und lasse Sie wissen, wie ich mich entschieden habe», erklärte sie und kam sich gleichzeitig feige und überheblich vor.

Er akzeptierte es ohne Klage. «Es ist besser, wenn Sie mich abends anrufen», sagte er und nahm eine Visitenkarte aus seiner Brieftasche. «In der Klinik habe ich für gewöhnlich einen Patienten bei mir und könnte deswegen nicht mit Ihnen sprechen. Und ich möchte auch eigentlich nicht, dass jemand dort etwas von dieser Sache erfährt», gestand er mit einem entschuldigenden Lächeln.

Bevor er ihr die Karte gab, kritzelte er eine Telefonnummer auf die Rückseite. «Ich weiß, dass Sie meine Nummer schon haben, aber ich gebe sie Ihnen noch einmal. Ich bin gerade umgezogen und stehe im Augenblick nicht im Telefonbuch, daher könnten Sie mich nicht erreichen, falls Sie die Nummer verlieren.»

Ein wenig verlegen reichten sie sich die Hände. Kate spürte die Wärme und den Druck seiner Hand noch, nachdem sie sie losgelassen hatte. Sie sah ihm nach, wie er die Straße hinunterging, eine schlanke Gestalt, die Hände lässig in den Taschen.

Als sie ihr Spiegelbild im Fenster des Restaurants sah, fiel ihr auf, dass sie lächelte.

«Es sieht kompliziert aus, aber in Wirklichkeit ist es gar nicht schwierig», versicherte ihr der Bibliothekar.

Er war ein ernst aussehender junger Mann, rothaarig und mit einer Gesichtsfarbe, als stünde er ständig im Wind. Seine Finger entlockten den Computertasten ein leises Klappern wie bei einem Klavier ohne Saiten. «Es ist in Wirklichkeit viel einfacher, als sich durch Bücherstapel zu quälen.»

Kate warf einen Blick auf die Meldungen und den Text, die auf dem Bildschirm erschienen, und hatte so ihre Zweifel. Aber der Bibliothekar, der geradezu aufdringlich hilfsbereit war, hatte darauf bestanden, dass sie eine CD-ROM benutzte statt der schweren Register. Obwohl im Grunde er derjenige war, der den Großteil der Arbeit erledigte.

«Okay, wie war noch gleich der Name?», fragte er, ohne von dem Bildschirm aufzublicken.

«Turner. Alex – oder vielleicht Alexander – Turner.»

Kate beobachtete, wie Sätze und einzelne Buchstaben mit verwirrender Geschwindigkeit auf dem Bildschirm auf- und wieder abtauchten. Sie hoffte, dass dies die letzte Kontrolle war, die sie durchführen musste. Obwohl sie wusste, dass es nur vernünftig war, die Identität des Psychologen zu überprüfen, kam sie sich irgendwie kleinkariert vor, dass sie seinen Worten nicht einfach Glauben schenkte.

Sobald sie nach ihrem Treffen im Restaurant nach Hause gekommen war, hatte sie einen Blick ins Telefonbuch geworfen. Ein Mental Health Centre in Ealing war tatsächlich aufgeführt, und zwar mit derselben Adresse und Telefonnummer wie auf Alexander Turners Visitenkarte; aber die Namen der einzelnen Psychologen, die dort beschäftigt waren, standen nicht im Telefonbuch. Kate hatte einen Augenblick lang dagesessen, mit den Fingern auf ihren

Schreibtisch getrommelt und nachgedacht, um dann zum Telefon zu greifen und zu wählen.

Am anderen Ende der Leitung hatte sich eine Frauenstimme gemeldet. «Ealing Centre.»

«Guten Tag. Könnten Sie mir bitte sagen, ob bei Ihnen ein Dr. Alex Turner beschäftigt ist?»

«Ja, das ist richtig. Aber er ist im Augenblick außer Haus. Möchten Sie ihm eine Nachricht hinterlassen?»

«Nein, es ist schon gut, vielen Dank.»

Kate hatte den Hörer wieder aufgelegt, bevor die Frau weitere Fragen stellen konnte, denn diese Detektivarbeit war gleichermaßen aufregend wie ungeheuerlich. Kurz darauf hatte sie abermals nach dem Hörer gegriffen und die Nummer der Telefonauskunft gewählt.

«Können Sie mir sagen, ob bei Ihnen eine Liste der britischen Psychologen geführt wird?», hatte sie den Mann am anderen Ende der Leitung gefragt.

Nein, er hatte nichts dergleichen. Kate hatte mit dem freundlichsten Tonfall, der ihr zu Gebote stand, gefragt, ob es etwas Ähnliches gebe. Sie hatte gewartet, während der Telefonist nachsah, und nach einer Weile hatte er gefragt, ob ihr die British Psychological Society vielleicht weiterhelfen würde. Kate bejahte.

Die Nummer war schon gewählt, bevor sie recht Zeit gefunden hatte, noch einmal darüber nachzudenken. Eine Frau meldete sich am anderen Apparat. Kate hatte sich Hals über Kopf in die Recherchen gestürzt.

«Ich versuche Einzelheiten über einen Psychologen in Erfahrung zu bringen. Sein Name ist Alex Turner.»

Zu Kates Erleichterung hatte die Frau anscheinend nichts Merkwürdiges an ihrer Bitte gefunden. «Ist er approbiert?»

«Das weiß ich nicht», war Kates Antwort gewesen. Sie war sich nicht einmal sicher, was der Ausdruck «approbiert» bei einem Psychologen bedeutete. «Spielt das eine Rolle?»

«Bei uns sind nur approbierte Psychologen registriert. Wenn er also nicht approbiert ist, könnte ich Ihnen nicht weiterhelfen.»

Kate hatte die Frau gebeten, es einfach zu versuchen, ihr seinen Namen buchstabiert und gewartet, während die Frau ihn in einen Computer eingab.

«Da hätten wir's. Alexander Turner», hatte die Frau verkündet und Kate damit vollkommen überrascht. Während die Frau ihr bereits eine Liste mit Qualifikationen heruntergeleiert hatte, war sie noch auf der Suche nach einem Kugelschreiber gewesen. Einige der Begriffe, die fielen, hatte Kate bereits auf seiner Karte gelesen.

«Und es handelt sich eindeutig um denselben Alex Turner?»

«Ich kann nur seine Qualifikationen bestätigen», hatte sich die Frau entschuldigt. «Es ist mir nicht gestattet, Adressen oder Telefonnummern zu nennen, es sei denn, sie wären selbst Mitglied.»

«Ich habe hier die Angabe, dass seine Geschäftsadresse das Ealing Mental Health Centre in London ist. Können Sie mir wenigstens sagen, ob das dieselbe Adresse ist, die Sie haben?»

Kate hatte die Unentschlossenheit der Frau spüren können. «Sagen wir mal, wenn es nicht der Fall wäre, würde ich es Ihnen mitteilen.»

Kate hatte schon auflegen wollen, als die Frau fragte: «Haben Sie es mal mit *Psychological Abstracts* versucht?»

«Oh ... nein. Was ist das?»

«Eine Zusammenfassung aller von Mitgliedern veröffentlichten Artikel. Gibt es auch auf CD-ROM, unter dem Titel PsychLIT.» Sie hatte den Namen geduldig buchstabiert. «Müsste eigentlich in jeder Universitätsbibliothek zu finden sein.»

Kate hatte ihr gedankt und aufgelegt. Sie hatte nicht die Absicht, in irgendwelchen Bibliotheken herumzuwühlen. Ihr genügte es zu wissen, dass Alex Turner kein Hochstapler war. Es war nicht nötig, dass sie ihre Zeit mit sinnlosen Übungen verschwendete.

Aber die Vorstellung, nicht alle Möglichkeiten ausgeschöpft zu haben, hatte ihr keine Ruhe gelassen, wie ein Stein in ihrem Schuh. Nachdem sie einen Großteil des Abends darauf verwandt hatte, sich einzureden, dass es reine Zeitverschwendung wäre, hatte sie am nächsten Morgen Clive angerufen, um ihm zu sagen, dass sie etwas später kommen würde. Dann hatte sie sich auf den Weg zur Universität gemacht.

Das windgerötete Gesicht des Bibliothekars verriet höchste Konzentration, während seine Finger mühelos über die Tastatur flogen.

«Ah. Da hätten wir's», sagte er zufrieden. Er lehnte sich zurück, damit sie auf den Bildschirm schauen konnte. «Er hat elf Einträge. Wollten Sie irgendeinen bestimmten Titel?»

«Nein, eigentlich nicht.»

Der Bibliothekar sah sie einen Augenblick lang neugierig an, sagte aber nichts dazu. Er zeigte ihr, wie sie die Zusammenfassung jedes Artikels einzeln abrufen konnte. «Die Artikel selbst gibt es nicht auf CD-ROM, aber die meisten Zeitschriften müssten wir eigentlich hier haben, falls Sie Fotokopien brauchen.»

Widerstrebend überließ er ihr seinen Platz. «Wenn Sie

noch Hilfe brauchen, fragen Sie ruhig. Ich bin drüben an meinem Schreibtisch.»

Kate versicherte ihm, dass sie sich im Notfall melden würde. Dann sah sie sich den ersten Eintrag an. Einige der Informationen sagten ihr überhaupt nichts, aber der Titel des Artikels war klar und deutlich. «Die Rolle von Erziehung und Umwelt bei der Entstehung von zwanghaftem Verhalten». Darunter stand eine kurze Zusammenfassung des Artikels:

Zwanghaftes Verhalten lässt sich oft auf ein oder mehrere spezifische Ereignisse in der Geschichte eines Individuums zurückführen. Häufig ist die Erinnerung an solche Ereignisse unterdrückt worden, sodass der Ursprung der zwanghaften Verhaltensweise verschleiert wird. Dieser Aufsatz vertritt die These, dass der Therapieerfolg bei solchem Zwangsverhalten wesentlich verbessert werden kann, wenn diese ursächlichen Ereignisse erkannt werden. Sechs Patienten wurde unter Hypnose und mit positiven Ergebnissen geholfen, sich an diese Ereignisse ihres Lebenslaufes zu erinnern.

Der Artikel enthielt nichts, dass für sie von Interesse gewesen wäre, daher ging Kate zum nächsten über. Der folgende Aufsatz war in einer amerikanischen Zeitschrift erschienen, wie sie beeindruckt feststellte. Der Titel lautete «Blutsbande: Sind Fehlregulierungen der Impulskontrolle ererbt?». Das sagte ihr wenig, und der Abriss war auch nicht sehr hilfreich:

Eineiige Zwillinge, die bei der Geburt getrennt wurden und eine gegensätzliche Erziehung erfuhren, wurden beide binnen zwölf Monaten wegen Diebstahls verurteilt.

Diese Studie erwägt die Möglichkeit einer ererbten Neigung zu Fehlregulierungen der Impulskontrolle und regt weitere Untersuchungen zum Thema an.

Ihre Gedanken schweiften ab, bevor sie die Zusammenfassung zu Ende gelesen hatte. Sie rief den nächsten Eintrag auf, der sich mit einem Artikel über Brandstiftung beschäftigte. Aber sie machte sich nicht mehr die Mühe, ihn zu lesen. Was genug war, war genug. Ohne den Monitor auszuschalten, ging sie zu dem Bibliothekar hinüber.

Seine windgeröteten Wangen verdunkelten sich, als er sie sah. «Tut mir leid, ich weiß nicht genau, wie der Computer ausgeschaltet wird», bekannte sie.

«Keine Sorge, ich kümmere mich darum. Haben Sie gefunden, wonach Sie suchten?»

«Ja, ich glaube schon.»

«Wollen Sie Fotokopien von irgendwelchen Artikeln?»

«Nein danke, das ist nicht nötig.»

Er schien enttäuscht zu sein. «Sind Sie sicher? Es macht keine Mühe.»

«Wirklich, es ist nicht nötig. Ich habe gefunden, was ich brauchte.»

Da sie für ihre Aufregung ein Ventil brauchte, bedachte sie ihn mit einem freundlichen Lächeln und ging hinaus.

Lucy und Jack kehrten an diesem Wochenende zurück. Kate ließ Berichte über Zeltzusammenbrüche, Sonnenbrand und durch Eiscreme verursachten Durchfall geduldig über sich ergehen, bis Lucy alles losgeworden war, was sie unbedingt erzählen musste.

«Kannst du nächste Woche irgendeinen Abend weg?», fragte Kate.

Lucy hatte sich in einen Sessel sinken lassen. «Ich glaube, nach den letzten zwei Wochen wirst du mich schon mit Gewalt aus dem Haus schleppen müssen. Warum?»

Kate konnte es nicht länger für sich behalten. «Da ist jemand, den ich dir gern vorstellen möchte.»

Kapitel 9

Das ist Alex.»

Zu viert standen sie in Lucys und Jacks Wohnzimmer, allesamt verkrampft um ein Lächeln bemüht. Der geplante Grillabend war buchstäblich ins Wasser gefallen. Stattdessen hatte Lucy den großen Tisch im hinteren Teil des Zimmers mit einem weißen Tischtuch, dem besten Porzellan und den Gläsern von Jacks Tante gedeckt. In der Mitte standen zwei schwere silberne Kerzenleuchter, die Bienenwachskerzen darin neigten sich schon leicht zur Seite.

Lucy schenkte Alex ein strahlendes Lächeln. «Freut mich, Sie kennenzulernen.» Einen Augenblick dachte Kate, dass ihre Freundin auf ihn zugehen und ihn küssen würde, was aber nicht geschah. Jack schüttelte Alex die Hand.

«Hallo!»

Ein peinliches Schweigen entstand, denn jeder erwartete vom anderen, dass er ein Gespräch begann.

«Tja, ist das nicht mal wieder typisch englisches Wetter?», meinte Lucy schließlich. «Wenn wir mit Sicherheit dafür sorgen wollen, dass es regnet, brauchen wir nur einen Grillabend einzuplanen!»

Das Lachen, das diesem Scherz folgte, hätte auf unbeteiligte Beobachter wohl etwas übertrieben gewirkt. Jack rieb sich die Hände.

«Also, wer hätte denn gern einen Drink? Kate?»

«Oh ... für mich ein Glas Rotwein, bitte.» Sie rief sich ins Gedächtnis, dass sie langsam trinken musste, denn sie hatte den ganzen Tag über nichts essen können.

«Alex?», fragte Jack. «Bier, Wein. Oder etwas Stärkeres, wenn Sie wollen?»

«Äh ... Bier, wenn Sie eins dahaben.»

Jacks Gesicht verzog sich zu einem breiten Grinsen. «Sie können Budweiser haben, Boddy's oder Old Speckled Hen.»

«Du kannst ihm deine Biersammlung später zeigen», sagte Lucy, die die Schärfe ihrer Stimme mit einem Lächeln ausglich. «Ich bin sicher, Alex ist es egal.»

Jacks Lächeln war genauso künstlich wie das ihre. «Nun, überlassen wir die Entscheidung doch Alex, ja?»

Kate kannte Lucy und Jack gut genug, um zu wissen, dass die beiden sich gestritten hatten. Sie selbst war schon nervös genug, und die Spannung zwischen den beiden machte die Sache nicht gerade besser. Plötzlich befiel sie die unangenehme Vorahnung, dass der Abend schrecklich werden würde.

«Dann hätte ich gern ein Bud», sagte Alex. Jack sah Lucy triumphierend an; die Tatsache, dass Alex den Spitznamen des Biers verwendete, schien er als Beweis für eine verwandte Seele zu deuten, und er stapfte in die Küche.

«Ich nehme einen Weißwein, wenn du schon fragst», rief Lucy mit honigsüßer Stimme hinter ihm her. Mit einem Lächeln auf den Lippen wandte sie sich wieder Kate und Alex zu. «So. Wir könnten uns eigentlich setzen.»

Sie begaben sich zur Sitzgruppe aus Sofa und Sesseln, die vor dem kalten Kamin stand. Als Lucy an Kate vorbeiging, senkte sie die Stimme.

«Neues Kleid?»

Kate nickte. Das Kleid war ganz weiß, ärmellos und endete ein gutes Stück über ihren Knien. Lucy sah sie mit hochgezogenen Augenbrauen an, machte aber keine weitere Bemerkung, während sie sich in einem der Sessel niederließ. Kate blieb einen Augenblick lang unschlüssig vor dem anderen stehen, setzte sie sich dann aber zu Alex auf das Sofa, wenn auch auf die andere Seite. Sie war sich der Tatsache bewusst, dass ihr das Kleid über ihre Oberschenkel hinaufrutschte. Es war kürzer, als sie es gewohnt war.

Lucy bedachte Alex mit einem Gastgeberinnenlächeln. «Kate hat mir erzählt, Sie seien klinischer Psychologe?»

Alex nickte. «Ähm, ja, das stimmt.»

«Sie müssen mir meine Dummheit verzeihen, aber ich bin mir nicht ganz sicher, was das eigentlich heißt. Ich meine, ich weiß wohl, was ein Psychologe ist, aber was bedeutet ‹klinisch›?»

Er räusperte sich. «Na ja, das, ähm, also, im Grunde bedeutet das, dass ich mehr mit Patienten arbeite, als mich um die, ähm, die theoretische Seite oder die Forschung zu kümmern.»

Er hatte die Beine lässig übereinandergeschlagen und einen Arm auf die Armlehne des Sofas gelegt, aber Kate spürte dieselbe steife Anspannung bei ihm, die ihr auch schon im Restaurant aufgefallen war. Er schien sich mit einer großen Willensanstrengung in eine entspannte Haltung zu zwingen.

«Sie behandeln also Schizophrene und solche Leute, statt Ratten durch Labyrinthe zu schicken?», hakte Lucy nach.

«Ähm, nein, ich würde niemanden wegen Schizophrenie behandeln. Das ist mehr eine Sache für den Psychiater.»

«Wo liegt der Unterschied?»

«Der Unterschied?» Alex schien sich bei diesem Kreuzverhör nicht recht wohl zu fühlen. Kate wünschte, Lucy würde das Thema wechseln. «Die Psychiatrie beschäftigt sich mit, ähm, mit geistigen Krankheiten. Sie ... sie bedient sich häufig der Hilfe von Medikamenten. Die Psychologie – die klinische Psychologie – beschäftigt sich mehr mit Verhaltensproblemen.»

Wieder dieses leichte Stocken in seiner Stimme, ein fast unmerkliches Stolpern über die Konsonanten. Kate fragte sich, ob Lucy wohl spüren konnte, wie nervös er war. Langsam verlor sie den Enthusiasmus, der sie veranlasst hatte, ihn ihren Freunden vorzustellen. Sie hatte nicht die Absicht gehabt, ihn zur Schau zu stellen, aber genau so musste es ihm im Augenblick vorkommen.

«Wie sind Sie zu Ihrem Beruf gekommen? Ich meine, zur klinischen Seite?»

Kate fragte sich, ob sie genauso blödsinnig geklungen hatte, als sie Turner im Restaurant ausgefragt hatte. Sie wartete darauf, dass Alex ihrer Freundin von den «Superpsychologen» erzählen würde, über die er als Junge gelesen hatte.

«Ach ... das hatte keinen bestimmten Grund.» Er zuckte die Achseln. «Ich fand einfach, dass es gut klingt.»

Er sah sie nicht an, aber ihm war wohl bewusst, dass sie seine Auslassung bemerkte, dessen war Kate sich plötzlich sicher. Und aus irgendeinem Grund war sie wirklich froh, dass er Lucy nichts erzählt hatte.

«Was für eine Art ...», begann Lucy, aber Kate sollte nie erfahren, wie ihre nächste Frage gelautet hätte. Eine kleine Gestalt erschien im Türrahmen, und Lucy brach plötzlich ab. Emily, die ein hellgelbes Nachthemd trug, lief bis zu dem Halbkreis, den das Sofa und die Sessel bildeten, und blieb dann zögernd stehen. Das kleine Mädchen lächelte und blickte kokett zu Alex auf.

«Und wieso bist du nicht im Bett, junge Dame?», fragte Lucy mit geheuchelter Strenge.

Emily tippelte auf Zehenspitzen auf sie zu, wandte dabei aber keine Sekunde lang ihren Blick von Alex ab. «Kann nicht schlafen.»

«Und das liegt sicher nicht daran, dass du sehen möchtest, wer uns besucht, wie?»

Emily lächelte, sagte aber nichts. Lucy seufzte und wandte sich an Alex. «Sie kennen sich wohl nicht zufällig auch mit Kinderpsychologie aus, oder? Wie zum Beispiel mit der Frage, was man mit neugierigen Kindern macht?»

Er grinste ein wenig unsicher. «Nein, tut mir leid.»

Als hätte Emily nur darauf gewartet, dass er etwas sagte, kam sie noch ein Stückchen näher. «Sind Sie Kates Freund?»

«Ich glaube, du gehörst jetzt wirklich ins Bett», sagte Lucy. Sie erhob sich aus ihrem Sessel und schob das kleine Mädchen so schnell aus dem Zimmer, dass sie schon halb den Flur hinunter waren, bevor man im Wohnzimmer Emilys Einwände hören konnte.

Kate zwang sich, Alex zuzulächeln, während das Gejammer im Flur leiser wurde. Getrennt durch eine Kissenbreite und beiderseitige Verlegenheit, warteten sie darauf, dass Jack endlich mit den Drinks aus der Küche zurückkam.

Es gab Brathuhn, mit Zitrone und Knoblauch eingerieben, dazu neue Kartoffeln aus Lucys eigenem Garten, mit grünen Bohnen und Salbei. Wenn sie wollte, war Lucy eine gute Köchin, aber als es an die Zubereitung des Desserts ging, hatte sie offensichtlich der Ehrgeiz verlassen: Der

Schokoladenpudding, den sie auf den Tisch brachte, bestand überwiegend aus Kunstsahne und anderen merkwürdigen Zusätzen und hatte seine ursprüngliche Form durch Quetschungen in der Einkaufstüte verloren. Aber mittlerweile hatten die Drinks sie hinreichend entspannt, um darüber lachen zu können.

Kate fühlte sich benommen, ein Gefühl, das gleichermaßen von der Erleichterung rührte wie von dem Wein, den sie eigentlich gar nicht hatte trinken wollen. Die anfängliche Verlegenheit hatte sich während des Essens verflüchtigt. Alex wirkte nicht mehr so verkrampft und schien sich gut mit Lucy und Jack zu verstehen, die ihren Streit entweder beigelegt oder auf einen anderen Zeitpunkt verschoben hatten. Lucy hatte einen leichten Flirt mit ihm begonnen, ein sicheres Zeichen dafür, dass er ihr gefiel, und er und Jack hatten Gemeinsamkeiten in puncto Bücher entdeckt.

Als Jack anfing, Alex von seinem Geschäft zu erzählen, fing Lucy einen Blick ihrer Freundin auf.

«Hilfst du mir beim Abwasch?»

Mit plötzlicher Nervosität machte Kate sich daran, die schmutzigen Teller einzusammeln, bevor sie ihrer Freundin in die Küche folgte. Lucy schloss die Tür hinter sich und drehte sich zu ihr um.

«Erzähl mir nicht, dass du das immer noch durchziehen willst.»

Kate hatte vorher gewusst, dass Lucy ihr Urteil über ihn jetzt verkünden würde, aber sie hatte nicht damit gerechnet, dass es so harsch ausfallen würde. «Warum? Magst du ihn nicht?»

«Natürlich mag ich ihn! Er ist etwas schüchterner, als ich erwartet hätte, aber abgesehen davon ist er ein Volltreffer, wenn du mich fragst.»

«Na, was stimmt denn dann nicht?»

«Alles stimmt. Abgesehen davon, dass du das Glück hattest, einen wirklich netten Kerl kennenzulernen, ganz egal wie, und wenn du es jetzt auch nur noch in Erwägung ziehst, diesen künstlichen Quatsch da in Angriff zu nehmen, solltest du dir mal den Kopf untersuchen lassen!»

Kate spürte, wie die Anspannung von ihr abfiel. «Ich dachte, du würdest sagen, dass er dir nicht gefällt.»

«Das Einzige, was mir nicht gefällt, ist, dass du immer noch an dieser blödsinnigen Idee festhältst. Du hast wirklich Dusel gehabt. Wieder mal. Ich hoffe bloß, dass du das Beste daraus machst.»

«Lucy, ich suche nach einem Spender. Das ist alles.»

«Ach, ja?» Lucy zog die Augenbrauen hoch. «Ich nehme an, du wirst mir jetzt erzählen, dass du auch nichts für ihn übrighast?»

«Habe ich tatsächlich nicht. Ich bin froh, dass er ein netter Kerl ist, und ich leugne nicht, dass ich ihn mag, aber mehr ist an der Sache nicht dran.»

Lucy warf einen vielsagenden Blick auf Kates Kleid. «Und ich nehme an, auch dieses Outfit ist reiner Zufall, ja?»

Kate errötete. «Ich habe beschlossen, mir ein neues Kleid zu kaufen, das ist alles.»

«Ein Kleid, das zufällig deine Beine und deinen Busen wunderbar zur Geltung bringt. Na komm schon, ich bin doch nicht blöd. Du hast den Fummel nicht meinetwegen angezogen. Und auch nicht wegen Jack.»

Etwas in ihrer Stimme ließ Kate aufhorchen. Da sie sich an die Anspannung erinnerte, die bei ihrer Ankunft zwischen Lucy und Jack geherrscht hatte, fragte sie: «Ist alles in Ordnung? Zwischen dir und Jack, meine ich? Tut mir leid, ich will nicht neugierig sein», fügte sie eilig hinzu, als sie

Lucys verschlossenen Gesichtsausdruck bemerkte, «aber ich hatte den Eindruck, dass ihr vorhin ein bisschen ... gereizt wart.»

Kate dachte, sie würde keine Antwort bekommen, aber dann drehte Lucy sich mit einem Achselzucken weg.

«Wir hatten eine kleine Meinungsverschiedenheit, das ist alles.» Sie hielt inne. «Es ging übrigens um dich.»

«Um mich?»

Zwei rote Flecken waren auf Lucys Wangen erschienen. Sie sah Kate mit einem Blick an, in dem so etwas wie Trotz lag.

«Jack scheint zu glauben, dass ich zu hart mit dir bin. Er sagt, ich solle mehr Verständnis für dich haben. Ich habe erwidert, dass meine Kritik nur zu deinem Besten ist und dass ich wünschte, er wäre mir gegenüber auch nur halb so verständnisvoll, wie er sich dir gegenüber zeigt.» Sie presste die Lippen aufeinander. «Aber andererseits würde ich in einem weißen Minikleid auch nicht halb so gut aussehen wie du, oder?»

Plötzlich schloss Lucy die Augen.

«Ach, verdammt, so hab ich das nicht gemeint. Tut mir leid.»

Kate sagte nichts. Sie bemerkte nur, dass der Wasserhahn tropfte; sein rhythmisches Pochen war der einzige Laut in der Küche.

Lucy runzelte gequält die Stirn. «Gib nichts auf mich, ich bin bloß furchtbar zickig heute, das ist alles. Es ging außerdem gar nicht nur um dich. Jack und ich haben es in letzter Zeit ziemlich schwer miteinander gehabt, und die Kinder waren einfach grässlich. Obendrein habe ich meine Tage, mein Bauch ist angeschwollen wie ein Ballon, ich fühle mich ekelhaft, und dann kommst du reinspaziert und siehst aus wie die gottverdammte Audrey Hepburn in Person. Und es stellt sich heraus, dass der einzige Kerl, der auf deine Anzeige antwortet, kein perverser Freak, sondern ein wahres Prachtstück ist!» Sie lächelte schwach. «Weißt du, manchmal kriegt man einfach mehr, als man verkraften kann.»

Kate hatte das Gefühl, als hätte sie unabsichtlich eine Tür geöffnet, die besser geschlossen geblieben wäre. «Willst du, dass wir gehen?»

«Nein, natürlich nicht! Oh, hör mal, bitte, kümmer dich nicht um mich. Ich habe bloß schlechte Laune und tue mir selber leid.»

Bei jedem Tropfen, der in die Spüle fiel, erklang ein metallisches *Pling*. Lucy streckte die Hand aus und drehte den Hahn zu. Das Tropfen wurde langsamer, hörte aber nicht auf. Lucy schlang die Arme um ihren Oberkörper und sah zu, wie ein Tropfen nach dem anderen sich aus dem Wasserhahn löste.

«Du gehst besser wieder rein und rettest Alex», sagte sie. «Jack hat ihn mittlerweile wahrscheinlich mit seinem Geschwätz halb zu Tode gelangweilt. Ich komme nach, wenn ich den Kaffee fertig habe.»

Kate öffnete die Tür.

«Kate?»

Sie drehte sich noch einmal um. Lucy zog die Schultern hoch.

«Tut mir leid.»

Kate ging hinaus und ließ die Tür hinter sich zufallen. Lucys Verbitterung war so unerwartet gekommen wie ein Bissen faulen Fruchtfleischs in einem ansonsten gesunden Apfel. Kate blieb noch einen Augenblick in dem dunklen Flur stehen. Aus der Küche hinter ihr kam das gedämpfte

Klappern einer Schranktür, dann das Klirren von Porzellan. Vor ihr fiel ein Lichtstrahl durch die halbgeöffnete Wohnzimmertür. Von einem Gespräch war nichts zu hören. Kate ging hinein.

Alex blickte nicht auf, als sie eintrat. Er saß allein am Tisch, sein Gesicht im Halbdunkel. In Gedanken schien er weit fort zu sein, während er in das flackernde Kerzenlicht starrte. Kate blieb zögernd stehen, als er mit dem Finger durch die gelbe Spitze strich, einen Augenblick wartete und die Hand gelassen wieder zurückzog. Die Flamme flackerte jedes Mal ein wenig und neigte sich seinem Finger zu, als wollte sie ihn fangen.

Kate trat an den Tisch. «Tut das nicht weh?»

Alex sah sie mit großen, erschrockenen Augen an, als er den Kopf hob. «Was?»

«So die Hand durch die Flamme zu bewegen? Tut das nicht weh?»

Er starrte seine Finger und die Kerze an, als hätte er beides gerade erst bemerkt. «Ähm, nein, eigentlich nicht.»

Kate setzte sich. «Aber man muss sich dabei doch verbrennen?»

Abermals blickte er in die Flamme. «Nur wenn man es zulässt.» Er lächelte sie an. «Versuchen Sie's.»

Kate lachte und schüttelte den Kopf. «Nein danke.»

«Es tut nicht weh. Nicht, wenn man schnell genug ist und nicht zu nahe an den Docht kommt.»

Sie warf ihm einen skeptischen Blick zu.

«Ehrlich. Wenn man es richtig macht, verbrennt man sich nicht.»

Sie sahen einander über die Kerze hinweg an. Zaghaft streckte Kate einen Finger aus, bis er nur wenige Zentimeter von der Flamme entfernt war.

«Nein», sagte sie mit einem Lachen und riss die Hand wieder zurück.

«Na los. Vertrauen Sie mir.»

Sie streckte abermals die Hand aus. Eine kleine Rauchsäule stieg über der Flamme auf. Sie konnte die Hitze an ihrer Haut spüren. Ihr Finger zitterte.

Ein Geräusch im Flur verriet Lucys bevorstehende Rückkehr mit dem Kaffee. Hastig zog Kate die Hand zurück.

«Ich glaube Ihnen auch so», sagte sie lachend.

Auf dem Heimweg teilten sie sich ein Taxi. Alex bestand darauf, Kate zuerst abzusetzen, und versicherte ihr, dass es auf diese Weise schneller gehe. Nach kurzem Zögern nahm sie seinen Vorschlag an. Eigentlich war sie fest entschlossen gewesen, ihm nicht zu verraten, wo sie wohnte, aber da er gerade bei Lucy und Jack zu Gast gewesen war, erschien ihr diese Vorsichtsmaßnahme jetzt kleinlich und sinnlos.

Sie saßen nebeneinander auf dem schwarzen Polster des Rücksitzes. Anfangs plätscherte ihre Unterhaltung mühelos dahin. Alex wurde geradezu redselig, als sie sich danach erkundigte, wo er wohnte. Wortreich erklärte er ihr, dass er zurzeit nur ein vorübergehendes Quartier habe, weil er bei einer Verkettung von Immobilienkäufen hereingefallen war: Nachdem er schon die Kaufverträge mit dem Paar abgeschlossen hatte, das seine Wohnung beziehen wollte, hatten die Leute, deren Haus er eigentlich hätte kaufen sollen, ihr Angebot wieder zurückgezogen.

«Ich hatte genau drei Tage Zeit, um irgendwas zu finden, bevor die neuen Besitzer in meine Wohnung einzogen.» Er zuckte resigniert die Achseln. «Also habe ich jetzt den größten Teil meiner Sachen in einem Lagerraum und sitze in einem Apartment fest, bis ich was anderes finde.»

«Haben Sie sich denn schon irgendetwas angesehen?»

«Ähm, nein, eigentlich nicht. Ich habe nicht viel Zeit zum Suchen. Sie wissen ja, wie so was ist.»

Mit einem Mal war er wieder so gehemmt wie am Anfang.

«Na ja, wenigstens weiß dann niemand, wo Sie nach Dienstschluss zu finden sind», scherzte Kate, um ihn erneut aus der Reserve zu locken.

Alex sah sie verwirrt an.

«Die Patienten, meine ich», erklärte sie und kam sich ziemlich dumm dabei vor. «Ich habe gedacht, bei Psychologen wäre das ähnlich wie bei Ärzten; ständig fallen einem irgendwelche Leute zu Hause noch auf die Nerven. Aber jetzt, wo Sie umgezogen sind und nicht mehr im Telefonbuch stehen, wird es den Leuten wohl nicht mehr gelingen.»

Sie wünschte langsam, sie hätte das Thema überhaupt nicht angeschnitten. Aber Alex' Miene hellte sich auf.

«Oh ... nein, da haben Sie wohl recht.»

Sie verfielen in Schweigen. Die aufgezwungene Intimität der dunklen Taxirückbank brachte beide in Verlegenheit. Kate konnte deutlich den sterilen, alkoholischen Geruch von Alex' Rasierwasser ausmachen. Paul hatte sich immer reichlich von dem Zeug draufgeklatscht, als würde der Gestank seine Männlichkeit betonen. Alex' Rasierwasser war weniger aufdringlich. Sie mochte es.

Das Taxi schlingerte um eine Kurve, und Kate wurde durch den Ruck gegen Alex geschleudert. Sie streckte die Hand aus, um den Aufprall zu dämpfen, und landete damit auf seinem Oberschenkel. Hastig riss sie die Hand zurück, setzte sich wieder aufrecht hin und stammelte eine Entschuldigung. Sie spürte ein Brennen auf ihrer Gesichtshaut, als sie starr aus dem Fenster blickte. Sie ahnte, dass Alex neben ihr genauso angespannt war. Die Luft zwischen ihnen schien vor Verlegenheit zu vibrieren, sodass selbst die geringste Bewegung ungeheure Bedeutung annahm.

Sie kurbelte das Fenster herunter und ließ den Wind über ihr Gesicht streichen. Dann atmete sie tief ein. *Zu viel Wein.*

«Zieht es bei Ihnen?», fragte sie.

«Nein, überhaupt nicht.» Er lächelte. «Ein bisschen Luft tut ganz gut.»

Sie waren mit keinem Wort auf den Grund zu sprechen gekommen, warum sie sich getroffen hatten. Alex hatte sie nicht zu einer Entscheidung gedrängt, wofür sie dankbar war. Tatsächlich hätte ihre Begegnung beinahe ein normales Rendezvous sein können. Ein Gedanke, den Kate hastig von sich wies.

«Ich hoffe, der Abend heute war nicht zu qualvoll für Sie», sagte sie.

«Nein. Ich habe ihn genossen.»

Um ein Haar hätte sie gesagt: *Ich auch,* konnte sich aber gerade rechtzeitig zurückpfeifen. Sie warf einen Blick auf den Taxifahrer. Wahrscheinlich konnte er durch die gläserne Trennscheibe nichts hören, aber sie senkte dennoch die Stimme.

«Ich möchte nicht, dass Sie das Gefühl haben, Sie wären auf die Probe gestellt worden oder irgendetwas in der Art.»

«Es ist schon in Ordnung, wirklich.» Er lächelte. «Ich mag die beiden. Eine nette Familie.»

Sie näherten sich Kates Straße. «Halten Sie bitte an der nächsten Ecke», sagte sie zu dem Fahrer. Dann drehte sie sich wieder zu Alex um und fuhr mit gesenkter Stimme fort: «Ich weiß wirklich zu schätzen, wie geduldig Sie gewesen sind, und ich möchte Sie nicht unnötig warten lassen, aber ... Hm, wären Sie damit einverstanden, wenn ich es Ihnen in ein paar Tagen sagen würde? Ich meine, wie ich mich entschieden habe?»

Er nickte schnell. «Ja, das ist ... Das ist okay.»

«Es ist eine ziemlich wichtige Entscheidung. Ich möchte nichts überstürzen.»

«Nein, natürlich nicht. Es ist schon okay, ich verstehe Sie.»

Das Taxi kam quietschend zum Stehen. Kate griff in ihre Tasche und reichte dem Fahrer einen Geldschein, ohne auf Alex' Proteste zu achten. Dann legte sie eine Hand auf den Türgriff.

«So. Na, dann gute Nacht.»

«Gute Nacht.»

Sie lächelten einander an, und einen Augenblick lang verharrten sie beide reglos auf ihren Sitzen, bis Kate schließlich den Türgriff hinunterdrückte und ausstieg.

«Ich melde mich dann Ende der Woche wieder», sagte sie durch das geöffnete Fenster.

Sie rief ihn am nächsten Abend an.

Es war eine Ärztin, mit der sie sprachen, nicht die Beraterin, die Kate bei ihrem ersten Besuch in der Klinik kennengelernt hatte. Zu dritt saßen sie in ihrem Sprechzimmer um einen niedrigen, klauenfüßigen Tisch in bequemen Ledersesseln. Neben ihnen stand, für den Augenblick unbenutzt, ein antiker Kirschbaumtisch, der einen starken Duft nach Bienenwachs verströmte. Das Sonnenlicht, das durch die Jalousie fiel, legte sich in sanften Streifen über den Teppich. Das Fenster selbst war geschlossen, aber die Klimaanlage sorgte für angenehm kühle Luft in dem Raum. Das ganze

Krankenhaus schien sich in einer Art Parallelwelt zu befinden, die mit dem Leben da draußen nicht das Geringste zu tun hatte.

«Etwas, das Ihnen absolut klar sein muss – und ich kann es gar nicht genug betonen –, ist die Tatsache, dass ‹Spender› und ‹Vater› vor dem Gesetz zwei vollkommen verschiedene Dinge sind», sagte die Ärztin zu Alex. Dr. Janson war eine attraktive Frau, etwa Mitte vierzig, mit sorgfältig frisiertem blondem Haar und einer Kleidung, die den Anforderungen des Krankenhausbetriebs Rechnung trug. Sie hatte ihnen erklärt, dass Probleme bei der internen Planung dazu geführt hatten, dass sie nun selbst mit ihnen sprach, statt eine andere Beraterin vorzuschicken, aber Kate fragte sich, ob es ihr nicht vielmehr darum ging, einen ungewöhnlichen Fall persönlich zu bearbeiten.

«Es spielt keine Rolle, ob der Spender anonym ist oder, wie in diesem Falle, der Patientin bekannt», fuhr sie fort. «Ihre Verantwortung beginnt und endet mit der Spende von Samen. Es ist sehr wichtig, dass Sie sich darüber im Klaren sind.»

Alex Turner nickte. Er beugte sich in seinem Stuhl vor und hörte mit aufmerksamem, beinahe ängstlichem Gesicht zu, was die Ärztin sagte. Er hatte während des größten Teils der Fahrt von Euston hierher Schweigen bewahrt, und Kate war auch nicht nach Reden zumute gewesen.

Doktor Janson schien beruhigt zu sein, dass sie sich in diesem Punkt verständlich machen konnte, und fuhr nun fort: «Bevor wir jedoch weitermachen, sollte ich sagen, dass wir verpflichtet sind, Ihnen eine Beratung anzubieten, bevor Sie zustimmen, dass wir Ihren Samen lagern und benutzen dürfen. Nicht jeder hat das Gefühl, eine solche Beratung zu brauchen, aber wenn Sie wollen, stehen wir Ihnen zur Verfügung. Es ist sehr wichtig, dass Sie ganz genau verstehen, welche Konsequenzen es hat, wenn Sie Spender werden.»

Sie wartete, und auf ihrem zurückhaltend geschminkten Gesicht stand ein höfliches Lächeln. Alex sah Kate unsicher an.

«Ähm ... ich glaube nicht, dass das ... Ich meine, nein, es ist schon in Ordnung, vielen Dank.»

Die Ärztin legte den Kopf zur Seite.

«Wie Sie wollen. Hauptsache, Sie wissen, dass das Angebot gemacht wurde.» Sie nahm einen vergoldeten Füllfederhalter aus der oberen Tasche ihres weißen Mantels und schraubte den Verschluss auf. «So, jetzt muss ich Ihnen ein paar Fragen nach Ihrem allgemeinen Gesundheitszustand und Ihrer medizinischen Vorgeschichte stellen.»

Während die Ärztin Alex Fragen vorlas und er ihr antwortete, ließ Kate ihre Stimmen ungehört an sich vorüberziehen. Durchs Fenster konnte sie einen kleinen Zierteich sehen. Die Zweige einer Miniaturweide hingen verloren über der Oberfläche des Wassers. Dahinter war das Grundstück wie ein Park angelegt, eine gezähmte Landschaft aus Bäumen und Büschen. *Das ist es also, wofür ich bezahle.* Der Gedanke war auf seltsame Weise beunruhigend.

Gerade als die Ärztin Alex ein Blatt Papier reichte, wandte Kate sich vom Fenster ab.

«Wir brauchen Ihre Zustimmung, um Kontakt zu Ihrem Hausarzt aufzunehmen, für den Fall, dass wir mehr über Ihre medizinische Geschichte in Erfahrung bringen müssen. Wenn Sie also bitte so freundlich sein wollen, dieses Formular auszufüllen.»

Alex nahm das Blatt entgegen. «Ich, ähm ... Ich habe keinen Stift.»

Dr. Janson reichte ihm ihren goldenen Füllfederhalter. Er begann zu schreiben, hielt dann aber plötzlich inne.

«Tut mir leid, ich ... Ich weiß die Adresse der Praxis nicht auswendig.»

Sein Gesicht war rot geworden. Die Ärztin lächelte beruhigend.

«Das macht nichts. Schreiben Sie einfach den Namen Ihres Hausarztes auf und unterzeichnen Sie dann. Die Adresse können Sie uns bei Ihrem nächsten Besuch hier geben. Wenn es keine Probleme mit den Blutuntersuchungen gibt, werden wir Ihren Hausarzt wahrscheinlich ohnehin nicht benötigen, da Sie ja ein bekannter Spender sind.»

Alex schrieb hastig und gab ihr das Blatt Papier zurück. Die Ärztin legte es zur Seite und reichte ihm den nächsten Bogen.

«Das ist eine Einverständniserklärung, mit der Sie uns gestatten, Ihren Samen zu benutzen und zu lagern. Lesen Sie sich alles sorgfältig durch, bevor Sie es unterzeichnen, und fragen Sie bitte, wenn Ihnen irgendetwas unklar ist.»

Sie reichte auch Kate ein Blatt Papier. «Und während er damit beschäftigt ist, könnten Sie gleich Ihr Einverständnis mit der Behandlung erklären.»

Es war überraschend unkompliziert. Kate schrieb ihren Namen und ihre Adresse auf und führte Alex' Namen als den des Spenders an, dann unterschrieb sie das Formular. Schließlich gab sie es der Ärztin zurück.

Alex blickte stirnrunzelnd von seinem eigenen Formular auf. «Hier steht, ob ich meine Zustimmung dafür geben will, dass man meinen Samen nach meinem Tod benutzen darf.» Bei dem Wort «Zustimmung» geriet seine Stimme kurz ins Stocken.

«Es geht darum, dass wir Ihre Proben weiter benutzen

dürfen, falls Ihnen vor Abschluss der Behandlung etwas zustoßen sollte», antwortete die Ärztin freundlich. «Sie brauchen das nicht zu gestatten, und wir hoffen, es wird gar nicht nötig sein. Aber falls doch, so könnten wir ohne Ihr Einverständnis nicht weitermachen. Sie erinnern sich vielleicht, dass es vor nicht allzu langer Zeit einen Gerichtsfall gab», sagte sie und wandte sich nun auch an Kate, «bei dem eine junge Frau ihrem Mann, als dieser im Koma lag, Spermien hatte abnehmen lassen, damit sie sich nach seinem Tod befruchten lassen konnte. Obwohl er ihr Mann war, hat es alle möglichen Probleme gegeben, weil sie nicht sein schriftliches Einverständnis hatte. Es ist für gewöhnlich nur eine Formalität, aber wenn Sie keine sehr starken Einwände haben, wäre es das Beste, sich auch für diesen Fall abzusichern.»

Alex schien sich immer noch sehr unbehaglich zu fühlen. «Was passiert mit den ... mit den Proben, die übrig bleiben? Nachher, meine ich?»

«Das liegt ganz bei Ihnen.» Sie lächelte. «Andererseits ist die Klinik natürlich dankbar für jede Spende. Wenn Sie also keine Einwände haben, würden wir sie gern einfrieren und als Teil unserer Samenbank behalten.»

«Damit Sie bei einer anderen Frau benutzt werden können?»

«Irgendwann, ja, möglicherweise.»

Alex schüttelte den Kopf. «Nein. Nein, das will ich nicht.»

Das Lächeln der Ärztin geriet keinen Augenblick ins Wanken. «Das ist natürlich Ihr gutes Recht. Sie können auf dem Formular festlegen, dass wir Ihren Samen nur für die Behandlung einer bestimmten Person verwenden dürfen.»

Alex nickte kurz und begann zu schreiben. Das einzige Geräusch im Büro war das Kratzen der Feder. Er stützte sich auf den niedrigen Glastisch. In der Mitte des Tisches stand ein modernes, irgendwie fehl am Platz wirkendes Zierstück, das einer rechteckigen Wasserwaage glich. Darin trieben pinkfarbene Kügelchen geschmeidig in einer abscheulich aussehenden roten Flüssigkeit hin und her. Wenn sich genug von den Kügelchen an einem Ende angesammelt hatten, neigte sich das Ding langsam zur Seite und trieb sie wieder ans andere Ende. Das Ganze sah leicht obszön aus. Kate fragte sich, was Dr. Jansons persönlichen Geschmack eher widerspiegelte, die antiken Möbel oder das merkwürdige Zierstück.

Alex war fertig mit dem Formular. Er richtete sich auf, warf einen letzten Blick auf den Papierbogen und reichte ihn schließlich der Ärztin. Sie schob ihn zu den anderen auf den Klemmblock.

«Schön», sagte sie mit einem freundlichen, zuversichtlichen Lächeln. «Als Nächstes müssten Sie uns dann eine Probe geben, damit wir feststellen können, ob Sie nicht unter Azoospermie leiden. Das heißt, dass Sie entweder nur sehr wenige Spermien oder gar keine produzieren», erklärte sie, als Alex sie zweifelnd ansah. «Es handelt sich um eine Routineuntersuchung, aber es liegt wohl auf der Hand, dass wir sie durchführen müssen. Sie können sich, wenn Sie gehen, von der Sekretärin einen Termin geben lassen.» Sie legte den Kopf zur Seite. «Es sei denn, Sie wollen es sofort hinter sich bringen?»

«Jetzt, meinen Sie?» Alex sah sie entsetzt an.

«Je eher, desto besser, wirklich. Und es hätte wohl auch wenig Sinn, öfter hier rauszufahren als unbedingt nötig, oder?»

Die Miene der Ärztin verriet nichts von dem, was sie dachte, aber Kate fragte sich, ob das nicht vielleicht eine subtile Rache dafür war, dass Alex sich gegen die Weiterverwendung seiner Proben gesperrt hatte.

«Wenn Sie lieber bis zum nächsten Mal warten wollen, ist das völlig okay», sagte Kate, der seine Nervosität nicht entgehen konnte.

«Ähm, ja, ich, ich glaube, das wäre mir lieber.» Er war dunkelrot angelaufen.

Dr. Janson lächelte.

Kate bestellte in der Klinik telefonisch ein Taxi, das sie zum Bahnhof zurückbringen sollte. Die Schottereinfahrt knirschte unter ihren Füßen, als sie zum Haupttor gingen, um auf das Taxi zu warten. Nach der von der Klimaanlage abgekühlten Luft im Krankenhaus war die Hitze der Sonne erdrückend. Kate spürte, wie ihr der Schweiß ausbrach. Schweigend traten sie in den Schatten einer Rosskastanie, deren Zweige über den mit Steinsäulen gesäumten Weg hingen. Die stacheligen gelben Kastanienschalen waren bereits deutlich zwischen den breiten Blättern zu erkennen.

«Alles in Ordnung?», fragte Kate.

Alex nickte, ohne sie anzusehen. «Ja, natürlich.»

Das Sonnenlicht fiel durch das dichte Blätterwerk auf Kates nackte Arme.

«Sie sind doch einverstanden, oder?», fragte Alex plötzlich. «Ich hatte einfach nicht damit gerechnet, dass ich ... Sie wissen schon, dass ich heute anfangen müsste.»

«Es ist schon gut, ich habe auch nicht damit gerechnet. Kommen Sie einfach, wann es Ihnen passt.»

Sobald sie diese Worte ausgesprochen hatte, wurde sie

sich ihrer Doppeldeutigkeit bewusst und fuhr hastig fort, um ihre Verlegenheit zu kaschieren. «Ich meine, ich weiß, dass Sie die Fahrten hier heraus mit Ihrer Arbeit abstimmen müssen und so weiter. Ich möchte nicht, dass Sie mehr Unannehmlichkeiten haben, als unbedingt nötig ist.»

Er zuckte die Achseln. «Da wird es keine Schwierigkeiten geben.»

Das Dröhnen eines Motors wurde hörbar. Ein Taxi fuhr den Hügel hinauf auf die Klinik zu. Als es näher kam, traten sie unter dem Baum hervor, aber es fuhr vorbei, ohne anzuhalten. Das Geräusch des Motors verlor sich in der Hitze. Ein oder zwei Sekunden lang standen sie am Rand des Gehsteigs und starrten dem Fahrzeug nach, bevor sie wieder in den Schatten des Baums zurückkehrten.

«Was halten Ihre Eltern davon? Von dem, was Sie tun wollen?», fragte Kate.

«Meine Eltern?» Alex schien erschrocken zu sein. «Oh ... ich habe es ihnen nicht erzählt.»

«Werden Sie es ihnen denn erzählen?»

«Nein, ich glaube nicht.»

«Wären sie nicht einverstanden?»

Er blickte durch die Blätter nach oben und blinzelte in das grelle Licht. «Nein.» Dann fügte er hinzu, als hätte er das Gefühl, diese Worte würden nicht genügen: «Sie sind nicht prüde, das wollte ich damit nicht sagen, und sie hatten immer Verständnis für mich. Aber so etwas ... Na ja, Sie wissen schon.»

«Sie werden es also niemandem erzählen?»

Er schwieg für einen Augenblick. «Ich würde es meiner Großmutter erzählen, wenn sie noch lebte. Sie würde sich freuen. Aber sonst niemandem, nein.»

Kate sah, dass sich ein kleiner Zweig in seinem Haar verfangen hatte. Beinahe hätte sie die Hand ausgestreckt und ihn herausgezogen, aber sie hielt sich zurück. «Sie haben sich sehr nahe gestanden?»

Alex nickte geistesabwesend. Dann sah er sie besorgt an. «Nicht dass ich meinen Eltern nicht auch nahestünde. Diesen Eindruck möchte ich auf keinen Fall erwecken. Es ist nur so, dass meine Großmutter ...» Ein wenig verlegen zuckte er die Achseln. «Nun ja, sie war etwas Besonderes.»

Ein weiteres Taxi näherte sich der Klinik. Diesmal warteten sie, bis es blinkte, an den Wegrand fuhr und stehenblieb.

«Ich glaube, das ist unseres», sagte Kate. «Es bringt uns zum Bahnhof.»

Auf dem Weg zurück nach London schwiegen sie die meiste Zeit. Alex saß ihr gegenüber, blickte aus dem Fenster und schaukelte im Rhythmus des ratternden Zuges leicht hin und her. Seine Augen waren müde, die Lider halb herabgesunken, zum Schutz vor dem Sonnenlicht, das schräg durch die Fensterscheibe fiel. Er sah sehr verletzlich aus, fand Kate, und viel jünger als vierunddreißig.

Ein plötzliches Schlingern des Zuges riss ihn aus seiner Versunkenheit. Er drehte sich um und ertappte sie dabei, wie sie ihn beobachtete, noch ehe sie den Blick abwenden konnte. Sie lächelte.

«In Ihrem Haar hat sich ein kleiner Zweig verfangen», sagte sie.

Er sah sie verständnislos an. Sie zeigte auf seinen Kopf. «Sie haben einen kleinen Zweig im Haar.»

«Oh. Ja.» Er zog ihn heraus. «Vielen Dank.»

Er sah sich um, suchte offensichtlich nach einem Platz, wo er den Zweig ablegen konnte. Sie spürte, wie er über die Sitzbank, den Tisch und den Boden nachdachte, bevor er das kleine Stückchen Holz schließlich in seine Tasche steckte.

«Kein Mülleimer», erklärte er mit verlegenem Lächeln.

Kate verbarg ihre Erheiterung, indem sie ihre Tasche öffnete. Sie zog einen weißen Umschlag heraus und reichte ihn ihm.

«Dadrin ist ein Scheck zur Deckung Ihrer Unkosten», sagte sie. «Ich habe erst mal die Bahnkosten für fünfzehn Besuche zugrunde gelegt, plus Taxi zu beiden Bahnhöfen und wieder zurück.»

Alex nahm den Umschlag entgegen, öffnete ihn aber nicht.

«Wenn Sie ausrechnen wollen, wie viel ich Ihnen Ihrer Meinung für Ihre Zeit schulde, will ich Ihnen auch das gern im Voraus bezahlen», erbot sie sich, als sie seinen Gesichtsausdruck sah.

«Nein! Ich wollte nicht ...» Hastig legte er den Umschlag auf den Tisch. «Ich hab Ihnen doch gesagt, dass ich nicht dafür bezahlt werden möchte.»

«Ich erwarte nicht, dass Sie es umsonst machen.»

Er schüttelte heftig den Kopf. «Ich kann kein Geld von Ihnen nehmen.»

«In diesem Fall vergessen wir die Sache besser.»

Sie hatte ihre Worte nicht ganz ernst gemeint, aber Alex sah sie an, als hätte sie ihn geohrfeigt. «Das sind nur Ihre Fahrtkosten», sagte sie lächelnd, um zu zeigen, dass sie es nicht so gemeint hatte. «Über ein Honorar können wir später reden, wenn Sie wollen. Aber ich kann nicht zulassen, dass Sie das Ganze aus Ihrer eigenen Tasche bezahlen.»

Sie schob den Umschlag über den Tisch zu ihm hin. «Also bitte, keine Einwände mehr, ich bestehe darauf.»

Er sah sie unglücklich an und steckte den Umschlag widerstrebend in die Tasche, ohne ihn vorher zu öffnen.

«Okay. Wenn Sie unbedingt wollen.»

Kate blickte aus dem Fenster. «Noch ein paar Minuten, dann sind wir da.»

Er schaute nun auch hinaus, als würde es ihn überraschen, dass die Fahrt beinahe vorüber war. Kate räusperte sich. «Sehen Sie, ich weiß nicht recht, was ich sagen soll, aber ... Nun, ich bin Ihnen wirklich dankbar für das, was Sie tun. Vielen Dank.»

Alex zuckte, ohne sie anzusehen, mit den Schultern.

«Ich tue es gern.»

Kate verbarg ihre Verlegenheit hinter einem kühlen Tonfall. «Trotzdem, ich weiß Ihre Freundlichkeit wirklich zu schätzen. Und wenn ich von der Klinik erfahre, wie viele zusätzliche Fahrten Sie noch machen müssen, schicke ich Ihnen noch einen Scheck.»

Als er aufblickte, rechnete sie mit neuerlichen Protesten wegen des Geldes. Aber er war eindeutig bestürzt. «Werden wir ... Ich meine, werde ich Sie nicht wiedersehen?»

«Ich glaube nicht, dass das einen Sinn hätte.» Sie war überrascht, wie schroff sie klang. «Wenn es Probleme gibt oder Sie irgendetwas wissen möchten, können Sie mich jederzeit anrufen. Sie haben ja meine Nummer. Aber ich denke nicht, dass das notwendig sein wird. Und die Klinik wird mich darüber auf dem Laufenden halten, wie die Dinge sich entwickeln.»

«Oh ... ja, ich denke ... ja, Sie haben recht.»

Bis zum Ende der Fahrt schwiegen sie beide. Als der Zug in die Dunkelheit des Bahnhofs einfuhr, vermieden sie es, einander anzusehen, sondern erhoben sich und ließen sich mit den übrigen Passagieren aus dem Waggon treiben. Der

Bahnsteig war heiß und stickig und roch nach Diesel. Kate drehte sich um und hielt ihm die Hand hin.

«Nun ja. Nochmals vielen Dank.»

Seine Hand war heiß und trocken, und sie erinnerte sich an das andere Mal, als sie sie ergriffen hatte, draußen vor dem Restaurant, beim ersten Kennenlernen. Sie verbannte die Erinnerung aus ihren Gedanken.

Seine Augen waren blau und verhangen, als er sie ansah. Er schien etwas sagen zu wollen, ließ dann aber den Blick sinken.

«Auf Wiedersehen.»

Kate ließ seine Hand mit einem letzten höflichen Lächeln los und ging den Bahnsteig hinunter. Sie wünschte, sie hätten sich erst in der Bahnhofshalle verabschiedet, denn nun mussten sie beide doch in dieselbe Richtung gehen. Aber sie konnte seine Schritte nicht hinter sich hören. Sie sagte sich, dass die klaustrophobische Enge auf dem überfüllten Bahnsteig und der Dieselgestank in der Luft für ihre plötzliche Niedergeschlagenheit verantwortlich waren, und beschleunigte entschlossen ihren Schritt.

Erst kurz bevor der Ruf ertönte, hörte sie hinter sich jemanden rennen.

«Kate!»

Sie drehte sich um. Alex verlangsamte sein Tempo, als er sie einholte, und der flehentliche Ausdruck in seinem Gesicht machte der Verwirrung Platz.

«Hören Sie, ich habe gerade darüber nachgedacht ...», begann er atemlos, «ich meine, wenn nicht, ist es okay, aber ...» Er schien sich wieder zu fassen. «Nun, ich ha-habe mich nur gefragt, ob Sie vielleicht Lust hätten, irgendwann mal was mit mir zu t-trinken?»

Kate brauchte gar nicht erst über Gründe nachzudenken, warum sie das nicht tun sollte. Es war viel besser, jetzt einen sauberen Schnitt zu machen, statt spätere Komplikationen buchstäblich herauszufordern. Es hatte keinen Sinn, die Sache hinauszuzögern.

Alex stand vor ihr und wartete nervös auf ihre Antwort.

Sie lächelte.

«Das würde mich freuen.»

Kapitel 10

Der Sommer brannte sich aus. Die Tage wurden von einer Sonne gebleicht, die das Gras versengte und die Erde aufplatzen ließ, während die Nächte reglos in einem windstillen Dunst lagen. In den Zeitungen erschienen Artikel über die globale Erwärmung und Dürrekatastrophen, und nach Einbruch der Dunkelheit wurden heimlich Gartenschläuche abgewickelt, um geschützt vor den kritischen Blicken wachsamer Nachbarn verdorrte Rasen und Pflanzen zu wässern.

Kate begann, sich regelmäßig mit Alex zu treffen, am Anfang einmal die Woche, aber dann, als die Reserviertheit zwischen ihnen langsam wich, immer häufiger. Die Ergebnisse seiner ersten Probe und der Blutuntersuchungen waren in Ordnung, und er fuhr jetzt regelmäßig zur Klinik. Soweit Kate wusste, ein- oder zweimal in der Woche. Den Scheck für seine Unkosten hatte er jedoch immer noch nicht eingelöst, wie sie ihren Kontoauszügen entnehmen konnte.

«Ich habe gesagt, ich würde ihn nehmen; dass ich ihn einlösen würde, habe ich nicht gesagt», meinte er mit einem Grinsen, als sie ihn darauf ansprach. Sie erhob alle möglichen Einwände, aber diesmal ließ er nicht locker. «Wir können das später regeln», war das einzige Zugeständnis, das er sich abringen ließ.

Von den Besuchen in der Klinik selbst sprach er nur selten, und Kate wollte nicht weiter in ihn dringen. Sie wusste, dass das für ihn ein heikles Thema war, und wollte ihn auf keinen Fall in Verlegenheit stürzen. Sie hatte mit Dr. Janson über Alex' erste Sitzung in der Klinik gesprochen. Sie war nicht gut verlaufen. «Unergiebig» war der Ausdruck, den Dr. Janson dafür benutzte.

«Kein Grund zur Sorge», hatte sie zu Kate gesagt. «Das passiert vielen Männern. Sie finden die Vorstellung, auf Befehl zu masturbieren, anfangs ein wenig abschreckend. Vor allem in einer Krankenhauskabine.»

Kate hatte beschlossen, Alex nicht danach zu fragen, weil ihr klar war, dass das wahrscheinlich das Letzte war, was er brauchen konnte. Er selbst erwähnte die Sache mit keinem Wort, sagte aber eine Verabredung mit ihr ab, weil er angeblich zu viel Arbeit hätte. Er klang müde und niedergeschlagen, und das leichte Stottern, das in letzter Zeit fast verschwunden war, wurde deutlicher denn je.

Ihre Erleichterung, als die Klinik ihr mitteilte, bei seiner nächsten Probe habe es keine Probleme gegeben, galt ebenso sehr ihm wie ihr selbst.

Sie gingen weiter zusammen aus. Sie trafen sich in einem Pub oder einem Weinlokal und suchten sich für gewöhnlich etwas mit einem Garten aus, wo sie draußen sitzen und eine kühle Brise genießen konnten, falls es ausnahmsweise eine gab. Eines Abends überredete Alex sie, mit ihm in ein Kino in Camden zu gehen, wo sie bei stickiger Hitze saßen und sich *The Wicker Man* ansahen. Anschließend witzelte Kate, dass Edward Woodward es im Feuersturm der letzten Szene wahrscheinlich noch kühler gehabt habe als das Publikum. Den Rest des Abends verbrachten sie mit einer freundschaftlichen Auseinandersetzung über diese Frage in einem chinesischen Restaurant.

Sie gestand sich nicht ein, wie sehr sie sich jedes Mal darauf freute, ihn zu sehen. Wenn sie überhaupt darüber nachdachte, gelangte sie zu dem logischen Schluss, dass es nur natürlich war. Auf diese Weise konnte sie ihrem Kind (und der Gedanke an ihr *Kind* verursachte ihr immer noch ein leichtes Schwindelgefühl) eines Tages erzählen, was für ein Mensch sein Vater war. Daran war nichts auszusetzen, redete sie sich ein.

Aber sie dachte nicht allzu oft darüber nach.

Nur ein einziges Mal kam es zu einer leichten Missstimmung, doch dachte Kate sich nicht viel dabei. Sie hatte sich mit Alex auf einen Drink getroffen, und als sie sich im Biergarten des Pubs einen Tisch suchten, bemerkte sie einen schwarzen Fleck hinten auf seiner Levi's.

«Hast du die Maler in der Praxis?», fragte sie.

«Nein, warum?»

Sie grinste und zeigte mit dem Kopf auf die schwarze Stelle. «Du hast Farbe an deiner Jeans.»

«Wo?» Er verrenkte sich den Hals, um etwas zu sehen.

«Ich glaube jedenfalls, dass es Farbe ist», sagte sie. «Könnte aber auch Tinte sein.»

Ihr Grinsen erlosch. Alex starrte den schwarzen Fleck an. Sein Gesicht wurde kreidebleich.

«Was ist los?»

Hastig richtete er sich auf. «Nichts. I-ich habe nur ...» Jetzt kehrte die Farbe in sein Gesicht zurück. Er setzte sich. «Ich w-wusste nicht, dass die Hose schmutzig ist, das ist alles.»

Sein Stottern war wieder deutlich wahrnehmbar. «Es geht vielleicht wieder raus», versuchte Kate ihn zu beschwichtigen. «Wenn es Tinte ist, kannst du bestimmt irgendeine Reinigungslösung dafür kaufen ...»

«Es ist keine Tinte.»

Seine Heftigkeit verblüffte sie. Er senkte den Blick. «Ich meine, ich glaube, es ist F-Farbe. I-ich muss mich irgendwo angelehnt haben.»

Kate zuckte ein wenig beklommen mit den Schultern und setzte sich. Sie bedauerte es, ihn darauf hingewiesen zu haben, obwohl sie nicht verstand, warum es eine Rolle spielte, welcher Natur der Fleck war. Warum in aller Welt regte er sich nur so sehr darüber auf? Die kurze Verlegenheit, die der Zwischenfall ausgelöst hatte, schwand jedoch im Laufe des Abends dahin. Wahrscheinlich war es ihm nur peinlich gewesen, dass er sie mit farb- oder tintenbefleckten Jeans getroffen hatte, überlegte sie.

Sie sah ihn nie wieder mit dieser Hose.

Sie trafen sich recht häufig mit Lucy und Jack. Alex spielte gern mit den Kindern, und bei ihren kleinen Gartenpartys wachten er und Jack mit wechselndem Erfolg über den Grill. Lucy freute sich, fand aber Kates Beziehung zu ihm geradezu empörend, obwohl Kate darauf bestand, dass sie gar keine Beziehung hätten.

«Du brauchst dich bei mir nicht dafür zu rechtfertigen, dass du dich mit ihm triffst», sagte Lucy einmal, als Kate sich verteidigte. «Ich finde es toll. Ich begreife nur nicht, warum du, da du den Burschen offensichtlich gut leiden kannst, immer noch darauf bestehst, den armen Kerl als Spender zu benutzen. Ich meine, was spricht dagegen, es einfach zu *tun* wie alle anderen auch?»

«Lucy!»

«Na schön, es tut mir leid, aber ich finde es trotzdem merkwürdig. Ich meine, habt ihr schon miteinander geschlafen?»

Kates Gesicht wurde heiß. «Das geht dich nichts an!»

«Also nicht», sagte Lucy vergnügt. «Warum nicht? Was ist los mit ihm? Er ist doch keine Schwuchtel, oder?» Bevor Kate protestieren konnte, hob sie die Hände. «Schon gut, tut mir leid. Ich meine schwul. Aber das ist er nicht, oder?»

«Nein!»

«Also, warum schläfst du dann nicht mit ihm?»

«Weil wir lediglich Freunde sind!»

Selbst in ihren Ohren klang das ziemlich abgedroschen, aber sie weigerte sich hartnäckig zuzugeben, dass zwischen ihnen irgendetwas anderes als Freundschaft war. Sie selbst hatte ganz zu Anfang festgelegt, nach welchen Regeln ihre Beziehung zu funktionieren hatte, und da Alex anscheinend nichts dagegen einzuwenden hatte, gestattete Kate sich erst gar nicht, über eine Alternative auch nur nachzudenken.

An einem heißen, rastlosen Sonntag jedoch durchbrach Kate die Routine und rief ihn an, um ein Picknick vorzuschlagen. Es überraschte sie, dass sie Angst hatte, er könne nein sagen, aber die Sorge erwies sich als unbegründet. Sie stiegen in einen Zug nach Cambridge, wo sie eine Flasche Wein und mit Käse und Salat belegte Baguettes kauften. Auf der Treppe zum Fluss reihten sie sich geduldig in die Schlange der Leute ein, die einen Kahn mieten wollten. Abwechselnd stakten sie dann das unhandliche flache Boot flussaufwärts und lachten über die Unbeholfenheit des anderen, bis sie an eine relativ ruhige Stelle kamen, wo sie ihr Picknick machen konnten. Kate hätte, als sie ans Ufer stieg, beinahe das Gleichgewicht verloren, und als Alex nach ihrem Arm griff, um ihr Halt zu geben, war der plötzliche Körperkontakt für sie beide eine Überraschung. Sie wickelte geschäftig die Sandwiches aus, während Alex die Weinflasche entkorkte und den Wein in Papierbecher goss.

Er hatte einen Fotoapparat mitgenommen und machte unauffällig einen Schnappschuss von Kate, bevor sie es bemerkte.

«Na schön, in dem Falle mache ich auch ein Foto von dir», sagte sie und nahm ihm ungeachtet seiner Proteste den Apparat aus der Hand. Sie fing ihn im Sucher ein, grinsend und von der Sonne gerötet, geradezu absurd jungenhaft in seinem weißen T-Shirt und den verblichenen Jeans. Das feine Silberkettchen um seinen Hals funkelte im Sonnenlicht. Kate hatte ihn schon seit einiger Zeit fragen wollen, was er an dem Kettchen trug. Sie wollte ihre Frage gerade aussprechen, als ein Japaner von vielleicht vierzig oder fünfzig Jahren sich aus seiner Familiengruppe löste und zu ihnen herüberkam.

Lächelnd zeigte er erst auf sich, dann auf Kate und Alex und hob einen imaginären Fotoapparat an die Augen.

«Anscheinend bietet er an, uns zusammen zu fotografieren», sagte Kate. Der Mann nickte und griff, immer noch lächelnd, nach dem Apparat. Ein wenig befangen überließ Kate ihm die Kamera und trat neben Alex. Der Japaner machte ihnen Zeichen, näher beieinanderzustehen. Vorsichtig rückten sie aufeinander zu. Kate spürte, wie ihr nackter Arm gegen den von Alex strich. Er roch nach Sonne, Deodorant und ganz schwach nach frischem Schweiß. Während sie beide verlegen in die Kamera grinsten, war Kate sich die ganze Zeit über seiner Berührung bewusst. Sie war sich sicher, dass Alex ebenso empfand.

Der Japaner drückte auf den Auslöser und gab ihnen die Kamera zurück.

«Vielen Dank», sagte Kate. Der Mann lächelte abermals, neigte den Kopf und kehrte dann zu seiner Familie zurück, einer Frau und zwei Jungen im Teenageralter.

Der Apparat verschwand wieder in seinem Futteral, wie ein gefährliches Spielzeug, und endlich machten sie sich daran, ihr Picknick zu verzehren.

Als sie den Kahn zurückbrachten, hatte der Himmel sich bewölkt. Die ersten dicken Regentropfen klatschten auf die Treppe, die vom Anleger nach oben führte. Als die Tropfen sich in einen wahren Guss verwandelten, suchten sie in einem nahegelegenen Pub Zuflucht. Andere taten es ihnen gleich. Bevor das Lokal überfüllt war, sicherten Kate und Alex sich einen Tisch mit Blick auf den Fluss und beobachteten, wie die glatte Fläche des Wassers unter dem strömenden Regen zersplitterte. Ein Lichtblitz erhellte den kupferfarbenen Himmel, und wenige Sekunden später folgte ein krachender Donnerschlag.

«Du hast wohl nicht zufällig einen Regenschirm zur Hand, wie?», fragte Kate ihren Begleiter, und aus irgendeinem Grund fanden sie das beide überaus komisch. Unter den neugierigen Blicken der anderen Gäste brachen sie in hilfloses Gelächter aus, während draußen der Sturm toste.

Später betrachtete Kate diesen Tag immer als das Ende des Sommers. Zwar kehrte im Anschluss an den Regen die Sonne zurück, aber jetzt brachte sie diese subtile Veränderung des Lichts mit sich, mit der sich schon der Wechsel der Jahreszeit ankündigt. Morgens war es etwas frischer, und die Abende wurden häufiger von Unwettern überschattet, die die Luft mit Ozon und dem modrigen Geruch von Regen auf heißem Pflaster würzten. Binnen einer Woche war es Herbst.

Die Bäume begannen ihre Blätter abzuwerfen, und ein leichter Wind kam auf, dessen Kühle bereits den Winter ahnen ließ. Die Nächte wurden dunkler, die Nachmittage dämmriger und erfüllt von herbstlichem Dunst. Für den Abend des Guy-Fawkes-Day, die sogenannte Bonfire Night, hatten Kate und Alex sich mit Lucy, Jack und den Kindern zu einem Feuerwerk verabredet. Aber am Tag davor rief Lucy an und sagte, dass sowohl Emily als auch Angus die Windpocken hätten.

Alex klang enttäuscht, als Kate ihm davon berichtete.

«Es gibt keinen Grund, warum wir nicht trotzdem hingehen könnten», sagte sie. «Oder?»

Sie trafen sich in einem Pub in der Nähe des Parks, wo das Feuerwerk stattfinden sollte. Als Alex ihr ein Päckchen Wunderkerzen in die Hand drückte, lachte sie überrascht auf.

«Mein Gott, diese Dinger habe ich das letzte Mal als Kind in der Hand gehabt.»

Er lächelte. Ihre Reaktion freute ihn. «Das ist der Sinn dieser Nacht. Wir können so tun, als wären wir wieder Kinder, ohne dass irgendjemand auf den Gedanken kommt, uns in eine Gummizelle zu sperren.»

Sie verließen den Pub und gingen durch den Park auf das Feuer zu. Die Nacht war erfüllt von einem Dunst aus Holzrauch und Schwefel. Explodierende Feuerwerkskörper würzten den Himmel mit Geräuschen, als reiße jemand Stoffe auseinander. Und als sie näher herangingen, mischten sich auch noch die beißenden Aromen von Hot-Dog- und Hamburger-Buden in die atmosphärische Suppe.

Sie kauften sich gebackene Kartoffeln und Glühwein und bahnten sich einen Weg durch die Menge zum Lagerfeuer hinüber. Es loderte hinter einer Seilabsperrung hoch auf und schleuderte einen Strom wilder Funken gen Himmel. Eine sehr lebensechte Gestalt war auf einem Stuhl drapiert worden, der wacklig auf dem Scheiterhaufen thronte.

Sie schwelte bereits, stand aber noch nicht in Flammen. Angetrieben von der Hitze, hob und senkte sich einer ihrer Handschuhe auf beunruhigende Weise, so als versuche sie die Flammen mit der Hand auszuschlagen.

Kate zog eine Grimasse. «Ein bisschen grausig, das Ganze, wenn man darüber nachdenkt, findest du nicht auch?», sagte sie. «So zu tun, als ob man jemanden verbrennt. Auch wenn er versucht hat, das Parlament in die Luft zu sprengen. Kaum ein Grund, es ein ‹gutes› Feuer zu nennen, oder?»

Alex beobachtete die Puppe. Es schien ein oder zwei Sekunden zu dauern, bis Kates Worte zu ihm durchdrangen. Er sah sie fragend an.

«‹Bonfire›», erklärte sie, obwohl sie sich plötzlich sehr töricht vorkam. «In der Schule hieß es, das Wort bedeute so viel wie ‹gutes Feuer›. Du weißt schon, wie in ‹bon›. Das französische Wort für ‹gut›.»

Ein Lächeln huschte über sein Gesicht. «Daher kommt der Name aber nicht. Er leitet sich von ‹bone fire› ab, Knochenfeuer. Weil man früher Knochen verbrannt hat.»

Kate stieß ein erschrockenes Lachen aus. «Mein Gott, das wird ja immer schlimmer! Ich dachte, es wäre schon abscheulich genug zu feiern, dass jemand hingerichtet wird!»

Alex schüttelte den Kopf und wandte sich wieder den Flammen zu. «Darum ging es ursprünglich doch gar nicht. Anfangs war es ein keltisches Feuerfest namens ‹Samhain›, bei dem die Leute Feuer entzündeten, um den Anfang des Winters zu kennzeichnen. Das Fest fand damals nicht am 5. November, sondern schon am ersten statt. Aber nach der Pulververschwörung 1605 wurden die Leute ermutigt, Puppen von Guy Fawkes in ihren Feuern zu verbrennen, und die eigentliche Idee dahinter wurde pervertiert.»

«Das klingt so, als würde dir das schwer gegen den Strich gehen.»

Zuerst antwortete er ihr nicht. Sein Gesicht nahm im Schein der zuckenden Flammen einen feindseligen Ausdruck an.

«Es war anfangs etwas Reines», sagte er nach einer Weile. «Die Menschen feierten das Feuer als einen Widersacher des Winters. Dann wurde es in eine politische Heuchelei verwandelt, eine Warnung der Regierung an andere Missetäter. Fawkes war nur der Sündenbock. Er war ein einfacher Söldner, ein Sprengstoffexperte, den man für den Umgang mit dem Schießpulver angeworben hatte. Robert Catesby war der eigentliche Anführer, aber von dem hört man nie etwas. Er wurde getötet, als sie die tatsächlichen Verschwörer verhafteten, daher haben sie Fawkes' Rolle hochgespielt. Und der eigentliche Grund für das Entzünden des Feuers ging verloren.»

Mit einem gequälten Grinsen hielt er plötzlich inne: «Tut mir leid. Der Vortrag ist beendet.»

«Wenn man dich so reden hört, hat man den Eindruck, als hättest du viel darüber gelesen», sagte Kate überrascht. Bisher hatte er sich nur selten so lange über ein Thema ausgelassen.

Alex schien noch etwas hinzufügen zu wollen, als eine Explosion über ihnen plötzlich mit markerschütterndem Knall den Himmel erhellte.

Da die Leute von hinten nachdrängten, um besser sehen zu können, waren Kate und Alex gezwungen, ganz dicht beieinanderzustehen. Kate wusste ihn direkt hinter sich, als die Feuerwerksraketen krachten und am Himmel aufblühten. Unwillkürlich schwankte sie bei dem lauten Geräusch zurück, aber eine Sekunde bevor ihre Schultern an seine stießen, schlug ihr eine jähe Woge heißen Qualms entgegen, und ihre Augen begannen zu tränen. Sie wandte sich blinzelnd ab und fuhr sich mit einem Taschentuch übers Gesicht, als plötzlich auf der gegenüberliegenden Seite des Feuers irgendetwas zu passieren schien.

Mit tränenden Augen sah sie, wie ein Mann sich unter der Seilabsperrung hindurchschob. Ein Ordner versuchte, ihn festzuhalten, aber der Mann entzog sich seinen ausgestreckten Händen wie ein Rugbystürmer. Er rannte direkt auf den flammenden Holzhaufen zu, und Kate, die immer noch nicht glauben konnte, was er da vorhatte, sah mit an, wie der Mann sich in die Flammen stürzte.

Der Aufschrei des Aufsehers ging in dem Krachen einer neuerlichen Explosion am Himmel unter. Er prallte zurück und warf den Arm hoch, um sein Gesicht schützen, da das Feuer jetzt in einem wilden Funkenwirbel aufloderte. Hinter ihm begannen sich die entsetzten, bleichen Gesichter der Menschen, die an den Seilabsperrungen standen, abzuwenden wie erlöschende Lichter. Kate hörte ein oder zwei Schreie über den Lärm des Feuerwerks hinweg, aber der größte Teil des Publikums hatte gar nicht mitbekommen, was geschehen war. Ein staunendes *Ah* erhob sich, da die nächste grelle Rakete in den Himmel schoss, während die Ordner auf das Feuer zuliefen.

Als zwei der Männer mit langen Stäben nach einem schwelendem Etwas am Rand der Flammen stocherten, wandte Kate sich hastig ab. Sie umklammerte Alex' Arm.

«Lass uns gehen.»

Inzwischen waren mehr Leute darauf aufmerksam geworden, dass etwas nicht stimmte. Ein leises Murmeln ging durch die Reihen der Zuschauer; es klang fast wie ein Stöhnen.

«Alex ...»

Er starrte immer noch zur Ansammlung der Ordner hinüber. Sie zupfte an seinem Ärmel, aber er rührte sich nicht.

«Komm schon, Alex.»

Sein Gesicht war starr vor Entsetzen, aber er ließ sich von ihr wegführen. Sie kämpften gegen das Gedränge der Menschenmenge an, die nun auf das Feuer zustrebte, um festzustellen, was geschehen war.

In dem allgemeinen Chaos hätte Kate Alex um ein Haar verloren, aber dann verlief sich die Menge, und sie konnten sich wieder frei bewegen.

Als sie an den Hot-Dog- und Hamburger-Buden vorbeikamen und ihnen der Duft von gebratenem Fleisch entgegenschlug, musste Kate plötzlich würgen. Sie hielt den Atem an, bis sie die Buden hinter sich hatten, und blickte dann zu Alex auf. Seine Augen waren glasig. Er schritt ziellos neben ihr her.

«Ist alles in Ordnung mit dir?»

Kate musste die Frage wiederholen, bevor er antwortete. Einen Augenblick lang sah er sie an, als erkenne er sie nicht, dann nickte er endlich.

«Ja, tut mir leid, ich ...»

Seine Stimme verlor sich.

«Möchtest du irgendwo einen Drink nehmen?», fragte Kate. Sie hatten den Ausgang des Parks erreicht. Im Licht der Straßenlaternen konnte sie sehen, wie blass sein Gesicht war.

«Nein ... nein, ich glaube, ich ... ich würde am liebsten nach Hause gehen.»

Kate winkte ein Taxi heran. Schweigend stiegen sie ein. Alex hatte sich dem Anschein nach ganz in sich zurückgezogen. Er saß in einer Ecke des Taxis und starrte aus dem

Fenster. Die Lichter der Straße spielten auf seinem Gesicht wie die Lichter eines langsamen Stroboskops.

«Warum tut jemand so etwas?», fragte Kate, die ihre Gedanken einfach nicht länger für sich behalten konnte.

Ohne sie anzusehen, schüttelte Alex nur den Kopf.

Kate sah die Gestalt noch einmal in die Flammen springen, sah das Feuer über ihr zusammenschlagen. Unwillkürlich zuckte sie zusammen.

«Wenn er sich umbringen wollte, warum hat er sich dafür dann so ... so eine *grauenvolle* Art und Weise ausgesucht?»

Sie bemerkte, dass ihre Zähne beim Sprechen ein wenig klapperten, obwohl es im Taxi nicht kalt war. Alex holte hörbar Luft.

«Vielleicht erschien es ihm ja gar nicht so grauenhaft.»

Sein Gesicht lag im Dunkeln. Kate wusste, dass ihre Hartnäckigkeit langsam morbide wirken musste, aber sie konnte einfach nicht dagegen an.

«Aber warum musste er es so machen? Vor all diesen Menschen?»

«Es war eine Möglichkeit, sich Aufmerksamkeit zu verschaffen. Jedem zu zeigen, dass er da war. Vielleicht wollte er sie irgendwie treffen. Oder auch nur jemand ganz Speziellen. Als würde er sagen: ‹Sieh her, was ich tue, das ist deine Schuld. Du hast mich dazu gebracht.›» Er schwieg einen Augenblick. «Vielleicht wollte er sich aber auch selbst bestrafen.»

Kate versuchte, nicht an das Gesicht des Ordners zu denken, der wie gelähmt vor Entsetzen und Ungläubigkeit hatte zusehen müssen. Sie wusste, dass, ganz gleich, wie furchtbar ihre Albträume auch sein mochten, seine gewiss schlimmer sein würden.

«Es scheint mir so ... Ich weiß nicht. Irgendwie egoistisch.»

«Egoistisch?» Alex drehte sich zu ihr um.

«So etwas vor so vielen vollkommen fremden Menschen zu tun. Ohne sich dafür zu interessieren, wie furchtbar es für sie ist.»

«Hätten sie sich für ihn interessiert, wenn er es nicht getan hätte?»

«Nein, wahrscheinlich nicht, aber ...»

«Also, warum sollte er sich dann für sie interessieren?»

Die Bitterkeit in seiner Stimme verblüffte sie. Sie antwortete nicht. Nach einer Weile seufzte Alex.

«Tut mir leid.»

«Schon gut.»

«Nein, ich ...» Er machte eine hilflose Geste. «Es hat mich ziemlich mitgenommen, das ist alles.»

Kate bedauerte bereits, was sie gesagt hatte. Alex sprach selten von seiner Arbeit, aber sie kam sich unbeholfen und unsensibel vor, weil sie nicht bedacht hatte, welche Wirkung dieses Ereignis womöglich auf ihn ausübte.

Zaghaft fragte sie: «Hast du jemanden wie ihn gekannt?»

«Früher einmal, ja», sagte er und schaute wieder aus dem Fenster.

Lucy und Jack luden Kate, wie gewöhnlich, zum ersten Weihnachtstag ein.

«Frag doch Alex, ob er auch kommen will», fügte Lucy hinzu. «Es sei denn, ihr beide habt andere Pläne?»

Kate versuchte, nicht allzu ausweichend zu klingen. «Ich nicht. Aber was Alex vorhat, weiß ich nicht.»

«Will er zu seinen Eltern fahren?»

«Vielleicht. Ich weiß es nicht.»

«Du *weißt* es nicht? Hast du ihn nicht gefragt?»

«Ähm ... nein, noch nicht.»

«Noch nicht? Meinst du nicht, dass es langsam Zeit wird?»

Kate zuckte die Achseln, konnte Lucy aber nicht in die Augen sehen. «Ich bin einfach noch nicht dazu gekommen. Außerdem nehme ich an, dass er sowieso eigene Pläne hat.»

«Und ich nehme an, dass er genau dasselbe denkt, was dich betrifft. Mein Gott, ihr beide seid einer so schlimm wie der andere!» Lucy ging mit verärgerter Miene zum Telefon. «Na schön, wie lautet noch seine Telefonnummer? Wenn du ihn nicht fragst, tue ich es!»

«Untersteh dich!»

Lucy lächelte. Sie hatte bereits den Hörer abgenommen.

Kate warf die Hände hoch. «Na schön, na schön! Ich frage ihn.»

«Jetzt?» Lucy hielt ihr den Hörer hin.

«Morgen», sagte Kate entschieden.

Sie redete sich ein, dass es lächerlich war, deswegen nervös zu sein, aber als sie sich am nächsten Abend darauf vorbereitete, das Thema anzuschneiden, half ihr das überhaupt nichts. Die Theaterbar, in der sie sich getroffen hatten, war mit grellen grünen und roten Christbaumkugeln und Lametta geschmückt. Weihnachten konnte man nicht entrinnen, wie viel Mühe man sich auch gab.

«Fährst du über Weihnachten nach Cornwall?», fragte Kate schließlich und gab damit jeglichen Versuch auf, die Sache etwas subtiler anzugehen.

«Nach Cornwall?»

«Zu deinen Eltern.»

«Oh! Oh ... ja, wahrscheinlich schon.» Er lächelte sie ohne große Begeisterung an. «Ich muss den Truthahn tranchieren und mir die Ansprache der Königin anhören und so weiter.» Er hielt inne. «Und was ist mit dir?»

Kate zuckte die Achseln und versuchte möglichst unbefangen zu klingen. «Lucy und Jack haben mich eingeladen. Sie wollten wissen, ob du wohl Lust hast, auch mitzukommen, falls du nichts anderes vorhättest. Aber ich habe ihnen schon gesagt, dass du wahrscheinlich eigene Pläne hast.»

«Am ersten Weihnachtstag?» Er klang überrascht.

«Ja, aber das macht nichts. Wir haben uns schon gedacht, dass du Weihnachten bei deiner Familie verbringen wirst.»

Die Glocke kündigte den Beginn des nächsten Akts an. Kate trank ihr Glas aus. «Wir gehen wohl besser wieder rein», sagte sie und führte ihre plötzliche Lustlosigkeit auf die erbärmliche Qualität des Stückes zurück.

Zwei Tage später rief Alex an.

«Sieht so aus, als hätte man mich versetzt», sagte er zu ihr. «Meine Mutter hat mich gestern Abend angerufen und gefragt, ob es mir etwas ausmachen würde, wenn sie dieses Jahr verreisen. Ein Last-Minute-Angebot von Freunden in Spanien.»

Sie zwang sich zu einem neutralen Tonfall. «Und was wirst du jetzt machen?»

«Ach ... ich weiß nicht. Wahrscheinlich mache ich mir einfach einen ruhigen Abend.»

Kate konnte Lucys Drängen förmlich hören: *Um Himmels willen, frag ihn doch einfach!*

«Die Einladung von Jack und Lucy steht noch», sagte sie und versuchte, möglichst lässig zu klingen. «Ich weiß, sie würden sich freuen, dich zu sehen.»

Am Weihnachtsmorgen stand eine klare Wintersonne am Himmel, die sich nach Kräften mühte, den weißen Raureif auf den Pflastersteinen zu schmelzen. Das große Haus war von Kochgerüchen und dem Duft von Glühwein erfüllt. Nat King Coles Gesang wetteiferte mit dem Fernseher, während Jack ihre Mäntel entgegennahm und ihnen beiden ein dampfendes Glas in die Hand drückte. Alex hatte eine ganze Plastiktüte mit Geschenken bei sich, und Emily und Angus fetzten übermütig das grelle Papier von ihren Päckchen. Die Orgie des Aufreißens schien sie noch mehr zu interessieren als die Geschenke selbst, eine teure, aber einfallslose Puppe und ein Spielzeugauto, für das Angus noch zu klein war. Jack bekam eine Flasche Whisky und Lucy ein Parfum von Chanel. Als sie das Fläschen sah, weiteten sich ihre Augen.

«O mein Gott, also das nenne ich – wirklich ein Geschenk!»

Sie küsste Alex auf den Mund. Kate verspürte einen scharfen Stich von etwas, das beinahe Eifersucht hätte sein können, aber dann kam Alex zu ihr.

«Frohe Weihnachten.»

Beinahe schüchtern reichte er ihr ein kleines Päckchen, und sie wünschte plötzlich, sie hätte ihm mehr gekauft als die Flasche irischen Whiskey.

Sie nahm das Päckchen entgegen und wickelte es aus, wobei ihr die ganze Zeit über bewusst war, dass die anderen sie beobachteten. Das Papier gab ein längliches Kästchen frei. Kate öffnete es und nahm ein schlichtes goldenes Medaillon an einem Goldkettchen heraus.

«Ich wusste nicht, welche Größe deine Socken haben», sagte Alex. Der Scherz klang einstudiert.

«Es ist wunderschön», sagte Kate. «Ich danke dir.»

Sie machte einen Schritt nach vorn und küsste ihn. Der Kuss dauerte nicht länger als der, den Lucy ihm einige Sekunden zuvor gegeben hatte, aber es war ihr erster Kuss, und Kate fühlte sich befangen und irgendwie seltsam. Als sie sich voneinander lösten, legte sie sich umständlich das Goldkettchen um den Hals, um ihre Verwirrung zu verbergen.

Zu dem riesigen Truthahn, den Lucy gebraten hatte, tranken sie einen trockenen spanischen Sekt, dem die verschiedensten Weine und Liköre folgten, die Jack am Nachmittag hervorzauberte. Gegen Abend fühlte Kate sich angenehm beschwingt, und die Anspannung, die sich den ganzen Tag in ihr aufgestaut hatte, fand endlich ein Ventil.

Sie und Alex standen in der Küche und wuschen einen Berg fettigen Geschirrs ab. Sie reichte ihm ein nasses Glas zum Abtropfen, und als ihre Hände sich berührten, schoss ihr der Gedanke plötzlich und ohne Vorwarnung durch den Kopf.

Heute Nacht.

Errötend wandte Kate sich ab und machte sich energisch an die Reinigung eines schmierigen Tellers, um ihren plötzlichen Gefühlsaufruhr zu verbergen.

Sie schob alle Gedanken an die Entscheidung beiseite, aber den ganzen Abend über wurde sie von einem seltsamen, fremdartigen Gefühl beherrscht, einer leichten Atemlosigkeit, einer Anspannung tief unten im Magen. Und dann sagten sie und Alex Lucy und Jack gute Nacht und stiegen in ein Taxi, und mit der Plötzlichkeit einer zuschlagenden Tür sah sie sich plötzlich wieder mit ihrer Entscheidung konfrontiert.

Alex schien ihre Anspannung zu spüren. Die Atmosphäre während der Fahrt war seltsam geladen. Vertraute Orientierungspunkte flogen wie ein Countdown an den Fenstern vorbei, dann bog das Taxi in Kates Straße ein und blieb vor ihrer Wohnung stehen.

Ihr Herz hämmerte. Die Worte auf ihrer Zunge kamen

ihr plump und unbeholfen vor. «Willst du noch mit reinkommen?»

An seiner Miene konnte sie ablesen, wie ihm die Bedeutung ihrer Frage aufging. Hastig wandte er den Blick ab.

«Ich ... ähm ... Nein, besser nicht. Es ist schon spät.»

Die Zurückweisung kam so unerwartet, dass Kate rein gar nichts dabei empfand.

«Oh. Okay», hörte sie sich sagen. Einen Augenblick später stieg sie auch schon aus dem Taxi. Die kalte Nachtluft berührte ihre Haut. «Na, dann gute Nacht.»

Alex sah sie nicht an. «Gute Nacht.»

Das Taxi fuhr weiter und hinterließ nichts als eine bläuliche Abgaswolke. Die Straße war menschenleer. Kate ging den Weg zu ihrem Haus hinauf. Sie hatte die Schlüssel in der Hand, obwohl sie sich nicht daran erinnern konnte, sie aus der Tasche gezogen zu haben. Sie streckte die Hand aus, um die Haustür aufzuschließen, und da erst traf es sie.

Sie presste die Augen fest zu, um sich vor dem Schmerz zu schützen; ihre Hand lag immer noch auf der Türklinke. Einen Augenblick lang stand sie steif da und war außerstande, den nächsten Schritt zu tun. Zu ihren Füßen erklang ein Miauen. Sie blickte zu Dougal hinab, der sich um ihre Knöchel schmiegte. Der Kater sah mit großen Augen gleichgültig zu ihr auf.

«Fröhliche Weihnachten, Dougal», sagte sie und öffnete die Tür zu ihrer leeren Wohnung.

Kapitel 11

Der Brief von der Klinik traf an einem Februarmorgen ein, als der Regen gegen die Fensterscheiben peitschte und der Tagesanbruch sich als eine einzige sepiafarbene Enttäuschung herausgestellt hatte. Kate wusste, worum es sich handeln musste, aber das änderte nichts an ihrer Nervosität. Sie schlitzte den mit dem Logo des Krankenhauses versehenen Umschlag auf und nahm den Brief heraus.

Alex' letzte Blutuntersuchung, die man sechs Monate nach seiner letzten Spende durchgeführt hatte, war in Ordnung. Die Klinik bat sie, sich zu melden, damit sie einen Termin für ihre erste Behandlung ausmachen konnten.

Kate legte den Brief auf den Frühstückstisch. Dass sie ins Leere gestarrt hatte, wurde ihr erst bewusst, als der Toast aus dem Toaster sprang und sie zusammenfahren ließ. Ohne sich um ihn zu kümmern, ging Kate zu ihrer Tasche im Flur und nahm ihren Kalender heraus. Sie hatte eine Temperaturtabelle geführt und jeden Tag ihren Urin untersucht, um ihren Menstruationszyklus zu ermitteln. Er war so regelmäßig, dass sie im Grunde gar nicht nachzusehen brauchte, wann der nächste Eisprung anstand, aber sie tat es trotzdem.

Es waren noch gut zwei Wochen bis dahin.

Kate ging in die Küche zurück und bestrich den Toast

geistesabwesend mit Sonnenblumenmargarine. Er war kalt geworden, und der erste Bissen blieb ihr im Hals stecken. Sie spülte ihn mit Tee herunter und ließ den Rest ihres Frühstücks im Mülleimer verschwinden.

Obwohl sie den Termin für ihre erste Behandlung eigentlich erst vereinbaren sollte, wenn ihre Periode tatsächlich eingesetzt hatte, konnte sie nicht so lange warten. Sie rief die Klinik an, sobald sie in ihrem Büro saß. Die Sekretärin, die sehr höflich war und in deren Stimme nicht der leiseste Anflug von Birmingham durchschimmerte, gab ihr einen Termin in gut vierzehn Tagen und bat sie, am Tag davor anzurufen, um den Termin noch einmal zu bestätigen. Das Ganze war seltsam undramatisch, fast wie eine Terminabsprache beim Zahnarzt. Aber die Aufregung war da, eine gespannte Erwartung, wie man sie erlebte, wenn man in einem Flugzeug saß, das für den Start Geschwindigkeit aufnahm.

Sie hatte sich nach Weihnachten weiter mit Alex getroffen, seine Entschuldigung am zweiten Weihnachtstag – einen gestammelten Bericht über zu üppiges Essen und Verdauungsprobleme – akzeptiert. Sie hatte es sogar geschafft, sich einzureden, dass ihr mit knapper Not ein peinlicher Fehler erspart geblieben war. Aber sie hatte von da an vorsätzlich die Zahl ihrer Begegnungen reduziert, um sich auf den Augenblick vorzubereiten, der ihr jetzt bevorstand.

Es machte die Sache nicht einfacher.

Kate versuchte erst am Abend, ihn zu erreichen. Insgeheim war sie erleichtert darüber, dass er nicht bei der Arbeit angerufen werden wollte. Sein Telefon klingelte einige Male, und sie wollte gerade den Hörer auflegen, als er sich meldete.

«Ja?»

Er klang atemlos, als hätte er sich beeilen müssen, um noch rechtzeitig an den Apparat zu kommen.

«Ich bin's, Kate.»

«Oh, hallo! Ich habe gar nicht damit gerechnet, dass du heute Abend anrufen würdest.»

Sie wappnete sich gegen die Freude in seiner Stimme. «Ich habe von der Klinik Bescheid bekommen. Deine letzten Blutuntersuchungen sind okay.»

«Das sind ja wunderbare Neuigkeiten! Ich habe zwar nichts anderes erwartet, aber ... na ja, du weißt schon.» Er lachte glücklich. «Du kannst also mit der Behandlung anfangen?»

«Ja. Die Sache ist ...» Sie schloss die Augen. «Ich glaube nicht, dass wir uns weiter treffen sollten.»

Es entstand eine kurze Pause. «Oh.»

«Es ist nichts Persönliches. Aber wir wussten ja immer, dass das irgendwann passieren würde, und – ich glaube, jetzt wäre der richtige Zeitpunkt dafür. Wir würden die Dinge nur komplizieren, wenn wir es weiter aufschieben, und ich glaube nicht, dass uns das guttun würde. Und dem Baby auch nicht.»

Die Worte klangen falsch.

«Es ist am besten so ... Das verstehst du doch, oder?» Es war fast ein Flehen.

«Hm ... ja, ja, ich ...» Sie hörte, wie er sich räusperte. «Ja, ich denke, dass du recht hast.»

«Ich möchte nicht, dass du glaubst, ich wäre nicht dankbar für das, was du getan hast», sagte sie, obwohl sie wusste, dass sie die Dinge nur noch verschlimmerte, aber sie konnte nicht dagegen an. «Ich schicke dir einen Scheck über den Rest des Geldes, den ich dir schulde, und –»

«Nein!»

Das Wort wurde förmlich ausgespien. Kate schrak vor der Heftigkeit dieser einen Silbe zurück.

«Nein», wiederholte er ein wenig ruhiger. «Ich habe dir gesagt, ich will nicht bezahlt werden.»

Das Gespräch war damit eigentlich beendet, aber Kate konnte sich nicht dazu überwinden, es auch formal abzuschließen. Sie sagte genau das, was sie nicht zu sagen beschlossen hatte.

«Es tut mir leid.»

«Ja.»

Kate hielt den Hörer noch eine Weile an ihrem Ohr und wartete darauf, dass er irgendetwas sagte oder die Verbindung abbrach. Aber am anderen Ende der Leitung blieb es still.

Sie legte auf.

Ihr Essen stand unberührt auf dem Couchtisch. Die CD war abgelaufen, aber sie stand nicht auf, um eine neue einzulegen. Sie saß mit untergeschlagenen Beinen auf dem Sofa und streichelte geistesabwesend Dougal, der auf ihrem Schoß eingeschlafen war.

Sie sagte sich, dass sie gar keinen Grund hatte, sich so elend zu fühlen. Sie hatte das Ganze doch gerade aus dem Grund getan, dass sie *keine* Beziehung wollte. Alex hatte von Anfang an gewusst, worauf er sich einließ. Es würde *ihre* Schwangerschaft sein; *ihr* Baby. Es wäre grausam gewesen, ihre Beziehung – oder Nichtbeziehung, wie sie bei der Erinnerung an Weinachten dachte – noch weiterzuführen.

Mit einem Seufzer schob sie Dougal auf das Kissen und stand auf. Sie nahm den Teller mit den erkalteten Nudeln und brachte ihn in die Küche. Als das Telefon klingelte, kratzte sie die Essensreste gerade in den Mülleimer.

In der Erwartung, dass es Lucy sein würde; nahm sie den Hörer ab. «Hallo?»

«Ich bin's, Alex.»

Der Klang seiner Stimme löste einen Ansturm gemischter Gefühle in ihr aus. Er fuhr fort, bevor sie Zeit hatte, ihre Gedanken zu ordnen, gab ihr keine Gelegenheit, irgendetwas zu sagen.

«Hör mal, ich habe nachgedacht. Du hast recht, wir sollten aufhören, uns zu treffen, aber, na ja, die Sache ist die, ich dachte, es wäre schön, wenn wir uns noch ein allerletztes Mal sehen könnten. Vielleicht nächste Woche, nachdem du in der Klinik warst. Du weißt schon, so eine Art Abschiedsdinner, bei dem man sich viel Glück wünscht und so weiter.»

Die Worte hatten sich fast überschlagen. Jetzt hielt er plötzlich inne. Als er von neuem zu sprechen begann, hatte sein Redefluss wieder etwas Stockendes.

«Ich fände, es wäre eine Schande, wenn … wenn wir die Sache einfach so beenden würden. Ohne … na ja, ohne richtig Lebewohl zu sagen.»

In seiner Stimme schwang eine Spur von Hoffnung. Kate bemerkte, dass ihre Laune sich plötzlich gebessert hatte.

«Ja», sagte sie lächelnd. «Ich glaube, du hast recht.»

Die Eiche am Eingang der Klinik war kahl und schwarz. Kate trat unter dem Blätterdach hindurch und ging die Einfahrt hinauf. Der Schotter, den sie von ihrem letzten Besuch hier trocken und ausgebleicht in Erinnerung hatte, war jetzt dunkel und leuchtete von der Feuchtigkeit des Regens. Obwohl es noch mitten am Nachmittag war, herrschte trübes Zwielicht, als Kate sich dem Eingang näherte. Der Wind zog an ihrem Haar und peitschte gegen ihre Wangen, aber dann öffneten sich die Automatiktüren und ließen sie in die Wärme und Helligkeit der Klinik ein.

Die lächelnde Sekretärin notierte ihren Namen und bat sie, Platz zu nehmen. Kate setzte sich ans Fenster. Hinter der Doppelverglasung toste das trostlose Februarwetter weiter. Sie spürte bereits, wie die Zentralheizung die Kälte von draußen vertrieb, und öffnete ihren Mantel.

Nach einigen Minuten erschien eine junge Krankenschwester in einer maßgeschneiderten, hellgrau-weißen Uniform und führte sie zu einem Aufzug. Kate war bis dahin nur im Erdgeschoss der Klinik gewesen, aber die erste Etage schien sich kaum davon zu unterscheiden. Ihre Füße glitten lautlos durch den breiten, mit Teppich belegten Korridor. Trauerfeigen und Yuccapalmen stellten einen gesunden grünen Gegensatz zu der toten Vegetation draußen dar. Aus unsichtbaren Lautsprechern ertönte sanfte klassische Musik.

«Das ist der stationäre Bereich», sagte die Krankenschwester, als sie an einem weiteren Korridor vorbeikamen. Verdeckte Lampen warfen einen schwachen Lichtschimmer auf die doppelte Reihe hoher Holztüren. Es hätte ein Hotel sein können.

«Alles Einzelzimmer natürlich», fügte die Schwester hinzu. «Wir haben eine sechsmonatige Warteliste für die Zimmer, aber über die Geburt haben Sie sich sicher noch keine Gedanken gemacht.»

Kate lächelte pflichtschuldigst. «Ich glaube, ich bringe erst mal das hier hinter mich.»

Eine Frau in einem frischen weißen Umstandskleid kam auf sie zu, die einzige andere Patientin, die Kate bisher gesehen hatte. Ihr Bauch wölbte sich, stramm wie eine Trommel, gegen das Kleid, aber sie war sehr schön geschminkt.

Sie erwiderte den Gruß der Krankenschwester mit einem Nicken, und im Vorbeigehen nahm ihr Blick Kates feuchtes Haar, ihre durchnässte Kleidung und ihre linke Hand auf. Ihr Lächeln wirkte mechanisch.

Die Krankenschwester öffnete eine Tür und trat zurück, um Kate vorangehen zu lassen. Der Raum war fensterlos und klein, aber nicht so klein, dass man Platzangst bekommen hätte. An einer Seite stand ein Stuhl, und am anderen Ende befand sich eine Kleiderstange mit einigen Bügeln. An einer halb offenstehenden Tür war ein Ankleidespiegel befestigt, und dahinter konnte Kate ein Waschbecken und eine Toilette erkennen. Gegenüber von dem Stuhl befand sich eine weitere, allerdings geschlossene Tür.

«Hier liegen ein Nachthemd und Papierpantoffeln für Sie bereit, die Sie bitte anlegen wollen. Es besteht kein Grund zur Eile. Sie brauchen lediglich auf den Summer zu drücken, wenn Sie so weit sind», sagte die Krankenschwester zu ihr und zeigte auf einen Knopf neben dem Lichtschalter. «Dann wird jemand kommen und Sie holen. Okay?»

Kate bejahte. Sie wartete, bis die Krankenschwester gegangen war, dann sah sie sich um. An der Kleiderstange hing ein einziges weißes Hemd. Sie ging darauf zu und berührte es. Es war aus einem weichen Papier. Sie erinnerte sich daran, dass ihr die Beraterin in der anderen Klinik erzählt hatte, sie müsse nicht einmal ihre Kleider ausziehen. Die Wynguard-Klinik sah das offensichtlich anders.

Kate setzte sich auf die Kante des Stuhls. Ihre Abneigung gegen Krankenhäuser ließ sie schaudern. Als sie sich umdrehte, sah sie ihr Bild im Spiegel, wie sie nervös dasaß, mit zusammengepressten Schenkeln, die Hände zwischen die Beine geklemmt. Sie stand auf und zog sich rasch aus.

Als sie auf den Knopf drückte, hörte sie zwar keinen

Summer, aber irgendwo anders musste einer ertönt sein, denn fast augenblicklich öffnete sich die innere Tür. Dieselbe Krankenschwester wie zuvor lächelte sie an.

«Fertig?»

Sie trat zur Seite und ließ Kate ins Nebenzimmer. Es war größer als das, in dem sie sich umgezogen hatte, aber ebenso fensterlos. An der Wand stand eine Couch, daneben befand sich etwas, das wie ein Computer mit Monitor aussah. Vor dem Bildschirm saß eine junge Frau im weißen Kittel.

«Sie hatten doch schon einmal eine Ultraschalluntersuchung, nicht wahr?», fragte die Krankenschwester. «Dann wissen Sie ja, wie das funktioniert.»

Kate nickte. Bei ihrem ersten Besuch in der Klinik hatte man bereits so eine Untersuchung durchgeführt. Sie legte sich auf die Couch. Die Assistentin in Weiß lächelte ihr ermutigend zu.

«So ist es richtig, entspannen Sie sich einfach.»

Das war leichter gesagt als getan. Kate versuchte, sich auf die schwarzweißen Bilder auf dem Monitor zu konzentrieren. Sie sagten ihr nicht das Geringste, aber die Assistentin studierte sie eingehend. Schließlich nickte sie zufrieden.

«Bestens. Das Follikel ist gut neunzehn Millimeter groß. Müsste jetzt jederzeit aufspringen, würde ich sagen.» Die Assistentin zog ihre Latexhandschuhe aus und ließ sie in einen Abfalleimer fallen. Dann schob sie das Ultraschallgerät beiseite. «Sie können sich wieder hinsetzen, wenn Sie wollen. Dr. Janson wird in ein paar Minuten bei Ihnen sein.»

Damit ging sie hinaus. Die ganze Zeit über plätscherte im Hintergrund klassische Musik aus den Lautsprechern, ohne dass sie etwas gegen die Einsamkeit des leeren weißen

Raumes ausrichten konnte. Kate schwang die Beine von der Couch. Die Papierauflage verrutschte leicht auf dem Kunststoff darunter. Kate blickte auf ihre Füße hinab, die über dem Boden baumelten und in ihren elastischen Papierpantoffeln ausgesprochen lächerlich aussahen. Sie fragte sich, ob sie in einer weniger teuren Klinik auch etwas Derartiges hätte tragen müssen.

Die Tür öffnete sich, und Dr. Janson kam herein. Die Schwester folgte ihr. Dr. Jansons graublondes Haar war zu einem dicken französischen Zopf geflochten und so makellos wie immer. Ihr weißer Arztkittel schien zu den eleganten Kleidern, die sie darunter trug, nicht recht zu passen.

«Hallo», begrüßte sie Kate strahlend. «Alles in Ordnung?»

«Ich denke schon, ja.»

«Gut. Nun, Sie werden sich freuen zu hören, dass der Zeitpunkt genau richtig ist. Ihr Eisprung steht unmittelbar bevor, sodass wir die erste Behandlung wie geplant durchführen können.»

Dr. Janson lächelte. Mit ihrer Goldrandbrille sah sie aus wie ein Model aus dem Optikerkatalog, fand Kate.

«Nervös?», fragte die Ärztin. Kate nickte. «Das ist nicht nötig. Sie werden kaum etwas spüren, und es dauert auch nicht lange. Versuchen Sie einfach, sich zu entspannen. Also, wenn Sie sich jetzt bitte wieder auf die Couch legen würden ...»

Kate ließ sich wieder auf den Rücken sinken und brachte ihre Beine in dieselbe Stellung wie zuvor.

Die Krankenschwester ließ einen kleinen, orangefarbenen Plastikhalm in ein makellos sauberes Stahlröhrchen gleiten. Dann reichte sie den Halm der Ärztin, die sich wieder zur Couch umwandte. In der anderen Hand hielt sie ein Spekulum.

«Könnten Sie die Beine bitte noch etwas mehr anheben? Ja, so ist's recht.»

Kate starrte resolut die nichtssagende Decke an. Sie versuchte, langsam und ruhig zu atmen, spannte aber trotzdem bei der ersten Berührung, die sie spürte, die Muskeln an. Das Metall des Spiegels war aufmerksamerweise vorgewärmt worden, und das Ganze war nicht einmal unangenehm. Es war nicht schlimmer als ein Abstrich. Trotzdem traten die Knöchel ihrer geballten Fäuste weiß hervor. Ihr Herz hämmerte und raste.

Sie konzentrierte sich auf die Lautsprechermusik. Es war eine bekannte Melodie. Sie hatte selbst eine Version davon auf CD. Vivaldi. Die vier Jahreszeiten. *Le Quatro Staggioni*. Sie versuchte sich darauf zu besinnen, in welchem Satz sie sich befanden. Frühling? Oder Winter?

Am anderen Ende der Couch richtete Dr. Janson sich auf.

«Gut. Das wär's.»

Kate hob den Kopf, um zuzusehen, wie die Krankenschwester mit einem blitzblanken Stahltablett in der Hand vortrat. Dr. Janson legte Röhrchen und Spekulum darauf und blickte lächelnd auf Kate hinab.

«Wie fühlen Sie sich? Alles in Ordnung?»

Kate nickte.

«Gut. Bleiben Sie einfach noch ein paar Minuten liegen, dann können Sie sich anziehen und nach Hause gehen.»

«Muss ich irgendetwas beachten?»

«Nein. Nichts. Ich sehe Sie dann morgen für die zweite Befruchtung, und das war's für diesen Zyklus. Danach können Sie nur die Daumen drücken und abwarten, ob Sie Ihre Periode bekommen oder nicht. Wenn ja, versuchen wir es nächsten Monat nochmal.» Sie schenkte Kate ein weiteres Lächeln. «Die Krankenschwester bringt Ihnen gleich eine

Tasse Tee oder Kaffee, also entspannen Sie sich einfach ein paar Minuten. Sie brauchen sich nicht zu beeilen.»

Damit entfernte die Ärztin sich. Die Schwester fragte Kate, was sie trinken wolle, und nahm dann das Instrumententablett mit hinaus. Die zusammengeknüllten Latexhandschuhe der Ärztin hatten auf dessen funkelndem Metall wie eine gestrandete Qualle ausgesehen.

Kate legte sich wieder auf die Couch.

Ich habe es getan!

Dieser Gedanke war ein stummer, jubilierender Schrei. Sie hatte sich entschieden. Selbst wenn sie nicht in diesem Zyklus schwanger wurde, gab es immer noch den nächsten oder den übernächsten. Sie hatte den Sprung endlich geschafft. Jetzt war es nur eine Frage der Zeit.

Die Krankenschwester kehrte mit einer Porzellantasse und einem Teller Kekse zurück.

«Noch fünf Minuten, und Sie können sich anziehen», sagte sie.

Als sie den Tee und die Kekse auf den Tisch am Ende der Couch stellte, setzte Kate sich aufrecht hin. Die Krankenschwester wandte sich zum Gehen, bückte sich dann aber und hob etwas vom Boden auf.

«Gehört das Ihnen?»

Die Frau hielt das goldene Kettchen mit dem Medaillon in der Hand, das Alex ihr zu Weihnachten geschenkt hatte. Kate fuhr sich mit der Hand an die Kehle.

«Es muss sich verhakt haben, als ich mich umgezogen habe. Vielen Dank.»

Obwohl die Kette sehr leicht war, konnte Kate das Gewicht ihrer kalten Berührung deutlich spüren, als sie sich den Schmuck wieder umlegte.

In dem Thai-Restaurant erklang gedämpft die Musik exotischer Saiteninstrumente. Der Gastraum war dunkel, aber an jedem Tisch brannten zwei dicke Kerzen, sodass man, wenn man die Gänge dazwischen hindurchging, das Gefühl hatte, durch einen Tempel zu schreiten. Die Luft roch nach verbranntem Kerzenwachs, Zitrone und Knoblauch.

Alex saß bereits am Tisch, als Kate eintraf. Sie hatte es für das Beste gehalten, dass sie getrennt herkamen, statt sich, wie in der Vergangenheit, ein Taxi zu teilen. Der Kerzenschein verlieh seinem Gesicht eine melancholische Note; er blickte in die Flamme, und Kate fühlte sich mit einem scharfen Stich an ihren ersten Abend bei Lucy und Jack erinnert. Dann blickte er auf und sah sie, und sie schob die Erinnerung beiseite.

«Tut mir leid, dass ich so spät dran bin», sagte sie, während der mit einem weißen Jackett gekleidete Kellner ihr den Stuhl zurechtrückte. «Das Taxi ist nicht gekommen, daher musste ich noch eins bestellen.»

«Macht nichts.» Alex lächelte sie an. «Du siehst ... Also, du siehst toll aus!»

Sie hatte sich das Haar zu einem Nackenknoten zusammengebunden und trug ein schlichtes langärmliges Kleid in Schwarz. Das Medaillon hing um ihren nackten Hals.

«Vielen Dank.»

Eine Weile schwiegen sie beide.

«Also ...», begannen sie gleichzeitig und hielten inne.

«Tut mir leid. Du zuerst», sagte Kate.

«Ich wollte gerade fragen, wie es gelaufen ist.» Er senkte die Stimme ein wenig. «Du weißt schon, in der, ähm, in der Klinik.»

Sie hatte am Vortag gerade ihre zweite Befruchtung hinter sich gebracht. «Oh, bestens. Ich brauche jetzt nur noch abzuwarten und festzustellen, was passiert.»

«Tja. Ich hoffe ...» Einen Augenblick lang rang Alex mit sich. «Na, du weißt schon.»

Sie nickte. «Danke.»

Die Anspannung, die sie beide ergriffen hatte, schien noch zu wachsen und erstickte jede Unterhaltung im Keim. Kate musterte die anderen Tische, Inseln der Vertrautheit im romantischen Kerzenschein. Die angeregten Gespräche klangen leise herüber, ein plätschernder Kontrapunkt zu dem Geklirr des Porzellans. Niemand schien sich elend zu fühlen. Kate holte tief Luft.

«Vielleicht war das doch nicht so eine gute Idee.»

Er machte ein beleidigtes Gesicht. «Warum?»

«Vielleicht wäre es besser gewesen, die Dinge so zu lassen, wie sie waren.» Sie zuckte die Achseln. «Wir ziehen die Sache doch nur unnötig in die Länge, oder?»

Alex spielte mit dem warmen Wachs, das sich unten an der Kerze angesammelt hatte. Er sah sie nicht an. «Möchtest du gehen?»

«Nein», sagte sie nach kurzem Nachdenken.

Der Kellner in dem weißen Jackett kehrte zurück. Er verbeugte sich kurz und reichte ihnen beiden eine Speisekarte.

«Man kann hier Sake bekommen. Warum bestellst du dir nicht einen?», fragte Kate heiter.

«Trinkst du nichts?»

«Ich trinke keinen Alkohol mehr.» Sie sah den Kellner an, der geduldig neben ihrem Tisch stand. «Aber das heißt nicht, dass du dir nichts bestellen kannst.»

Alex machte einen verwirrten Eindruck. Er zuckte nur apathisch mit den Schultern. «Okay.»

Sie gaben ihre Bestellung auf, verfielen aber wieder in

Schweigen, sobald der Kellner gegangen war. Auf der anderen Seite des Restaurants gab es einen kleinen Tumult: Der Oberkellner, durch ein schwarzes Jackett von seinen weißgekleideten Kollegen unterschieden, führte eine beherrschte, aber hitzige Auseinandersetzung mit den Gästen an einem Tisch, der hinter einem Bambusschirm verborgen war. Schließlich begab er sich mit einem schroffen Nicken in Richtung Küche. Als die Unruhe sich gelegt hatte, versuchte Kate sich auf irgendetwas zu besinnen, was sie sagen konnte.

«Und was macht die Arbeit?», fragte sie.

«Oh ... alles bestens, danke.»

Sie suchte nach einem anderen Gesprächsthema, aber irgendwie wollte ihr nichts einfallen. Der Kellner kam mit einer Flasche Sake und einer Flasche Mineralwasser. Er füllte ihre Gläser und zog sich wieder zurück.

«Na dann. Prost», sagte Kate und hob ihr Glas. Die Sprudelbläschen kitzelten ihre Zunge. Sie bemerkte, dass Alex zwar sein Glas gehoben, aber nichts getrunken hatte.

«Hör mal, Kate ...», begann er langsam, und bei dem ernsten Klang seiner Stimme versteifte sie sich sofort. «Ich ...» Er schluckte. «Ich wollte nur sagen ... ich bin froh ... ähm, froh, dass ich es war.»

Er brach ab; seine Stimme hatte heiser geklungen, und nun blickte er hastig in eine andere Richtung. Kate spürte, wie ihre Augen zu brennen begannen. Aber die Rückkehr des Kellners ersparte es ihr, irgendetwas zu erwidern. Der Mann stellte mit wenigen geschickten Griffen eine Warmhalteplatte auf ihren Tisch und entzündete mit einem Streichholz, das er zuvor in die Kerzenflamme gehalten hatte, die vier kleinen Spiritusbrenner darin. Dann erschien ein anderer Kellner, um eine Reihe kleiner, dampfender

Schüsseln auf die Platte zu stellen. Als alles so weit fertig war, verbeugten die beiden Männer sich kurz.

«Riecht köstlich», sagte Kate. Sie hatte überhaupt keinen Appetit mehr.

Ohne einander anzusehen, nahmen sie sich jeder eine Portion von dem Reis und den raffiniert gewürzten Fleisch- und Gemüsegerichten. Dann griffen sie beide gleichzeitig nach der kleinen Schale mit Saté-Sauce. Kate lächelte und bedeutete Alex, sich als Erster zu bedienen, und genau in diesem Augenblick schien auf der anderen Seite des Restaurants neuerlicher Tumult auszubrechen.

Der Oberkellner stand abermals an dem Tisch hinter dem Wandschirm. Diesmal schüttelte er nachdrücklich den Kopf und redete in leisem, aber entschlossenem Tonfall gegen die durchdringendere Stimme an, die ihn zu beschimpfen schien. Kate konnte nicht verstehen, was die beiden sagten, aber der verborgene Sprecher wurde lauter und zorniger, und sie hatte gerade noch Zeit zu registrieren, dass sie die Stimme des Mannes kannte, als ein scharrendes Geräusch verriet, dass Stühle zurückgeschoben wurden.

Der Wandschirm erzitterte, und das Paar, das dahinter gesessen hatte, erhob sich. Das Mädchen war stark geschminkt, vollbusig und betrunken. Der Mann in ihrer Begleitung stand mit dem Rücken zu Kate, aber dann drehte er sich um, und der Schock durchfuhr sie, als sie sein Profil erkannte.

Sie zog den Kopf ein und starrte auf ihren Teller hinunter.

«Kate? Was ist los?», fragte Alex. Ohne aufzusehen, schüttelte sie den Kopf. Mit einem flauen Gefühl im Magen wurde ihr bewusst, dass der Ausgang hinter ihr lag.

«Ist alles in Ordnung mit dir?»

Sie nickte. Jetzt konnte sie sie näher kommen hören, seine schweren Schritte, gefolgt von den hektisch klappernden Absätzen des Mädchens. Sie nahm ihre Stäbchen zur Hand und tat, als wäre sie mit dem Essen beschäftigt.

Die Schritte verhallten an ihrem Tisch.

«Sieh mal an! Was für ein Zufall, dass wir uns hier treffen.»

Sie blickte auf. Paul war an ihrem Tisch stehengeblieben. Mit einem schiefen Grinsen blickte er auf sie herab. Das Mädchen stand hinter ihm und sah sie verwirrt an.

«Hallo, Paul.»

Selbst im Kerzenlicht konnte sie sehen, wie erhitzt er war. Sein Gesicht war aufgeschwemmt und gerötet. Er sah erst sie an, dann Alex, der die Szene mit erschrockenem Gesicht beobachtete.

«Willst du uns nicht bekannt machen?»

Sie war überraschend gelassen. «Alex, das ist Paul.»

Alex lächelte den anderen Mann unsicher an. Pauls Grinsen hatte etwas Unangenehmes.

«Du hast uns deine Freundin noch nicht vorgestellt», sagte Kate.

«Tut mir leid, nein, das habe ich wirklich nicht, was? Hab wohl meine Manieren vergessen.» Paul zeigte mit dem Kopf auf seine Begleiterin, die leicht taumelte und Mühe hatte, still zu stehen. «Das ist Kim. Kim, das ist Kate. Kate ist eine ‹alte Freundin› von mir. Das ist Alex, ihr ‹neuer Freund›. Also, was machen Sie beruflich, Alex?»

Alex warf zuerst einen zögernden Blick auf Kate. «Ich bin, ähm, ich bin Psychologe.»

«Ein Psychologe!» Pauls Stimme wurde lauter. Kate bemerkte, dass sich die ersten Köpfe in ihre Richtung drehten. «Erzähl mir nicht, dass du endlich doch zu einem Psychofritzen gehst, Kate? Oder ist das hier so eine soziale Geschichte? Eine Möglichkeit, an eine Behandlung zu kommen, ohne dafür zu bezahlen, nehme ich an.»

Immer mehr Gäste drehten sich jetzt nach ihnen um. Die ganze Szene erschien Kate plötzlich seltsam unwirklich. «Du wolltest gerade gehen. Lass dich nicht von uns aufhalten.»

«Ja, ich wollte gerade gehen, tatsächlich.» Sein Lächeln war eine durchsichtige Maske. «Unser kleiner Freund hier hat keine Ahnung, worauf er sich da einlässt, oder? Passen Sie bloß auf, Kumpel», sagte er zu Alex, ohne jedoch den Blick von Kate abzuwenden. «Die kleine Katie hat die Neigung, Geschäft und Vergnügen zu vermischen. So lange, bis sie bekommen hat, was sie von Ihnen will, und dann *bum!* sind Sie draußen!»

Alex' Gesicht war bleich, abgesehen von den roten Flecken auf seinen Wangen. «Ich glaube, Sie sollten jetzt besser g-gehen.»

Er sagte es leise, und das Stottern war kaum hörbar, aber Paul griff es sofort auf.

«Sie d-denken, ich sollte g-gehen? Warum? Damit Sie sie mit Ihrem Schwanz psychoanalysieren können?»

Die Gespräche an den Nachbartischen waren verstummt. Kate sah den Oberkellner auf sie zukommen. Alex ballte auf dem Tisch die Hände zu Fäusten.

«Kümmer dich nicht um ihn», sagte sie, aber jetzt hatten beide Männer nur noch Augen füreinander. Alex schien beinahe zu zittern.

«R-raus!»

Paul beugte sich zu ihm hinunter. «V-v-verpiss dich.»

«Alex, nein», sagte Kate und streckte hastig die Hand

nach ihm aus, als er sich erhob. Er sah sie an, und noch bevor er ganz aufgestanden war, schlug Paul ihm ins Gesicht.

Der Hieb traf ihn an der Wange und stieß ihn zur Seite, sodass er fast der Länge nach auf den Tisch stürzte. Der Tisch kippte und schleuderte Alex in einer Kaskade von Kerzen, Essen und berstendem Porzellan zu Boden. Es schien eine Ewigkeit zu dauern, bis das Geräusch, mit dem Schalen, Tabletts und Gläser zu Boden krachten, endlich abbrach.

In der folgenden Stille drehte sich ein Teller langsam und gemächlich weiter, bis er nach und nach zum Stillstand kam. Einen Augenblick herrschte absolutes Schweigen im Restaurant. Dann sprang Kate auf und kniete schon neben Alex, und plötzlich schienen von überall her weißgekleidete Kellner zusammenzulaufen.

Alex ließ sich von ihr aufrichten. Sein Mund blutete. Zerbrochene Teller knirschten unter ihm.

«Ist alles in Ordnung mit dir?», fragte sie. Er nickte und hob benommen eine Hand an den Mund. Dann blinzelte er, sah das Blut an seinen Fingern und starrte wütend zu Paul auf. Kate spürte, wie seine Muskeln sich anspannten.

«Nicht, Alex! Bitte!»

Sie hielt ihn an den Schultern fest. Ein Teil der Anspannung fiel von ihm ab, dann streckten sich ihm auch schon andere Hände entgegen, um ihm auf die Beine zu helfen.

Paul war von Kellnern umringt. Es schien ihn selbst zu überraschen, was er getan hatte, und er ließ sich nun widerspruchslos auf den Ausgang zu drängen. Das Mädchen, das die ganze Zeit über nichts gesagt hatte, trottete auf ihren hohen Absätzen hinter ihm her. Kate bemerkte, dass Alex ihm mit einem Ausdruck in den Augen nachstarrte, den sie noch nie zuvor gesehen hatte. Dann wurde Paul grob aus dem Raum geschoben und die Türen hinter ihm geschlossen, sodass er nicht mehr zu sehen war.

Ein Kellner bürstete die schlimmsten Trümmer von Alex' Kleidern, während ein anderer vorsichtig die Ansammlung kleiner blauer Flammen austrat, die sich um die Spiritusbrenner herum gebildet hatte. Mit einigen schnellen Griffen wurde der Tisch wieder hingestellt, und Kate und Alex fanden sich höflich zur Tür geleitet, während die Kellner das Chaos zu beheben versuchten. Einige Leute starrten ihnen offen hinterher, andere hielten demonstrativ den Blick abgewandt.

Von Paul und dem Mädchen war im Foyer nichts mehr zu sehen. Der Oberkellner bat Alex mit übertriebenem Eifer, Platz zu nehmen, und ließ heiße Tücher bringen, um ihn zu säubern. Alex hielt sich wortlos eine Serviette an den Mund. Als Kate ihn noch einmal fragte, ob er in Ordnung sei, nickte er, vermied es aber, sie anzusehen.

Der Oberkellner bestellte ihnen ein Taxi und lehnte Kates Angebot, für das Essen und den Schaden aufzukommen, lächelnd ab. Er war höflich, machte aber keinen Hehl daraus, dass er sie aus dem Restaurant haben wollte. Als die Tür aufschwang, warf Kate noch einen letzten Blick in den Saal. Ihr Tisch war bereits wieder eingedeckt und mit einem frischen weißen Tischtuch versehen; zwei Kerzen verströmten ein ruhiges Licht, als wäre nichts passiert.

Sie versuchte Alex zu überreden, das Taxi direkt zu seiner Wohnung fahren zu lassen, aber das ließ er nicht zu.

«Ich möchte lieber dich zuerst nach Hause bringen», sagte er. Durch die Schwellung an seinem Mund, wo Pauls Schlag ihn getroffen hatte, klang seine Stimme ein wenig verzerrt. Etwas in seinem Tonfall sagte Kate, dass es klüger war, nicht auf ihrer Meinung zu beharren.

Während der Fahrt saß Alex in sich zusammengesunken in einer Ecke und starrte aus dem Fenster. Gelegentlich tupfte er sich mit der blutbefleckten Serviette, die ihm der Oberkellner aufgedrängt hatte, den Mundwinkel ab. Kate saß auf der anderen Seite. Es hätte ebenso gut eine Glaswand zwischen ihnen sein können.

Das Taxi hielt vor ihrer Wohnung. Als Kate die Wagentür öffnete, blickte Alex weiter aus dem Fenster.

«Es tut mir leid», sagte sie. Er nickte. Er sah so mutlos und niedergeschlagen aus wie ein Schuljunge, der gerade einen Boxkampf verloren hatte. Mit einem plötzlichen Entschluss wandte sie sich an den Taxifahrer.

«Wir steigen beide hier aus, danke.»

Alex drehte sich erschrocken zu ihr um. «Nein, ich fahre nach Hause ...»

«Nein, tust du nicht. Ich kann dich so nicht fahren lassen. Ich möchte wenigstens deine Wunde versorgen. Das ist das Mindeste, was ich tun kann.»

«Nein, wirklich ...», begann er, aber sie war bereits auf den Gehsteig getreten, die Taxitür stand offen, und sie drückte dem Fahrer die Pfundnoten in die Hand. Nach einem Augenblick des Zögerns stieg Alex aus.

Schweigend stand er hinter ihr, während sie die Haustür aufschloss und ihn die Treppe hinaufführte.

«Das Badezimmer ist da drüben. Wenn du deinen Pullover ausziehen willst – ich habe ein T-Shirt, das dir wahrscheinlich passen würde.»

Sie ließ ihn allein, ging in die Küche und stellte die Espressomaschine an. Anschließend stöberte sie in einer Schublade, bis sie ein ausgebeultes T-Shirt fand, ging zum Badezimmer und klopfte an die Tür. Alex öffnete sie einen Spalt weit. Er hatte seinen Pullover ausgezogen, und durch die Ritze in der Tür konnte sie sehen, wie weiß seine Haut war. Das Silberkettchen lag bleich um seinen Hals.

«Neue Designer-Klamotten kann ich dir leider nicht bieten», sagte sie und reichte ihm das T-Shirt. Mit einem nervösen Lächeln nahm er es entgegen.

Kate ging wieder in die Küche. Der Kaffee war noch nicht so weit. Sie stellte zwei Tassen zurecht. Dann nahm sie ein Glas aus dem Schrank, ging ins Wohnzimmer und goss einen großen Brandy ein.

Ein Geräusch von der Tür ließ sie herumfahren. Alex war aus dem Badezimmer gekommen und stand nun unsicher im Türrahmen. Es war merkwürdig, ihn mit ihrem T-Shirt im Wohnzimmer zu sehen. Sie hielt ihm das Glas hin.

«Ich dachte, das könntest du vielleicht brauchen. Der Kaffee läuft.»

Mit einem gemurmelten Wort des Dankes nahm er das Glas entgegen. Kate setzte sich auf einen der Sessel. Nach einem kurzen Zögern setzte Alex sich in den anderen. Er nahm einen Schluck Brandy und zuckte zusammen. Zaghaft betastete er noch einmal seinen Mund.

«Schlimm?», fragte sie.

«Nein, ist schon in Ordnung.»

Sie blickte auf ihre Hände hinab. «Das mit heute Abend tut mir leid. Ich meine, was da vorhin passiert ist.»

«Ist nicht so schlimm.»

«Ist es doch. Du bist da in eine Situation hineingezogen worden, die ... Nun, es war nicht dein Problem.»

«Du brauchst es mir nicht zu erzählen.»

«Doch. Ich schulde dir zumindest eine Erklärung.» Kate hatte plötzlich das Gefühl, selbst einen Brandy zu brauchen. Aber sie war entschlossen, auf Alkohol zu verzichten, wollte durch nichts die Chancen auf eine Schwangerschaft verringern. «Ich war mal mit Paul zusammen. Wir haben eine Weile in derselben Agentur gearbeitet, aber dann wurde unser Verhältnis ziemlich unerfreulich, und ich bin gegangen. Ich habe ihn seit Jahren nicht mehr gesehen. Im letzten Jahr habe ich einen Auftrag bekommen, den er haben wollte, und er hat seinen Job verloren, und jetzt gibt er mir die Schuld daran.»

Alex blickte in sein Glas.

«Wie weit ging eure Beziehung?», fragte er schließlich.

«Wir haben über ein Jahr zusammengelebt. Ich dachte ... nun ja, ich dachte an Dinge wie Ehe und Babys. Ich muss bescheuert gewesen sein.»

«Warum?»

«Ach ... eigentlich ist es gar nicht wert, darüber zu reden.»

Zu ihrer Überraschung stellte sie jedoch fest, dass sie darüber reden *wollte*. «Ich hab damals einfach nicht erkannt, was für eine Art Mensch Paul ist, das ist alles. Er war der Marketing-Director in der Agentur, und ich war das neue Mädchen. Ich glaube, ich habe mich geschmeichelt gefühlt, dass er sich für mich interessierte. Ich habe eine ganze Weile gebraucht, um zu begreifen, dass sein Interesse auch jedem zweiten der anderen Mädchen im Büro galt. Und überhaupt allen Frauen, die ihm gefielen. Als mir das klar wurde, waren wir schon zusammengezogen.»

Kate schluckte, denn sie spürte, dass Alex sie beobachtete.

«Na ja, wie dem auch sei, schließlich habe ich ihn zur Rede gestellt. Er hat alles geleugnet, und ich war blöd genug, ihm zu glauben. Aber dann passierte wieder etwas, und ich habe ihn wieder zur Rede gestellt, und er hat es wieder geleugnet. So ging es eine ganze Weile weiter, bis wir eines Nachts einen gewaltigen Krach hatten. Du weißt schon, so einen richtigen Vasenschmeißer. Und er hat auch nichts mehr geleugnet. Er sagte ... er sagte, es sei meine Schuld. Ich hätte ihn dazu getrieben.»

Sie hielt inne und dachte noch einmal an ihren erdrückenden Mangel an Selbstachtung.

«Ich hätte ihn schon damals verlassen sollen, aber ... na ja, ich hab's nicht getan. Wir haben uns wieder versöhnt. Aber jetzt wusste er, dass er damit durchkommen konnte, und hat sich nicht mal mehr große Mühe gegeben, seine Seitensprünge vor mir zu verbergen. Und dann ...»

Sie brach ab.

«Was?», fragte Alex.

«Nichts. Ich habe ihn einfach verlassen.»

«Was wolltest du sagen?»

«Ach, nichts», wiederholte sie, aber ihrer Stimme fehlte die Überzeugungskraft.

«Er hat mich mit einer Geschlechtskrankheit angesteckt.»

Ein Teil von ihr konnte nicht glauben, dass sie ihm auch das noch erzählte. Bisher wusste nur Lucy davon, und die hatte noch nie eine Bemerkung darüber gemacht. Kate spürte, wie Kränkung und Scham wieder an die Oberfläche kamen, aber es war auch eine Erleichterung, mit jemandem darüber zu reden. Mit Alex.

«Der Arzt im Krankenhaus hat mir gesagt, es sei nichts Ernstes, und mit Hilfe von Antibiotika bekäme man es weg. Also habe ich dann Paul darauf angesprochen. Und er ... ähm, er hat mir die Schuld gegeben. Hat mich eine Schlampe und Hure genannt und mich beschuldigt, ihn angesteckt zu haben. Er wusste, dass das nicht stimmte, aber für ihn war es so einfacher, als zu akzeptieren, dass er einen Fehler gemacht hatte. Und ich nehme an, dass er sich ziemlich aufgeregt hat, weil er wusste, dass er sich nun selbst behandeln lassen musste. Außerdem musste er alle Mädchen verständigen, mit denen er in letzter Zeit geschlafen hatte. Er musste seine Wut an irgendjemandem auslassen. Also hat er mich aus unserer gemeinsamen Wohnung rausgeworfen. Du weißt schon, hat mich richtig rausgeschubst und angefangen, meine Klamotten aus dem Fenster zu werfen. Die Nachbarn haben die Polizei gerufen, und als die eintrafen, hat er ihnen erzählt, was für eine Hure ich sei und womit ich ihn angesteckt hätte. Ich glaube, er hatte sich mittlerweile fast selbst davon überzeugt. Und ich habe diesen beiden Polizisten angesehen, dass sie ihm glaubten. Sie haben nichts gesagt, aber sie haben mich angesehen, als wäre ich ... ein Stück Dreck.»

Kate fiel auf, dass sie nervös an der Armlehne zupfte. Also legte sie ihre Hände wieder in ihren Schoß. «Nun, jedenfalls weigerte er sich, mich wieder hineinzulassen. Ich wusste nicht, wohin ich sonst hätte gehen sollen, also habe ich Lucy angerufen. Sie und Jack hatten damals gerade Emily bekommen, aber sie ließen mich bei sich wohnen, bis ich eine eigene Wohnung gefunden hatte. Ich war in einem furchtbaren Zustand. Ich konnte auch nicht wieder zur Arbeit gehen, nicht in dieselbe Agentur wie Paul. Es war wohl so eine Art Zusammenbruch, den ich damals hatte. Außer von Lucy habe ich mich von allen Freunden abgesondert. Ich konnte es einfach nicht ertragen, mit einem von ihnen zu reden. Ich habe angefangen zu rauchen wie ein Schlot und bin oft ohne jeden Grund in Tränen ausgebrochen. Dann hat Lucy mir bei einem von Jacks Bekannten Arbeit verschafft, auf selbständiger Basis. Schließlich hab ich noch ein paar weitere Jobs in der Art gemacht und am Ende dann meine eigene Agentur eröffnet.» Sie zuckte die Achseln. «Eine Art Arbeitstherapie.»

Alex hatte ihr mit angespannter Miene zugehört.

«Und was ist mit Paul?», fragte er.

«Wie meinst du das?»

«War das heute Abend das erste Mal, dass du ihn seit damals wiedergesehen hast?»

«Schön wär's.» Sie erzählte ihm kurz von dem Auftrag für den Parker Trust und von seinem Nachspiel. Als sie fertig war, holte sie tief Luft. «Also, das ist der Schlamassel, in den du heute Abend mitten hinein gestolpert bist.»

Alex sagte nichts. Kate versuchte gerade, eine neue Entschuldigung zu formulieren, als ein Geruch, den sie unterbewusst schon eine ganze Weile wahrgenommen hatte, endlich zu ihr durchdrang.

«Mein Gott, der Kaffee!»

Sie sprang von ihrem Sessel auf und rannte in die Küche. Der Geruch von verbranntem Kaffee wurde um einiges stärker. Die Espressomaschine war um den Sockel herum vollkommen schwarz geworden. Als Kate das Gas abstellte, gab die Kanne ein bedrohliches Zischen von sich. Sie hob sie am schwarzen Plastikgriff hoch und setzte sie hastig wieder ab.

«Verdammt!», rief sie und schüttelte ihre Hand.

Beim nächsten Mal benutzte Kate ein Geschirrhandtuch, aber das Metall verströmte immer noch große Hitze. Kate drehte den Wasserhahn auf und hielt die Espressokanne vorsichtig unter den Wasserstrahl. Beinahe hätte sie sie wieder fallen gelassen, als ihr plötzlich eine Dampfwolke entgegenschoss.

«Ich würde sie einfach stehenlassen und abwarten, dass sie von selbst abkühlt. Sonst bricht das Metall noch auseinander.»

Sie hatte Alex gar nicht in die Küche kommen hören.

Kate goss ein wenig Kaffee in eine der Tassen und zog bei dem scharfen, verbrannten Geruch die Nase kraus. Dann stellte sie die Espressokanne wieder auf den Herd.

«Sieht so aus, als fiele der Kaffee flach. Ich hätte aber noch Nescafé da. Oder lieber Tee?»

«Es ist schon in Ordnung. Ich sollte mir jetzt ein Taxi rufen, wirklich.»

Seine Unruhe war ansteckend. «Okay», meinte sie nickend und wandte sich ab. «Das Telefon steht im Flur.» Sie wollte den Kaffee in die Spüle kippen, und ohne nachzudenken, fasste sie die Kanne am glühend heißen Metallgriff an.

Mit einem Aufschrei ließ sie sie fallen, und kochender Kaffee spritzte auf, als die Kanne auf den Herd prallte. Kate sprang zurück, aber die sengend heiße Flüssigkeit hatte ihre nackten Handgelenke getroffen. Sie stöhnte vor Schmerz, dann stand plötzlich Alex neben ihr und schob sie an die Spüle.

«Hier.» Er drehte den Kaltwasserhahn voll auf. «Halt sie drunter.»

Kate schrak vor der Wucht des kalten Wassers zurück, aber er hielt ihre beiden Arme in den Strahl und drehte sie so, dass das Wasser über ihre verbrannte Hand und die Handgelenke floss.

An den Stellen, wo der Kaffee ihre Haut getroffen hatte, bildeten sich bereits rote Flecken, und Alex hielt ihre Unterarme unter den Wasserstrahl, bis sie vor Kälte zu schmerzen begannen.

«Ich glaube, das reicht jetzt», sagte sie.

Alex schüttelte den Kopf und hielt sie weiter vor der Spüle fest. «Noch nicht. Wenn du sie lange genug unter Wasser hältst, kriegst du keine Blasen.»

Sie sah ihn an. Er stand dicht hinter ihr, seine Hände umfassten ihre Arme am Ellbogen, und sein Gesicht spiegelte Entschlossenheit wider. Schließlich stellte er den Wasserhahn ab.

«Hast du irgendwo ein sauberes Handtuch?»

«In dieser Schublade da.» Sie zeigte mit dem Kopf darauf. Alex nahm eins heraus und tupfte ihr sanft die Arme trocken. Die roten Stellen waren nicht mehr ganz so dunkel wie zuvor, und sie taten auch nicht mehr weh. Ihre Arme fühlten sich vom Ellbogen bis zu den Fingerspitzen vollkommen taub an.

«Hast du E45-Creme da?»

Kate wusste nicht mal, was das war. «Nein. Savlon?»

Alex schüttelte nur angespannt den Kopf und tupfte weiter ihre Arme mit dem Handtuch ab. «Irgendwas gegen Sonnenbrand?»

«Ich müsste noch eine Aloe-Lotion haben. Auf dem Regal im Badezimmer.»

Er nickte zustimmend. «Was ist mit Schmerztabletten?»

«Es tut nicht weh.»

«Wird es aber, sobald die Taubheit sich gelegt hat.»

«Ich glaube, im Badezimmer müsste auch noch etwas Aspirin sein.»

Er ließ sie allein, um die Creme und die Tabletten zu holen. Kate blieb, wo sie war; das Ganze hatte sie ein wenig verwirrt. Ihre Arme begannen zu prickeln.

Alex kehrte zurück und gab ihr drei Aspirintabletten. Dann schickte er sich an, einen Becher vom Abtropfbrett mit Wasser zu füllen.

«Nicht nötig», sagte Kate zu ihm. «Ich nehme sie trocken.»

Zum ersten Mal, seit sie die Kaffeekanne fallen gelassen hatte, sah er sie wirklich an.

«Das hab ich mir so angewöhnt», erklärte sie, als sie seinen Gesichtsausdruck sah. «Ich hatte früher oft Spannungskopfschmerzen.»

Er gab ihr den Becher trotzdem. «Es kann nicht schaden, wenn du ein bisschen Flüssigkeit zu dir nimmst.»

Während Kate eine Hand benutzte, um zu trinken, rieb er die Innenfläche und das Gelenk der anderen ganz sachte mit der Lotion ein. Sie stellte den Becher weg und beobachtete ihn.

«Ich dachte, du wärst Psychologe und nicht Brandwundenspezialist.»

Er richtete weiterhin seine ganze Konzentration auf das, was er tat. «Du wärst überrascht, was man in meinem Gewerbe so alles mitbekommt.»

Vorsichtig trug er dann die Lotion auf ihren anderen Arm auf. Seine Berührung war so zart, dass sie sie auf der empfindlichen Haut kaum spürte. «So. Das müsste den schlimmsten Schmerz eigentlich in Schach halten.»

Er stand dicht vor ihr.

«Danke», sagte sie, und ohne es geplant zu haben, beugte sie sich vor und küsste ihn.

Er versteifte sich. Kate konnte seine plötzliche Anspannung spüren, und eine Sekunde lang dachte sie, er würde zurückschrecken.

Die Berührung war nur ganz leicht gewesen, kaum mehr als ein Streifen seiner Lippen, und Kate fragte sich schwach, was sie da eigentlich tat. Sie schloss die Augen. Sie konnte den Brandy auf seinem Mund schmecken und die leichte Härte spüren, wo seine Lippen geschwollen waren. Sie berührte sie mit der Zungenspitze. Sein Atem strich über ihre Haut. Sie küsste ihn abermals; ihre Zunge zeichnete sanft die Linie seiner Lippen nach. Dann trat sie näher an ihn heran und legte die Arme um seinen Hals, ein wenig unbeholfen, weil sie ihr so wehtaten. Einen Augenblick später spürte sie seine Arme ganz leicht auf ihren Schultern. Sie küsste ihn heftiger und spürte, wie seine Zunge auf ihre zu reagieren begann. Er legte die Arme um ihre Taille. Sie grub die Finger in sein Haar, zog ihn an sich; der Schmerz in ihren Armen war vergessen. Seine Hände glitten über ihre Hüfte und pressten sie an sich. Sie zog sich ein kleines Stück zurück und machte einen Schritt auf die Tür zu.

Sie führte ihn in den Flur. Alex wandte keine Sekunde lang den Blick von ihr ab. Er schien erschrocken zu sein, fast wie betäubt, als sie ihn ins Schlafzimmer führte. Es war dunkel, und nur das Licht aus der Küche fiel durch die offene Tür. Sie küsste ihn wieder und streichelte seinen Rücken. Als sie eine Hand unter sein T-Shirt gleiten ließ, spürte sie, wie er ganz leicht erzitterte. Sie griff nach einer seiner Hände und legte sie auf ihre Brust. Er berührte sie ganz leicht, und Kate spürte, wie das Zittern seinen ganzen Körper durchlief. Als sie nach seinem Gürtel griff, ihn aufzog und dann den obersten Knopf seiner Hose öffnete, wurde das Zittern noch deutlicher. Und als sie mit dem Handrücken sein nacktes Fleisch berührte, zog er ganz leicht den Bauch ein. Sie spürte die feinen Härchen auf seiner Haut. Schließlich stieß er ein leises Stöhnen aus und umfing sie fester, während er nun seinerseits nach dem Verschluss ihres Kleides tastete. Sie griff hinter sich und zog den Reißverschluss auf. Langsam sank das Kleid bis auf ihre Knöchel hinab. Sie trat hinaus.

«O mein Gott», flüsterte er und sah sie an. Dann küss-

211

ten sie einander wieder, und sie zerrte an seinem T-Shirt. Sie zog es ihm über Kopf und Schultern und hörte den Stoff reißen. Die Haut seiner Brust und seines Bauchs drückte sich heiß gegen ihren Körper. Sie spürte seine Berührung am Stoff ihres BHs, als er hinter sie griff und sich mit dem Verschluss abmühte. Sie half ihm und ließ den BH auf den Boden zwischen ihnen fallen. Mit einem leisen Stöhnen senkte Alex den Kopf zu ihrer Brust. Sie schob ihm Hose und Unterhose über die Hüften herunter.

Er war noch nicht richtig hart, also griff sie nach seinem Glied und drückte leicht zu. Alex stieß hörbar den Atem aus. Mit der anderen Hand streifte sie ihren Slip ab und spürte, wie er über ihre Beine zu Boden glitt. Sie trat einen Schritt vor, sodass sie ganz dicht vor ihm stand, legte einen Arm um seinen Hals und küsste ihn, spürte, wie seine Erektion sich gegen ihren Bauch drückte, und bewegte sich rückwärts auf das Bett zu. Alex zitterte, als er ihr folgte. Die Bettkante stieß gegen die Unterseite ihrer Waden, und sie ließ sich auf die Matratze sinken, zog ihn mit sich und öffnete die Beine, sodass er zwischen ihnen lag. Unbeholfen versuchte er, sofort in sie einzudringen. Sie griff zwischen ihre Körper und führte ihn, hob ganz leicht die Hüften und spürte dann, wie er in sie hineinglitt.

Als ihre Körper miteinander verschmolzen, hob sie die Beine und schlang sie um ihn. Plötzlich stieß er immer wilder in sie hinein, sein Kopf bog sich nach hinten, er verkrampfte, und ein ersticktes Aufstöhnen entwich seiner Kehle. Einen Augenblick lang hing er zuckend und steif über ihr. Dann erschlaffte sein Körper. Kate spürte, wie sein ganzes Gewicht sich auf sie legte, als er den Kopf keuchend zwischen ihrem Hals und ihrer Schulter barg. Während sie sich noch daran gewöhnen musste, dass die Sache ein so abruptes Ende genommen hatte, strich sie ihm zärtlich über den Hinterkopf.

Nach einer Weile regte er sich endlich wieder. Er stieß sich von ihr ab und legte sich auf den Rücken.

«Entschuldige.»

Kate konnte ihn in der Dunkelheit kaum sehen. «Wofür?»

«Du weißt schon ... Dass es so schnell ging.»

«Das ist nicht wichtig.» Sie meinte es ernst. Ihre anfängliche Enttäuschung war schnell verflogen.

«Ich habe nicht ... ich habe nicht viel Erfahrung.» Das Geständnis platzte aus ihm heraus.

Kate verbarg ihre Überraschung. Sie rollte sich auf die Seite, sodass ihr Körper den seinen berührte und sie sich der langsam abkühlenden Feuchtigkeit zwischen ihren Schenkeln bewusst wurde.

«Das ist nichts, wofür man sich schämen müsste.»

Sie legte ihm eine Hand auf die Brust und spürte seinen Herzschlag. Als sie mit den Fingern durch die Haare auf seiner Brust glitt, traf sie auf das kalte Metall der Kette, die er um den Hals trug.

«Entschuldige», sagte er noch einmal, und Kate tippte ihm leicht an die Stirn.

«Hör auf damit. Es gibt gar keinen Grund, sich ständig zu entschuldigen.»

Dann drehte sie sich um, streckte die Hand nach dem Nachttisch aus und knipste die Lampe an. Das plötzliche Licht machte sie für einen Augenblick blind, bevor sie sich wieder zu Alex umdrehte. Seine Augen waren, wie sie mit einigem Erschrecken bemerkte, feucht.

«He, na komm schon!» Sie bewegte sich ein wenig, sodass sie halb über ihm lag. Dann stützte sie sich auf den

Ellbogen auf, sodass ihre Brüste über seine Haut strichen. «*So* schlimm war es doch nicht, oder?»

Er erwiderte ihr Lächeln, sah ihr aber nicht in die Augen. «Nein. Es ist nur, dass … Ich bin nicht sehr gut in solchen Sachen.»

«Ich fand es gar nicht schlecht.»

Er warf ihr einen schnellen, überraschten Blick zu, und plötzlich begriff Kate intuitiv, warum er immer so nervös gewesen war bei ihren ersten Treffen. Die Zärtlichkeit, die sie für ihn empfand, schnürte ihr die Kehle zu.

«Was ist das eigentlich?», fragte sie und wechselte damit bewusst das Thema. Sie betastete die Scheibe, die an dem Kettchen um seinen Hals hing.

«Ach … das ist nur ein Christophorus.»

Kate ließ beiläufig ein Bein über seinen Körper gleiten und nahm das Medaillon näher in Augenschein. Es maß ungefähr zwei Zentimeter im Durchmesser, und das Abbild des Mannes, der das Kind übers Wasser trug, war grob und nur angedeutet, sodass man es auf den ersten Blick überhaupt nicht erkennen konnte.

«Sieht alt aus», sagte sie, als sie es von seiner Brust hob. Das Medaillon war dick und schwer.

«Ähm, ja, ich glaube, das ist es auch.» Er blickte auf seine Brust hinunter. «Es hat meiner Großmutter gehört.»

«Hat sie es dir hinterlassen?»

Alex schwieg einen Augenblick lang. «Nein, sie hat es mir vor ihrem Tod geschenkt. Sie sagte, es solle mir Glück bringen.»

Kate ließ das Medaillon wieder auf seine Brust sinken. «Und hat es das getan?» Ganz sachte bewegte sie ihr Bein auf und ab.

«Ich, ähm, also, ja, schätze schon.»

Er lächelte jetzt. Kate konnte spüren, wie er unter ihrem Schenkel wieder hart wurde. Als sie sich über ihn schob, lag der heilige Christophorus als kalte Scheibe zwischen ihren Brüsten.

«Das war dein Glück, dass du das gesagt hast.»

Kapitel 12

Während der nächsten drei Wochen verspürte Kate gelegentlich ein beinahe abergläubisches Misstrauen angesichts ihres Glücks. Die pessimistische Ahnung, dass es nicht von Dauer sein konnte, dass sie irgendwann einen Preis dafür würde zahlen müssen, überfiel sie ohne Vorwarnung. Dann verflog das Gefühl, wie eine Wolke, die sich nur kurz vor die Sonne geschoben hatte, und Kate war wieder ganz von den Freuden der Gegenwart gefangen.

Im Bett hatte Alex schnell dazugelernt. Er war, wenn auch kein erfahrener, so doch ein sehr enthusiastischer Liebhaber, und sie schliefen miteinander wie gierige Teenager, kosteten einander aus, bis ihnen beiden alles wehtat. Am Anfang erschien es ihr seltsam. Auch nach fast vier Jahren, stellte Kate fest, erinnerte sich ihr Körper noch an die Gestalt und den Geruch von Paul. Er war schwerer gewesen und stärker behaart als Alex, und er war mit einer rohen Heftigkeit an die Sache gegangen, die sie zunächst für Leidenschaft gehalten hatte, bevor ihr klar wurde, dass es nur Egoismus war. Aber es dauerte nicht lange, bevor die taktilen Erinnerungen an ihren ehemaligen Liebhaber von den neuen ersetzt wurden.

Sie gingen nicht oft aus. Kate hastete abends nach Hause, machte eine Flasche Wein auf und fing an, Fleisch und

Gemüse klein zu schneiden. Alex kam direkt von der Arbeit zu ihrer Wohnung und half ihr, das Essen vorzubereiten. Manchmal zögerten sie das, wonach sie beide sich sehnten, bis nach dem Essen hinaus, aber oft lagen ihre Kleider schon wild verstreut über dem Fußboden, und sie liebten sich, während die Töpfe auf dem Herd unbeachtet vor sich hin blubberten.

Es gab jedoch auch Zeiten, in denen Alex sehr ruhig wurde, verloren in eine nur ihm zugängliche Welt. Kate beobachtete ihn dann gern und sah zu, wie sein Gesicht einen empfindsamen, beinahe melancholischen Ausdruck annahm. Aber obwohl es ihr gefiel, dass sie ihn in diesen Augenblicken in aller Ruhe studieren konnte wie ein Gemälde, blieb doch immer auch ein verhaltenes Gefühl zurück, ausgeschlossen zu sein. Einmal blickte er ohne Vorwarnung auf und ertappte sie dabei, wie sie ihn beobachtete. Eine Sekunde lang schien sein Gesicht völlig ausdruckslos, als erkenne er sie nicht, und Kate überfiel jähe Panik, dass sie ihren Geliebten überhaupt nicht kannte, dass er ein Fremder war.

Dann blinzelte er und lächelte, und es war wieder Alex.

«Was?», fragte er.

Kate ging hinüber und schlang die Arme um ihn. «Du warst meilenweit weg. Woran hast du gedacht?»

«An nichts Besonderes. Ich war einfach meilenweit weg, wie du schon sagst.»

Der Augenblick war verstrichen, aber nicht ohne eine leise Spur zu hinterlassen, wie Kaffeegeruch, der in einem Zimmer hängenbleibt. Um das Gefühl endgültig zu vertreiben, fragte Kate etwas, das sie ihn schon seit einigen Tagen hatte fragen wollen.

«Warum gehen wir nicht manchmal zu dir, in deine Wohnung?»

Alex zögerte. «Warum?»

«Weil ich gerne sehen würde, wo du wohnst. Du weißt schon, feststellen, ob du ordentlich bist oder chaotisch. Was für Bücher du hast.»

«Das kann ich dir auch erzählen.»

«Es ist nicht dasselbe. Was ist los, versteckst du da irgendetwas?»

Es war als Scherz gedacht, aber Alex lachte nicht: «Nein, natürlich nicht.»

Sie spürte, wie sich abermals eine schwer fassbare Beklommenheit ihrer bemächtigte. «Also, warum gehen wir dann nicht ab und zu zu dir?», fragte sie jetzt mit ernster Miene.

«Es ist nur ...» Er runzelte die Stirn und wich ihrem Blick aus. Dann seufzte er. «Na ja, es ist eine ziemliche Müllkippe, das ist alles. Ich habe mir nicht die Mühe gemacht, irgendwas zu tun, weil ich nicht vorhatte, sehr lange dort wohnen zu bleiben. Ich glaube, es wäre mir einfach peinlich, wenn du die Wohnung siehst.»

Die Alarmglocken, die noch einen Augenblick zuvor aufgeschrillt waren, verklangen langsam. «Das braucht es doch nicht. Mir macht das nichts aus.»

«Nein, aber mir.» Er zuckte die Achseln. «Wenn du unbedingt rübergehen willst, können wir es tun. Aber gib mir zuerst ein paar Tage Zeit, ein bisschen aufzuräumen, okay?»

Sie grinste. «Okay.» Erleichtert hakte sie die Sache innerlich ab. Sie hatte es nicht eilig.

Sie hatten jede Menge Zeit.

Außerdem war Kate gern mit Alex in ihrer Wohnung. Die vertraute Umgebung, die ihr früher so einsam erschienen war, kam ihr jetzt behaglich und freundlich vor. Oft lagen sie bis spät in die Nacht hinein nebeneinander und redeten. Alex war ein guter Zuhörer, und sie stellte fest, dass sie sich ihm mehr und mehr öffnete, ja, dass sie manchmal sogar über Vorfälle sprach, die sie beinahe vergessen hatte. Eines Nachts erzählte sie ihm, wie sie als kleines Mädchen einmal allein ins Kino gegangen war. Sie hatte ihn mit dieser Geschichte eigentlich zum Lachen bringen wollen, aber Alex schien nichts Komisches darin zu sehen.

«Wie lange sind deine Eltern jetzt tot?», fragte er, als sie fertig war. Sie lagen nackt auf dem Sofa, hatten kurz zuvor miteinander geschlafen. Kate hatte den Kopf in die Beuge seines Armes gelegt.

Sie rechnete zurück, während sie mit den Fingern sanft ein Muster auf seine Brust zeichnete. «Meine Mutter starb, als ich neunzehn war. Mein Vater ist im Jahr davor gestorben.»

«Vermisst du die beiden?»

Die Frage ernüchterte sie. Sie stellte fest, dass sie darauf keine einfache Antwort geben konnte. «Ich hätte mich gefreut, wenn sie dich hätten kennenlernen können», sagte sie. Alex sagte nichts dazu. Nach einem Augenblick griff Kate ihren Faden wieder auf: «Nein, ich glaube, ich vermisse sie nicht, jedenfalls nicht im herkömmlichen Sinn. Nicht so, wie ich jemanden wie Lucy vermissen würde. Ich habe sie geliebt, und es war ein Schock, als sie starben, aber wir hatten uns ohnehin nicht mehr viel gesehen, seit ich von zu Hause fort war. Und wenn, dann wussten wir nie, worüber wir reden sollten.»

«Bist du nicht mit ihnen klargekommen?»

Das war ein Thema, über das Kate sich nicht oft nachzudenken gestattete, aber nun unterzog sie den Gedanken einer gründlichen Prüfung. «Nein, es war nicht so, als hätten wir uns nicht vertragen. Es lag wohl eher daran, dass wir einander einfach nicht verstanden haben. Irgendwie schien es keine Gemeinsamkeiten zwischen uns zu geben. Ich hatte immer das Gefühl, dass ich nie so war, wie sie mich gern gehabt hätten.» Sie lachte leise. «Manchmal habe ich mich ernsthaft gefragt, ob da nicht eine Verwechslung vorliegt und man ihnen im Krankenhaus versehentlich das falsche Baby mitgegeben hat. Zunächst einmal hatten sie sich eigentlich einen Jungen gewünscht. Und dann stellte meine Mutter auch noch fest, dass sie nach mir keine Kinder mehr bekommen konnte. Also war ich in jeder Hinsicht eine große Enttäuschung.»

«Haben sie das tatsächlich ausgesprochen?»

«Nicht mit so vielen Worten. Aber manchmal benahm meine Mutter sich so, als nähme sie es mir übel, dass ich nicht der Junge war, den sie meinem Vater gern präsentiert hätte. Alles musste so sein, wie er es haben wollte. Es war, als wäre er der einzige Mensch im Haus, dessen Bedürfnisse zählten. Er ging davon aus, dass sich alles nach ihm richtete, und meine Mutter sah ihre Bestimmung darin, dafür zu sorgen, dass er bekam, was er wollte. Und von mir erwartete man dasselbe.» Sie schwieg kurz. «Wahrscheinlich war es für alle eine Erleichterung, als ich zur Universität ging.»

Sie blickte zu Alex auf. «Und was ist mit dir?»

«Mit mir?»

«Wie war deine Kindheit?»

Er zog die Schultern leicht hoch.

«Nicht sehr spektakulär. Jedes Jahr Ferien in Übersee, Fahrräder zu Weihnachten. Stinknormal, schätze ich.»

«Was ist mit deinen Brüdern? Bist du mit denen gut ausgekommen?»

«O ja. Ich meine, sie haben mich natürlich manchmal ein bisschen gequält, da ich ja der Jüngste war, aber es war immer nur im Spaß. Im Grunde haben sie mich eher beschützt.»

Kate betastete die metallene Kälte des heiligen Christophorus auf seiner Brust. Manchmal, wenn sie sich liebten, konnte sie das Medaillon spüren; seine Kühle zeichnete dann rhythmische Muster auf ihren Brüsten nach. «Erzähl mir von deiner Großmutter.»

Er zögerte. «Was willst du wissen?»

«Einfach, was für ein Mensch sie war. Du hast gesagt, ihr hättet euch sehr nahe gestanden.»

Einen Augenblick lang herrschte Stille. Als Alex dann wieder zu sprechen begann, hatte seine Stimme einen weicheren Klang angenommen. «Sie war großartig. Wenn ich mir das Knie aufschlug oder in Schwierigkeiten kam oder ... Ganz egal, was es war, ich konnte immer zu meiner Großmutter gehen und es ihr erzählen, und sie hat zugehört. Und wenn ich etwas getan hatte, das nicht richtig war, sagte sie es mir, aber sie wurde nie böse; sie hat mich nie angeschrien oder geschlagen. Sie war immer da.»

Er blickte zur Decke. Seine Augen leuchteten.

«Wie alt warst du, als sie gestorben ist?», fragte Kate.

«Fünfzehn.» Sie hörte ihn schlucken. «Sie hat mir das hier ...», er berührte den heiligen Christophorus, «... in der Woche vor ihrem Tod geschenkt. Es gehörte meinem Großvater, und sie sagte, ich solle es tragen, weil es mir Glück bringen würde. Es war fast, als wüsste sie, dass sie nicht mehr lange da sein würde, um sich um mich zu kümmern.»

Er schwieg eine Weile.

«Du hast vorhin von deinen Eltern erzählt», fuhr er schließlich mit einem entschiedeneren Tonfall fort. «Bist du nach dem Tod deines Vaters besser mit deiner Mutter zurechtgekommen?»

Kate ließ ihm den Themenwechsel durchgehen. «Es hat im Grunde nicht viel geändert. Ich habe gehofft, dass sie nun vielleicht aus seinem Schatten heraustreten würde. Dass sie anfangen würde, ihr eigenes Leben zu leben. Aber sie hat es nie geschafft. Es war, als hätte sie an allem das Interesse verloren. Jedes Mal, wenn ich von der Universität nach Hause kam, schien weniger von ihr übrig zu sein. Es war furchtbar. Als würde sie einfach verfallen, als sehe sie keinen Sinn darin, ohne ihn weiterzuleben. Sie behielt all seine Kleidung, all seine Sachen und redete von ihm, als wäre er immer noch da. Sie kochte sogar seine Lieblingsmahlzeiten, selbst wenn sie sie gar nicht mochte, so lange, bis sie selber starb.» Bei der Erinnerung hielt sie kurz inne. «Ich bin immer noch nicht ganz dahintergekommen, ob es nun Liebe war oder nicht. Es schien jedenfalls nie etwas Gesundes zu sein. Ich habe mir immer geschworen, dass ich mich niemals von irgendjemandem so beherrschen lassen würde.»

«Und dennoch hast du es beinahe getan.»

Sie sah Alex an. Zwei leuchtend rote Flecken brannten auf seinen Wangen.

«Du bist doch nicht eifersüchtig auf Paul, oder?», fragte sie.

«Nein, natürlich nicht.» Er mied ihren Blick. «Mir gefällt nur der Gedanke nicht, dass du mit jemandem wie ihm zusammen warst, das ist alles.»

Halb belustigt, halb verärgert entwand Kate sich seiner Umarmung, bis sie ihm ins Gesicht sehen konnte. «Das ist aber keine sehr professionelle Einstellung. Ich dachte, Psychologen stünden über solchen Dingen?»

«Vielleicht ... vielleicht bin ich kein besonders guter Psychologe.»

Sie hatte den Eindruck, dass er eigentlich etwas ganz

anderes sagen wollte, aber in letzter Sekunde seine Meinung geändert hatte.

«Ich hätte gedacht, dass du ziemlich gut in deinem Job bist», sagte sie. «Du bist ein guter Zuhörer. Das ist, was die Psychologie angeht, doch schon die halbe Miete, oder?»

«O ja. Wir müssen viel zuhören, aber das ist auch fast schon alles. Psychologen *tun* im Grunde gar nichts.» Sein Tonfall hatte einen untypisch bitteren Beiklang. Kate, die ihn aus seiner plötzlich düsteren Stimmung herausreißen wollte, senkte den Kopf und biss ganz sanft in seine Brust.

«Dann sollte ich wohl besser dafür sorgen, dass du beschäftigt bist.»

Am selben Abend rief Lucy an. Kate wäre nicht rangegangen, wenn sie nicht zufällig gerade am Telefon vorbeigekommen wäre, als es klingelte.

«Hallo, Kate», sagte Lucy munter. «Ich dachte, ich rufe mal an, um festzustellen, ob du noch lebst.»

Kate verspürte leise Gewissensbisse. Sie hatte nicht mehr mit Lucy gesprochen, seit sie ihr erzählt hatte, dass sie sich ein allerletztes Mal mit Alex treffen wollte. Unwillkürlich warf sie einen Blick auf die Schlafzimmertür.

«Tut mir leid, ich wollte mich eigentlich melden, aber ...»

«Ich weiß, ich weiß, du hast in der Agentur zu viel am Hals. Mach dir nichts draus. Ich wollte auch nur wissen, was neulich Abend passiert ist? Hast du dich mit Alex getroffen?»

«Ähm ... ja.»

«Wie ist es gelaufen?»

«Hm ... ganz gut, denke ich.»

«Und das war's also? Du hast ihm gesagt, dass du ihn nicht mehr sehen willst?» Lucys Missbilligung war offenkundig.

«Ähm ... er ist im Augenblick bei mir.»

Es entstand eine kurze Pause.

«Ach wirklich?»

Kate konnte sie förmlich grinsen sehen.

«Das Abschiedsdinner ist wohl nicht ganz so gelaufen, wie du geplant hattest?», fragte Lucy.

«Nicht direkt.»

«Na, ich *wollte* dich eigentlich für morgen zum Mittagessen einladen, aber ich schätze, du hast was anderes zu tun. Es sei denn, du möchtest Alex auch mitbringen?»

«Danke, aber ich glaube, wir werden diesmal aussetzen.»

«Das habe ich mir doch gedacht. Na ja, dann gib Alex einen Kuss von mir – wenn du noch einen erübrigen kannst –, und ich rufe dich dann nächste Woche wieder an. Oh, und Kate?»

«Was denn?»

Lucy lachte. «Vergiss nicht, ein Verhütungsmittel zu benutzen.»

Die Ironie ihres Timings war Kate nicht entgangen. Sie wusste nicht recht, ob es als Perversion gelten konnte, dass sie erst nach der ersten Behandlung in der Klinik mit Alex geschlafen hatte, oder ob es einfach nur am Karma lag. Aber was es auch war, es änderte alles.

Kate wusste, dass es gewisse Themen gab, denen sie sich stellen musste; was die Klinik betraf, was ihre Beziehung zu Alex betraf. Aber sie konnte sich einfach nicht dazu überwinden, darüber nachzudenken. Endlich schien ihr Leben sein natürliches, vorherbestimmtes Gleichgewicht gefunden zu haben. Es fühlte sich einfach *richtig* an; sie war sich sicher, dass die Dinge genau so sein sollten, dass sich nun alles von selbst ergeben würde.

Es schien unausweichlich, dass ihre Periode ausblieb.

Sie wartete mehrere Tage, bis sie es Alex gegenüber erwähnte.

«Als wir uns kennenlernten, sagtest du, dir gefiele der Gedanke an Vaterschaft ohne die Verantwortung», sagte sie. «Siehst du das heute immer noch so?»

Sie lagen eng aneinandergeschmiegt im Bett. Er hatte in der Dunkelheit einen Arm um sie geschlungen.

«Warum?»

Sie spielte mit dem heiligen Christophorus auf seiner Brust, schlang sich das Silberkettchen um den Finger und wickelte es wieder ab. «Es ist noch nicht endgültig, aber ich habe heute beim Arzt einen Schwangerschaftstest machen lassen.»

Sie wartete.

«Wann wirst du Bescheid wissen?»

«Irgendwann nächste Woche.»

Sie hätte es früher in Erfahrung bringen können, wenn sie sich einen Schwangerschaftstest in der Drogerie gekauft hätte. Aber selbst wenn der Test positiv ausgefallen wäre, hätte sie es nicht recht glauben können. Sie wollte nicht das Risiko einer Enttäuschung eingehen, falls sie beim Test irgendeinen Fehler machen würde. Wenn ein Arzt die Schwangerschaft bestätigte, würde das die Sache irgendwie offizieller machen. Wirklicher.

Kate sah Alex ins Gesicht. In der Dunkelheit war es fast unsichtbar. «Ich möchte nur, dass du weißt, dass für dich keinerlei Verpflichtungen bestehen. Das ... das mit uns ... ändert gar nichts.»

Es schien eine ziemlich lange Zeit zu vergehen, bis er endlich sprach.

«Für mich schon.»

Seine Stimme klang kehlig. Kate ließ die Kette los. Außerstande, ein Wort zu sagen, legte sie den Kopf auf seine Brust und war dankbar, dass er die Feuchtigkeit auf ihren Wangen nicht sehen konnte.

Später konnte sie sich nicht erklären, warum sie ihm nicht gesagt hatte, wann genau das Ergebnis des Tests kommen würde. Der Arzt hatte ihr mitgeteilt, an welchem Tag sie anrufen solle, aber irgendetwas veranlasste sie nun, Alex gegenüber nichts davon zu erwähnen. Sie redete sich ein, dass sie ihn überraschen wollte, dass sie ihn in dem Glauben lassen wollte, sie würden es erst später in der Woche erfahren. Aber sie wusste, dass sie in Wahrheit einen egoistischeren Grund hatte.

So viel wenigstens wollte sie für sich behalten.

An dem Morgen, als sie wegen der Testergebnisse beim Arzt anrufen sollte, frühstückten sie zusammen an ihrer engen Frühstückstheke in der Küche. Alex musste vor ihr aufbrechen, und Kate küsste ihn zum Abschied und sah ihm nach, wie er die Treppe zur Haustür hinunterging. Am Fuß der Treppe drehte er sich noch einmal um und winkte, und als sie ihn grinsend und mit zerzaustem Haar dort unten stehen sah, hätte Kate um ein Haar nachgegeben und es ihm erzählt. Dann aber ging er aus dem Haus und schloss die Tür, und es war zu spät.

Auf dem Weg zur Arbeit überfiel sie ein seltsames Gefühl, eine Mischung aus Hoffnung und etwas, das fast an Panik grenzte, und beide Gefühle schoben sich übereinander, bis Kate nicht mehr zu sagen vermochte, was das eine und was das andere war. Sie nahm ihre Umgebung kaum wahr. Erst als sie in dem allmorgendlichen Aufruhr bei King's Cross aus der U-Bahn trat, wurde sie mit einem Ruck aus ihrer Selbstvergessenheit gerissen. Ein Feuerwehrauto jagte in einer Kakophonie aus schrillem Lärm und einem Rausch greller Farbe an ihr vorbei. Kate sah ihm nach und hatte einen Augenblick lang das Gefühl, genau das schon einmal erlebt zu haben. Aber noch während sie versuchte, der Erinnerung habhaft zu werden, entzog sie sich ihrem Zugriff, wurde substanzlos wie Rauch.

In der Arztpraxis hatte man ihr gesagt, sie solle nach elf anrufen. Sie wartete bis zwei Minuten nach elf, griff dann zum Hörer ihres Bürotelefons und wählte die Nummer des Arztes. Die Helferin ließ sich ihre Daten durchgeben und bat sie, einen Augenblick zu warten. Ein fröhliches elektronisches Geklimper zur Überbrückung der Wartezeit erklang. Als es aufhörte, spannte Kate sich an, aber es war nur an das Ende seiner Wiederholungsschleife gelangt. Eine Sekunde später fing es von Neuem an, so eintönig wie das Bimmeln eines Eiswagens. Die Melodie wurde zweimal von Anfang bis Ende durchgespielt und brach dann abrupt ab.

«Miss Powell?», erklang die Stimme der Helferin. «Ihr Test ist positiv.»

Kates Mund war trocken geworden. «Positiv? Dann bin ich also schwanger?»

«Dem Test nach ja.» Nach einer kurzen Pause fügte die Frau hinzu: «Meinen Glückwunsch.»

Die Worte kamen ohne echtes Gefühl, aber das war nicht wichtig für Kate. Sie dankte der Helferin und legte auf. Sie ließ sich in ihren Stuhl zurücksinken und horchte in sich hinein. Nein, bisher fühlte sie sich nicht anders als sonst, und doch hatte sie gleichzeitig den Eindruck, ein vollkommen anderer Mensch zu sein. Ein übermächtiges Gefühl stieg in ihr auf, das sie jedoch nicht hätte benennen können.

Mit einem Mal war der Drang, es Alex zu erzählen, unerträglich. Sie hatte ihn noch nie zuvor bei der Arbeit angerufen, ganz im Sinne der Bitte, die er gleich bei ihrer ersten Begegnung ausgesprochen hatte. Jetzt aber holte sie seine Visitenkarte aus ihrer Brieftasche und wählte die Nummer seines Büros. Eine Frau meldete sich.

«Ealing Center.»

«Könnte ich bitte mit Alex Turner sprechen?»

«Dr. Turner hat im Augenblick einen Patienten da. Wollen Sie eine Nachricht hinterlassen?»

Kate zögerte. «Nein, es ist nicht wichtig. Vielen Dank.»

Sie legte den Hörer auf die Gabel. Aber der Drang, ihre Neuigkeit mit ihm zu teilen, war zu heftig, als dass sie ihn hätte ignorieren können. Also nahm sie einen Faxbogen aus ihrer Schublade und dachte einen Augenblick lang nach. Sie wollte die Nachricht so formulieren, dass Alex sie verstehen würde, aber nicht irgendjemand, der das Fax zufällig in die Hände bekam. Grinsend griff sie nach einem Stift. «Der Christophorus deiner Großmutter hat funktioniert!», schrieb sie. «Ruf mich an! Gruß, Kate.»

Zufrieden mit sich und ihrem Einfall, ging sie die Treppe hinunter und brachte ihr Fax auf den Weg.

Alex rief den ganzen Nachmittag nicht zurück. Kate vermutete, dass er ihr Fax noch nicht gelesen hatte und überlegte, ob sie noch eins schicken oder ihn noch einmal anrufen sollte, bevor sie beide Möglichkeiten verwarf. Sie würde ihn ja am Abend sehen. Jetzt hatte sie schon so lange gewartet, da würde sie es wohl noch ein Weilchen länger aushalten.

Auf dem Heimweg stieg sie zwischendurch aus und kaufte eine Flasche Champagner. Alex kam selten vor sieben Uhr; Kate schob Lachssteaks in den Ofen und deckte im Wohnzimmer den Tisch mit Kerzen und einem weißen

Tischtuch. Dann schenkte sie sich ein Glas Wein ein, legte eine CD auf und summte leise vor sich hin, während sie in ein marineblaues Minikleid schlüpfte. Im Schlafzimmerspiegel betrachtete sie lächelnd ihren flachen Bauch.

«Freu dich dran, solange du es noch kannst», sagte sie laut, dachte an die Begegnung mit der leicht frustrierten Mutter in der Sauna und lachte.

Es war fast sieben Uhr. Kate ging in die Küche und drehte die Herdplatten unter den Gemüsetöpfen auf. Die CD war abgelaufen, also ging sie wieder ins Wohnzimmer, wo sie einen Nina-Simone-Sampler auflegte, eine von Alex' Lieblingsscheiben. Dann nahm sie eine geringfügige Korrektur an den Servietten vor, die sie säuberlich in die Gläser auf dem Tisch gesteckt hatte, und entzündete die Kerzen.

Nachdem sie die Lampe ausgeschaltet hatte, setzte sie sich im Kerzenschein hin und wartete auf Alex.

Um acht Uhr erinnerte sie sich an das Essen. Die Küche war voller Dampf, als sie endlich Ofen und Gasherd ausschaltete. Das Blubbern in den Töpfen verebbte. Die frischen Kartoffeln brachen auseinander wie Boviste, als sie mit der Gabel hineinstach, während der Brokkoli bereits zu aufgedunsenen blassen Röschen zerfallen war. Die Gemüsebröckchen hüpften auf der Oberfläche des Wassers auf und ab und sanken, als das Wasser zu kochen aufhörte, langsam auf den Boden des Topfes.

Kate starrte das zerkochte Gemüse an, drehte sich auf dem Absatz um und ging zum Telefon im Flur. Zuerst versuchte sie es im Ealing Center. Ein elektronisches Knistern zischte in ihrem Ohr. Sie versuchte es noch einmal, mit demselben Ergebnis. Schließlich legte sie wieder auf und wählte Alex' Privatnummer.

Der Freiton erklang wieder und wieder. Jedes Mal schien

die Pause dazwischen länger zu werden, dann tutete es erneut, eine wiederholte Erinnerung an Einsamkeit und leere Zimmer. Kate legte auf.

Mutlos kehrte sie ins Wohnzimmer zurück und schaltete die Lampe an. Der Tisch wartete, das Porzellan und die Gläser warfen die Lichtreflexe der Kerzen zurück. Rotes Wachs war auf das Tischtuch getropft. Kate betrachtete die dunklen Kreise auf der weißen Oberfläche, beugte sich vor und blies die Flammen aus. Der Rauch der Dochte hob sich in sanften Kringeln zur Decke. Beißender Geruch erfüllte das Zimmer.

Das Telefon klingelte. Kate zuckte zusammen, rannte in den Flur und riss den Hörer hoch.

«Hallo?»

«Hallo, Kate, ich bin's, Lucy.»

Abermals spürte sie bleischwer ihren Magen. «Oh, hallo, Lucy.»

«Na, du klingst ja nicht übermäßig begeistert. Was ist los?»

«Ach, nichts, tut mir leid. Na ja, Alex ist ein bisschen spät dran, das ist alles.»

Lucy lachte. «Soso, dieses Stadium habt ihr also bereits erreicht, ja? Nudelholz hinter der Tür?»

Kate verbarg ihren Ärger. «Nein. Ich mache mir nur Sorgen. Er hätte schon vor über einer Stunde hier sein müssen.»

«Ich würde mir keine Gedanken machen. Wahrscheinlich sitzt er irgendwo in der U-Bahn fest. Also, wie ergeht es euch denn so?»

«Alles bestens.» Sie hatte nicht den Wunsch, Lucy jetzt schon zu verraten, dass sie schwanger war. Nicht, bevor Alex es wusste.

Lucy seufzte. «Na schön, ich merke, dass dir nicht nach

Plaudern zumute ist. Hör mal, ich bin sicher, dass es ihm gut-
geht. Er wird schon mit irgendeiner Ausrede wieder auftauchen. Das tun die Männer immer.»

Aber Alex Turner nicht.

Am nächsten Morgen war Kate vollkommen geschafft vor
Müdigkeit und Sorge. Sie hatte unruhig geschlafen und war
manchmal ruckartig aufgewacht, weil sie glaubte, das Telefon oder die Türglocke gehört zu haben. Dann lag sie nach
dem kurzen Adrenalinstoß mit hämmerndem Herzen da
und war sich allzu deutlich der Leere auf der anderen Seite
ihres Bettes bewusst, während sie den nächtlichen Geräuschen der Wohnung lauschte.

Irgendwann fiel ihr der Tisch ein, den sie im Wohnzimmer immer noch nicht abgedeckt hatte, und der Gedanke,
ihn unverändert im grauen Morgenlicht vorzufinden, war
plötzlich unerträglich. Sie stand auf und räumte Geschirr
und Gläser ab, ohne das Licht einzuschalten; brachte die
ganze Prozedur im Halbdunkel hinter sich, sodass sie nicht
sehen musste, was sie tat.

Das Tageslicht und die Normalität der üblichen Men-
schenmengen zur Hauptverkehrszeit hatten etwas Beruhi-
gendes. Hastig ließ Kate King's Cross hinter sich; der Regen
trommelte auf ihren Schirm und spritzte gegen ihre Beine.
Sie hatte sich selbst das Versprechen abgerungen, dass sie
gleich als Erstes noch einmal in der Klinik anrufen würde,
wo Alex arbeitete. Schließlich musste das Telefon mittlerweile wieder funktionieren, und irgendjemand würde sicher
wissen, was ihm zugestoßen war; würde ihr zumindest
sagen können, ob es ihm gutging. Getrieben von angstvol-
ler Erwartung, hastete sie durch die vom Regen überspülten
Straßen.

Die Tür der Agentur war unverschlossen. Sie öffnete sie und ging rückwärts hindurch, um auf der Schwelle noch das Wasser von ihrem Regenschirm zu schütteln. Als sie die Tür endlich schloss und sich umdrehte, bemerkte sie, dass Clive sie ansah. Zwei Männer waren bei ihm im Büro.

«Hier möchte dich jemand sprechen», sagte Clive mit seltsam ausdrucksloser Stimme. Einer der beiden Männer trat vor.

«Miss Powell?»

Er war ein großer, kräftig gebauter Mann von etwa fünfzig Jahren mit kurzem grauem Haar, das auf dem Scheitel langsam dünn wurde und einen erstaunlichen Gegensatz zu seinen dichten schwarzen Augenbrauen darstellte. Sein Tweedmantel roch wie ein nasser Hund. Der andere Mann war jünger und trug einen blauen Nylonanorak. Er hielt sich im Hintergrund.

Kate sah Clive an, aber dessen Gesicht verriet ihr nicht das Geringste. Sie nickte.

«Ja?»

«Ich bin Detective Inspector Collins. Das ist Sergeant Daikin. Hätten Sie wohl ein paar Minuten Zeit für uns?»

Ein flaues Gefühl hatte sich in ihrem Magen breitgemacht. «Kommen Sie mit hinauf in mein Büro.»

Sie ging den beiden Männern voran die Treppe hinauf und hatte sich immerhin so weit in der Gewalt, dass sie ihnen Tee oder Kaffee anbot. Beide lehnten höflich dankend ab. Sie setzten sich ihr gegenüber auf die andere Seite des Schreibtisches. Der Ältere der beiden öffnete seinen Mantel und enthüllte darunter einen zerknitterten braunen Anzug. Sein gewaltiger Bauch spannte das Hemd über dem Hosenbund.

Der jüngere Mann nahm ein Blatt Papier aus dem Aktenordner, den er bei sich trug, und reichte es ihm. Der Inspector warf einen kurzen Blick darauf und gab es an Kate weiter.

«Können Sie mir sagen, ob Sie das abgeschickt haben?»

Es war eine Fotokopie jenes Faxes, das sie Alex am Vortag geschickt hatte. Kate kämpfte gegen die Panik, die in ihr aufwallte.

«Ja, ich habe es gestern geschickt.»

«Sie kennen Dr. Turner also?»

Das flaue Gefühl in ihren Gedärmen hatte sich so weit verschärft, dass sie kaum noch atmen konnte. «Ja. Hören Sie, was ist denn passiert?»

«In welcher Beziehung haben Sie zu ihm gestanden?»

«Ich bin eine ... eine Freundin. Bitte, sagen Sie mir, geht es ihm gut?»

Die Stimme des Inspectors hatte einen sachlichen Klang.

«Es tut mir leid. Er ist tot.»

Es war, als hätte sich der Luftdruck in dem Raum plötzlich geändert. Sie hörte ein Tosen in ihren Ohren. Sie sah, dass der ältere Mann sie mit besorgter Miene beobachtete, und bemerkte, dass sie auf ihrem Sessel schwankte. Sie stützte beide Hände auf den Schreibtisch, damit das aufhörte.

«Wie?» Sie war sich nicht sicher, ob sie die Frage laut ausgesprochen hatte, aber sie musste es wohl getan haben, denn der Inspector antwortete.

«Man hat ihn gestern Nacht in seinem Büro gefunden. Es gab ein Feuer, und als die Feuerwehr kam, hat man ihn gefunden.»

Er zögerte.

«Wir haben noch keine Autopsieergebnisse, aber es sieht aus, als hätte man ihn erschlagen. Dann hat der Täter die Papiere aus den Aktenschränken gezogen und versucht, den

Raum in Brand zu stecken. Glücklicherweise war er ziemlich in Eile, und das Gebäude ist mit einer Sprinkleranlage ausgestattet. In alten Gebäuden funktionieren diese Anlagen nicht immer, aber diese war in Ordnung. Sie hat das Feuer gelöscht, bevor es sich richtig ausbreiten konnte.»

Kate hatte das Gefühl, weit, weit fort zu sein. Sie empfand keinen Schmerz, überhaupt nichts. Es war so, als würde sie gar nicht hier sitzen und zuhören. Es war nicht Alex, von dem die Männer sprachen. Als sie schließlich etwas sagte, erschienen ihr die Worte unwirklich, so als spiele sie eine Rolle in dem Stück eines anderen.

«Wer hat es getan?»

Der Inspector rutschte auf seinem Stuhl hin und her, der unter dem Gewicht knirschte.

«Das wissen wir noch nicht genau. Aber wir wissen, dass Dr. Turner in der Klinik geblieben ist, um einen seiner Patienten zu empfangen. Unglücklicherweise hat die Sprinkleranlage einen Kurzschluss bei den Computern herbeigeführt, und im Büro herrscht ein furchtbares Durcheinander, daher ist alles noch etwas verworren. Wir hoffen, dass wir später am Vormittag eine klarere Vorstellung von den Dingen haben werden.»

Er deutete mit dem Kopf auf die Fotokopie, die Kate immer noch in Händen hielt. «Das lag unter ihm. Das heißt, genau genommen lag das Original da. Sie haben nicht mit Ihrem Familiennamen unterschrieben, aber auf dem Blatt war die Adresse Ihrer Agentur angegeben. Daher dachten wir, wir kommen mal her und stellen fest, ob Sie irgendetwas wissen, das uns weiterhelfen könnte.»

Kate blickte auf das Stück Papier hinab. «Der heilige Christophorus deiner Großmutter hat funktioniert! Ruf mich an! Gruß, Kate.»

Sie registrierte, dass der Polizist sie etwas gefragt hatte.

«Wie bitte?»

«Ich sagte: Können Sie mir wohl erklären, was das bedeutet? Es scheint mir eine ziemlich kryptische Nachricht, wenn ich mich so ausdrücken darf.»

Die beiden Polizisten warteten ab. Kate spürte das Papier in ihren Händen, sah es aber nicht an.

«Es war nur ein Scherz. Eine private Sache.»

Der Inspector musterte sie kurz. «Können Sie sich etwas deutlicher ausdrücken? Was bedeutet diese Bezugnahme auf den ‹heiligen Christophorus seiner Großmutter› zum Beispiel?»

Es versetzte ihr einen Stoß, die Worte aus seinem Mund zu hören. «Das ist so eine Art Glücksbringer, den er trägt. Er nimmt ihn niemals ab.»

Sie sah, dass die beiden Männer einen Blick tauschten.

«Können Sie ihn beschreiben?», fragte der Inspector.

«Er ... er ist aus Silber, ungefähr so groß.» Sie zeigte ihnen mit Daumen und Zeigefinger, was sie meinte. «Er ist schwer. Und alt.»

Sie konnte noch immer sein kühles Gewicht spüren, als hielte sie ihn in ebendiesem Augenblick in den Fingern. Als die Reaktion der Polizisten langsam zu ihr durchdrang, ließ sie die Hand sinken. «Warum?»

Der Inspector schien abzuwägen, ob er es ihr sagen sollte oder nicht.

«Als wir ihn fanden, trug er nichts Derartiges.» Er zuckte die Achseln, als wolle er dieser Tatsache nicht zu viel Gewicht beimessen. «Es hat einen Kampf gegeben, daher könnte er das Medaillon möglicherweise verloren haben. Wir sind immer noch bei der Durchsuchung seines Büros. Es könnte da irgendwo liegen.»

Er ging schnell zum nächsten Thema über. «Wie lange kennen Sie einander?»

Kate musste nachdenken. «Es sind jetzt ... acht, neun Monate.» Die Zahlen bedeuteten ihr nichts.

«Könnten Sie uns sagen, wann Sie ihn das letzte Mal gesehen haben?»

«Gestern Morgen. Etwa ... etwa gegen Viertel vor acht.»

«Und wo war das?»

«In meiner Wohnung.»

Die Augenbrauen des Polizisten fuhren leicht in die Höhe. «Ein bisschen früh, oder?»

«Er war über Nacht bei mir.»

Die Missbilligung des Inspectors zeigte sich an seinen leicht geschürzten Lippen. «Habe ich recht verstanden, dass Sie allein leben?»

«Ja.»

«Und danach haben Sie ihn weder gesehen noch mit ihm gesprochen?»

Sie schüttelte den Kopf.

«Können Sie mir sagen, wo Sie gestern Abend waren?»

«Ich war zu Hause. Ich habe auf Alex gewartet. Er ... er wollte vorbeikommen.»

«Haben Sie während dieser Zeit sonst irgendjemanden getroffen?»

«Nein. Eine Freundin hat angerufen, aber das war alles.»

«Um welche Zeit war das?»

Kate versuchte, sich daran zu erinnern. In ihren Gedanken herrschte Chaos. «Ich weiß nicht ... Acht Uhr.»

«Und wie ist der Name Ihrer Freundin?»

Mit einem Anflug von Überraschung begriff Kate, dass er ihre Aussagen überprüfen wollte. Für sie spielte das keine Rolle. Sie nannte ihm Lucys Namen und Adresse.

Der Füller des Sergeants kratzte über den Notizblock.

«Was haben Sie gemacht, als Dr. Turner nicht kam?», fragte der Inspector.

Einen Augenblick lang fühlte sie sich orientierungslos, als ein Echo ihrer Furcht vom Vorabend sich mit der absurden Gegenwart überschnitt.

«Ich wusste nicht, was ich tun sollte. Ich habe versucht, die Zentrale anzurufen, aber da stimmte etwas mit dem Telefon nicht.»

Die Erkenntnis kam wie ein Schlag. Sie brach ab und sah die beiden Polizisten an.

«Als die Sprinkleranlage ansprang, sind alle Telefone ausgefallen», erklärte er. «Das war zwischen halb acht und acht, soweit wir das feststellen können.»

Da war er schon tot. Als ich anrief, lag er da, tot. Der Gedanke war zu ungeheuerlich, um ihn ganz erfassen zu können.

«Haben Sie sonst irgendetwas getan? Irgendjemanden angerufen?»

«Nachdem ich die Zentrale angerufen hatte, habe ich es bei ihm zu Hause versucht. Aber da ... da ging niemand an den Apparat.»

Das Gesicht des Inspectors verriet keine Regung. «Es konnte auch niemand an den Apparat gehen. Seine Frau war auf Besuch bei ihrer Mutter. Sonst hätten wir sicher früher erfahren, dass er vermisst wurde.»

Kate starrte ihn an.

«Seine Frau?»

Er warf ihr einen fragenden, ungläubigen Blick zu. «Dr. Turner ist verheiratet.»

Sie schüttelte den Kopf. «Nein ... nein, das ist er nicht.»

«Ich habe gerade mit seiner Frau gesprochen. Das kann

ich Ihnen versichern. Es tut mir leid, ich dachte, als seine Geliebte würden Sie das wissen.»

Eine Woge des Schwindels erfasste sie, und ihr wurde übel. *Geliebte.*

«Das ist unmöglich!» Der Protest kam ihr nur mühsam über die Lippen. «Ich hätte das gewusst! Ich habe mich seit – seit *Monaten* mit ihm getroffen! Er hat mir seine Privatnummer gegeben! Das hätte er niemals getan, wenn er verheiratet gewesen wäre!»

«Welche Nummer hat er Ihnen gegeben?»

Kate hatte alle Mühe, ihre Gedanken so weit zu sortieren, dass sie sich erinnern konnte. Der Sergeant schrieb ihre gestammelten Angaben auf. Dann blätterte er seine Notizen durch und sah den Inspector an.

«Andere Nummer, Sir. Das ist nicht sein Privatanschluss.»

Er vermied es, Kate anzusehen. Sie wandte sich wieder an den Inspector. In dessen Augen stand nun etwas, was Mitleid hätte sein können.

«Haben Sie ihn jemals zu Hause aufgesucht?», fragte er.

«Nein.» Es war ein Flüstern. «Er ... er sagte, er wohne in einem Apartment, bis er irgendwo eine Eigentumswohnung fände. Er erzählte mir, es sei eine Müllkippe und es wäre ihm peinlich, wenn ich es sehen würde.» Sie erinnerte sich an sein Widerstreben, daran, wie er immer darauf bestanden hatte, sie zuerst abzusetzen, wenn sie sich ein Taxi teilten. Es war ein körperlicher Schmerz in ihrer Brust.

Der Füller des Sergeants kratzte nun nicht länger übers Papier. Stattdessen herrschte beklommene Stille.

«Es tut mir leid», sagte der Inspector. «Ich weiß, das muss ein ziemlicher Schock für Sie sein.»

Kate antwortete nicht. Sie starrte auf die Oberfläche ihres Schreibtisches. Entdeckte einen Kratzer im Holz, der ihr bis dahin noch nie aufgefallen war.

Der Polizist hustete.

«Ich nehme nicht an, dass Dr. Turner Ihnen gegenüber erwähnt hat, mit wem er sich gestern Abend treffen wollte?», fragte er.

Es kostete sie Mühe, den Kopf zu schütteln. «Er redet nicht viel von seiner Arbeit.»

Oder von irgendetwas anderem.

«Es schien also nichts anders zu sein als sonst?»

Sie schüttelte abermals den Kopf.

Der Inspector holte ein zerdrücktes Taschentuch heraus und putzte sich die Nase. Das Taschentuch wanderte in seine Tasche zurück.

«Wissen Sie von irgendjemandem, der einen Groll gegen ihn hegen könnte?», fragte er. «Ich meine, gegen Dr. Turner?»

«Ich dachte, Sie suchten nach einem seiner Patienten?»

«Wir werden den Patienten – wer es auch gewesen sein mag – natürlich befragen, aber wir können auch andere Möglichkeiten nicht ausschließen.»

Kate wollte etwas sagen, hielt dann aber inne.

«Ja?», hakte der Inspector nach.

«Ich hatte … hm, einen Zusammenstoß mit einem Exfreund in einem Restaurant. Er hat Alex geschlagen. Aber ich glaube nicht …»

«Wann war das?»

«Ungefähr … ungefähr vor drei oder vier Wochen.» Es schien jetzt eine Ewigkeit her zu sein.

«Wie lautet sein Name, bitte?»

«Paul Sutherland. Hören Sie, ich möchte ihm keine Scherereien machen», fügte sie hinzu, als sie sah, dass der Sergeant sich den Namen notierte.

«Keine Sorge, wir werden das lediglich überprüfen. Können Sie uns sonst noch irgendetwas über ihn sagen?»

Kate erzählte ihm von dem Gerichtsfall. Als sie sprach, fühlte sie sich wieder seltsam entrückt, als befände sie sich allein in einer Luftblase. Als sie fertig war, entstand eine kurze Pause. Der Inspector rieb sich die Nase.

«Da wäre noch etwas», sagte er langsam. «Die Leiche ist bisher noch nicht offiziell identifiziert worden. Seine Frau ist nicht in der Verfassung, es zu tun, daher habe ich mich gefragt, ob Sie wohl so freundlich wären?»

Der Sergeant blickte von seinem Notizbuch auf. Er wirkte unglücklich. «Wir könnten natürlich auch jemand anders darum bitten, oder, Sir?»

Collins brachte ihn mit einem Blick zum Schweigen. «Könnten wir, aber da wir schon einmal hier sind, hätte ich gern, wenn Miss Powell es erledigen würde.» Er drehte sich wieder zu Kate um. «Natürlich nur, wenn Sie nichts dagegen haben.»

Eine unnatürliche Ruhe hatte von ihr Besitz ergriffen, als sie antwortete.

«In Ordnung.»

Das Leichenschauhaus war Teil eines in den siebziger Jahren errichteten Gebäudes aus Beton und Glas. Kate ging zwischen den beiden Polizisten die gekachelten Stufen in den Keller hinunter. Der Geruch hatte Ähnlichkeit mit dem eines Krankenhauses, war aber auf unterschwellige Weise unverwechselbar. Sie kamen zu einer Reihe von Plastikstühlen, die auf dem Flur standen. Kate blieb mit dem Sergeant dort, während der Inspector durch eine Tür in der Nähe verschwand.

Sie versuchte, sich auf den Namen des Sergeants zu besinnen, hatte aber keinen Erfolg. Sie konnte sehen, dass ihm nicht recht wohl in seiner Haut war, und verspürte ein schwaches Mitleid für ihn. Aber davon abgesehen, konnte nichts die Taubheit, die sie umfangen hielt, durchdringen.

Nur ein einziges Mal war ihr die Endgültigkeit von Alex' Tod real erschienen. Während der Autofahrt hatte sie im Fond des Wagens gesessen und aus dem Fenster geblickt, als die Erkenntnis sich wie ein Schrei ihrer bemächtigt hatte. *Alex ist tot.* Einen Augenblick lang erfasste sie der Taumel entsetzlichen Verlustes, wie ein Sturz in bodenlose Tiefen, aber dann hatte das Gefühl der Unwirklichkeit sie wieder eingeholt und sich betäubend zwischen sie und ihre Emotionen geschoben.

Sie war auch beinahe dankbar dafür.

Collins trat wieder heraus. Er sprach mit gedämpfter Stimme.

«Sind Sie so weit?»

Kate erhob sich. Sie schritt auf die Tür zu, die er für sie aufhielt. Sie konnte in den Raum dahinter sehen. Ihr gegenüber befand sich ein großes Fenster mit Blick in einen weiteren Raum.

Und plötzlich traf es sie. Wo sie war. Was sie tat.

Erst als sie gegen den Sergeant hinter ihr stieß, wurde ihr bewusst, dass sie rückwärtsgegangen war.

«Kommen Sie, meine Liebe.»

Er sprach leise und nahm ihren Arm. Ihre Beine waren wie Pudding, aber sie ließ sich trotzdem von ihm zum Fenster führen. Die letzten Schritte machte sie mit gesenktem Kopf. Ihre Füße schienen sehr weit von ihrem Körper entfernt zu sein.

«In Ordnung.»

Sie war sich nicht sicher, wer gesprochen hatte, aber sie blickte auf. Auf der anderen Seite des Glases befand sich ein Stahltisch. Darauf lag ein Körper, der von einem Laken bedeckt wurde.

Das ist Alex, dachte Kate. *Das ist er, das ist Alex.* Sie unterdrückte ein Stöhnen, das in ihrer Kehle aufsteigen wollte. Das Laken, das die Leiche verhüllte, regte sich nicht, wurde von keinem Atemzug bewegt. Eine Frau in einem weißen Kittel, die Kate bis dahin nicht bemerkt hatte, griff nach dem Kopfende des Lakens und schlug es zurück.

Kate sah hin.

Sein dunkles Haar war angesengt und glanzlos, mit Blut verklebt. Sie konnte nicht sehen, wo sein Schädel verletzt worden war. Das eine Auge war zugeschwollen, das Fleisch darum herum verfärbt, aber das andere stand halb offen, eine dünne Sichel, die zur Decke aufblickte, ohne etwas zu sehen.

Kate bemerkte, dass sie aufgehört hatte zu atmen. Das Blut pulsierte in ihren Schläfen. Sie holte tief Luft, zwang sich zu sprechen.

«Nein», sagte sie. «Das ist er nicht.»

Kapitel 13

Die Polizisten fuhren sie zu ihrer Wohnung. Sie baten Kate um eine Fotografie von Alex. Die einzige, die sie besaß, war die von ihrem Picknick in Cambridge, als der Japaner sie beide abgelichtet hatte. Alex hatte sie gerahmt und ihr das Erinnerungsstück ein paar Tage später gegeben; er war ein wenig nervös gewesen, hatte sich jedoch offensichtlich gefreut, ihr das Bild schenken zu können. Kate sah sich das Farbfoto noch einmal an, bevor sie es dem Inspector reichte. Sie und Alex standen Seite an Seite und lächelten verlegen in die Kamera. Hinter ihnen war der Fluss, und unter einer überhängenden Weide konnte man gerade eben noch eine Ecke des Kahns erkennen. Sie sahen sonnengebräunt und glücklich aus.

Kate beobachtete, wie Collins die Fotografie in seine Manteltasche schob. «Ich bekomme sie doch zurück, oder?»

«Sobald wir damit fertig sind.»

Und dann waren die Polizisten verschwunden. Sie hatten ihr angeboten, sie zurück ins Büro zu bringen, aber Kate hatte abgelehnt. Sie brauchte etwas Zeit für sich. Die anfängliche Erleichterung darüber, dass es sich bei der Leiche nicht um Alex handelte, war bald wieder ins Gegenteil umgeschlagen, und jetzt fühlte sie sich leer und ausgelaugt.

Sie rief Clive an, um ihm zu sagen, dass sie nicht mehr kommen würde. Er hatte nichts gesagt, als er sie mit der Polizei weggehen sah, aber ihr war die Besorgnis in seiner Miene aufgefallen. Dieselbe Besorgnis lag jetzt in seiner Stimme, als er fragte: «Ich weiß, es geht mich nichts an, aber ist alles in Ordnung?»

Sie wollte gerade eine höfliche Antwort formulieren, gab den Versuch dann jedoch auf.

«Nein, ist es nicht.»

«Gibt es irgendetwas, womit ich dir helfen könnte?»

«Vielen Dank, aber ich glaube nicht.»

Ein oder zwei Sekunden sagte er nichts weiter. «Lass mich wissen, wenn du darüber reden willst.»

Sie versprach es und legte auf. Eine Weile stand sie reglos im Flur. Es schien keinen Grund zu geben, ins Wohnzimmer oder in die Küche zu gehen. Schließlich entschied sie sich für die Küche, mit der vagen Vorstellung, sich etwas zu essen zu machen. Aus dem Wandschrank nahm sie wahllos eine Dose mit Suppe, ohne auf das Etikett zu achten. Erst als sie nach einem Topf suchte, wurde ihr klar, dass das Essen vom Vorabend noch auf dem Herd stand.

Kate starrte auf das kalte Gemüse, griff nach den Töpfen und kippte ihren Inhalt in die Spüle. Die Kartoffeln hatten sich im Wasser aufgelöst. Die breiige Masse bildete eine unappetitliche Gezeitenmarke auf dem rostfreien Stahl. Die dickeren Klumpen, die nicht durch den Abfluss passten, holte sie mit den Fingern heraus, um sie in den Mülleimer zu werfen. Dann drehte sie den Hahn auf und spülte das Becken aus. Ohne das Wasser abzustellen, zog Kate die Ofentür auf, holte den in Folie verpackten Lachs heraus und warf ihn ebenfalls in den Müll.

Das Wasser war mittlerweile heiß geworden. Kate

spritzte etwas Spülmittel auf die Töpfe und schrubbte sie, bis ihre Arme schmerzten. Als sie schließlich nass auf dem Abtropfbrett standen, sah sie sich nach etwas anderem um. Sie nahm die schweren Metallrahmen vom Gasherd ab und warf sie ins Spülwasser. Schließlich machte sie sich über den Herd her.

Ihre Verwirrung war wie ein dunkles Gewässer unter dünnem Eis. Nur indem sie ständig in Bewegung blieb, durfte sie hoffen, nicht einzubrechen, daher schrubbte und wienerte und polierte sie, ging von der Küche ins Badezimmer, nahm sich dann den Flur und schließlich das Wohnzimmer vor. Sie saugte gerade den Wohnzimmerteppich, als es an der Tür klingelte.

Das Geräusch übertönte schrill und blechern das Heulen des Staubsaugers. Kate erstarrte und schaltete ihn ab. Während das Gerät mit einem Wimmern verstummte, klingelte es abermals. Sie hastete in den Flur und die Treppe hinunter, aber als sie durch das Buntglas der Tür zwei Gestalten sah, fiel alle Hoffnung von ihr ab.

Sie öffnete die Haustür und sah sich der kräftigen Gestalt des Inspectors gegenüber. Diesmal hatte er eine uniformierte Polizistin bei sich.

«Es tut mir leid, dass ich Sie noch einmal belästigen muss, Miss Powell. Dürfen wir hineinkommen?»

Kate führte sie ins Wohnzimmer hinauf. Sie kletterten über den Staubsauger und nahmen Platz. Alle drei setzten sich auf die Kanten ihrer Sessel. Collins nannte Kate den Namen der Polizistin, aber sie behielt ihn nicht. Sie wollte nicht darüber nachdenken, warum er diesmal wohl einen weiblichen Beamten mitgebracht hatte.

Der Inspector ließ seine fleischigen Hände zwischen den Beinen baumeln. Sein Bauch drückte gegen die Knie.

«Es gibt neue Erkenntnisse», sagte er.

Kate konnte nicht länger warten. «Haben Sie ihn gefunden?»

Der Inspector zögerte kurz. «Nein. Nein, noch nicht. Aber nachdem Sie die Leiche nicht identifizieren konnten, haben wir einen von Dr. Turners Kollegen ins Leichenschauhaus gebracht. Wir dachten, es bestünde vielleicht die Chance, dass er in dem Toten einen Patienten erkennen würde.»

Bedächtig rieb er die Hände aneinander. Die Bewegung erzeugte ein leises, scharrendes Geräusch.

«Er hat ihn ohne jeden Zweifel als Alex Turner identifiziert.»

Kate sah ihn mit leerem Blick an. «Das ist unmöglich.»

Collins faltete seine Hände, als wolle er sie so davon abhalten, sich weiter aneinander zu reiben. «Er kennt Dr. Turner seit zehn Jahren. Er hatte nicht den geringsten Zweifel.»

«Es ist mir egal, wie lange er ihn gekannt hat. Das war nicht Alex! Um Himmels willen, glauben Sie, ich hätte ihn nicht erkannt, wenn er es gewesen wäre? Sie brauchen sich nur das Foto anzusehen, um zu wissen, dass der Tote nicht die geringste Ähnlichkeit mit Alex hatte!»

Der Inspector nahm das Foto aus seiner Jackentasche. «Wir haben Dr. Turners Kollegen das Foto gezeigt. Es tut mir leid, Ihnen sagen zu müssen, dass er den Mann darauf nicht erkannt hat.»

Kate spürte, wie um sie herum das dunkle Gewässer durchzusickern begann. «Er muss ihn erkannt haben!»

Collins fuhr fort, als hätte sie nichts gesagt. «Anschließend haben wir die Fotografie Turners Sekretärin gezeigt.» Er sah Kate mit bekümmerter Miene an.

«Sie hat ihn als einen von Dr. Turners Patienten identifiziert.»

Das Eis brach. Das Wasser schloss sich über ihr.

«Sein wirklicher Name ist Timothy Ellis», fuhr Collins fort. «Er ist schizophren. Er war seit zwei Jahren Turners Patient. Seit man ihn das letzte Mal freigelassen hat, scheint es.»

Als sei das ihr Stichwort gewesen, zog die Polizistin eine große Fotografie aus einer Akte und reichte sie Kate. Kate streckte automatisch die Hand aus und nahm das Bild entgegen. Es war eine in zwei Hälften geteilte Schwarzweißaufnahme, einmal von vorne fotografiert und einmal im Profil. Der Mann darauf war jünger, hatte kürzeres Haar, war aber trotzdem unverkennbar Alex.

«Er ist sechsundzwanzig Jahre alt und schon in seiner Kindheit durch Brandstiftungen auffällig geworden», fuhr Collins fort. «Was den Versuch, das Büro in Brand zu stecken, erklären würde. Wir haben noch keinen vollen Zugang zu seiner psychiatrischen Akte, aber wir wissen, dass er seit seinem zehnten Lebensjahr bei der Polizei als Brandstifter aktenkundig ist. Mit vierzehn hat man ihm, nachdem er seine Schule in Brand gesetzt hatte, eine psychiatrische Behandlung nahegelegt. Kann aber nicht viel genützt haben, denn etwa ein Jahr später hat er sein Elternhaus angezündet. Hat seine Eltern und seine beiden älteren Brüder getötet.»

«Nein!» Der Schrei entrang sich ihrer Kehle, ohne dass sie etwas dagegen tun konnte. «Nein, seine Eltern leben noch, sie wohnen in Cornwall! Das hat er mir erzählt!»

Collins sah sie beinahe bedauernd an. «Timothy Ellis' Eltern und Brüder starben beim Brand ihres Hauses, den er verursacht hat. Seither ist er in verschiedenen Institutionen gewesen. Vor zwei Jahren ist er wieder rausgekommen, und damals hat man ihm im Rahmen eines Resozialisierungsprogrammes einen Teilzeitjob in einer Druckerei vermittelt. Die letzten psychologischen Gutachten besagten, dass er sich positiv entwickle.»

Er zuckte resigniert die Achseln. «Die haben sich offensichtlich geirrt.»

Es war nicht genug Luft im Zimmer. «Nein!»

«Es tut mir leid, Miss Powell ...»

«Denken Sie denn, ich *kenne* ihn nicht?»

«Sie kennen Timothy Ellis. Alex Turner ist Ihnen nie begegnet.»

«Ich glaube Ihnen nicht!»

«Wir haben die Telefonnummer, die Sie uns genannt haben, überprüft. Sie ist im Telefonbuch unter Ellis' Namen eingetragen. Sie können selbst nachsehen, wenn Sie wollen. Er hat Ihnen nur deshalb erzählt, er stehe nicht im Telefonbuch, weil er nicht riskieren wollte, dass Sie die Telefonauskunft anrufen und die Nummer des wahren Alex Turner bekommen. Und der Grund, warum er Sie nicht in seiner Wohnung haben wollte, war der, dass sein ‹Apartment› in Wirklichkeit ein schmutziges möbliertes Zimmer ist. Sie hätten sofort gewusst, dass kein Akademiker mit einem vernünftigen Einkommen dort leben würde. Sein Zimmer ist nur zehn Gehminuten von der Druckerei entfernt, wo er gearbeitet hat, daher war es für ihn wohl sehr bequem so.»

Kate schüttelte den Kopf, wollte es einfach nicht glauben. Aber die Worte des Polizisten hatten in ihren Gedanken eine Kettenreaktion ausgelöst, die sie nicht aufhalten konnte. Die Erinnerung an den schwarzen Flecken auf Ellis' Jeans stieg mit erschreckender Klarheit in ihr auf. Keine Farbe. Tinte. Druckerschwärze. Sie wollte nichts mehr hören, aber Collins war erbarmungslos.

«Alex Turner ist tot, Miss Powell. Sie haben heute Morgen im Leichenschauhaus seine Leiche gesehen, und es scheint zunehmend wahrscheinlich, dass Timothy Ellis ihn getötet hat. Wir wissen jetzt, dass Ellis der Patient war, wegen dem Dr. Turner Überstunden gemacht hat. Er hat seiner Sekretärin davon erzählt, und obwohl er ihr nicht sagte, worum es ging, können wir wohl davon ausgehen, dass es etwas mit Ihrem Fax zu tun hatte. Wir haben bereits mit Ellis' Chef in der Druckerei gesprochen. Er hat uns gesagt, dass es gestern Nachmittag einen Anruf für Ellis gegeben hätte und dass er danach launisch und erregt schien. Ich denke, dieser Anruf kam von Dr. Turner, und er hat Ellis mitgeteilt, dass er ihn sprechen will. Jetzt ist einer von den beiden tot und der andere verschwunden, und wir müssen herausfinden, was zwischen ihnen vorgefallen ist und warum. Und ich glaube, Sie können uns dabei helfen.»

Sie erstickte. «Sie glauben, es ist meine Schuld?»

«Nein, das glaube ich ganz und gar nicht. Aber Ellis scheint sich allergrößte Mühe gegeben zu haben, Sie glauben zu machen, er sei Alex Turner, und die gestrigen Vorfälle scheinen durch Ihr Fax ausgelöst worden zu sein. Um die Zusammenhänge zu verstehen, müssen wir mehr über Ihre Beziehung zu Timothy Ellis in Erfahrung bringen.»

Kate zitterte. Sie legte sich die Arme um den Leib. Collins und die Polizistin hatten einander anscheinend ein Zeichen gegeben, denn die Frau stand plötzlich auf.

«Hätten Sie gern eine Tasse Tee?», fragte sie. Kate schüttelte den Kopf.

«Ich kann gern welchen kochen. Es macht keine Mühe.»

«Ich will keine Tasse Tee, verdammt nochmal!»

Die Gesichtszüge der Polizistin verhärteten sich. Sie setzte sich wieder.

Collins stieß einen schweren Seufzer aus.

«Hören Sie, Miss Powell, ich weiß, das ist nicht leicht für Sie, aber bitte vergessen Sie nicht, dass, während wir hier sitzen und reden, Alex Turner im Leichenschauhaus aufgebahrt liegt und seine Witwe sich mit der Tatsache abfinden muss, dass das Baby in ihrem Bauch ohne Vater zur Welt kommen wird, und all das, weil ein Mann, dem er helfen wollte, ihm den Kopf eingeschlagen hat. Sie haben zwar mein Mitgefühl, aber mein wichtigstes Anliegen besteht im Augenblick darin, Timothy Ellis zu finden, bevor er noch mehr Menschenleben zerstört. Dafür haben Sie doch sicher Verständnis.»

Er sagte das in einem angestrengt geduldigen Ton, der seine Müdigkeit verriet, aber Kate spürte ihr Gesicht erröten, als ob er sie zurechtgewiesen hätte.

«Seine Frau ist schwanger?»

«Im achten Monat», sagte Collins. «Das ist der Grund, warum ich sie nicht bitten konnte, die Leiche zu identifizieren.»

Die letzten Überreste von Kates Widerstand schwanden dahin. «Das wusste ich nicht.»

«Es gibt auch keinen Grund, warum Sie es hätten wissen sollen. Ich habe gestern keinen Sinn darin gesehen, es Ihnen zu erzählen. Aber ich dachte, es würde jetzt vielleicht helfen, die Dinge ins rechte Licht zu rücken.»

Sie nickte und hatte abermals das Gefühl, getadelt worden zu sein. «Es tut mir leid.»

«Sie brauchen sich nicht zu entschuldigen», sagte Collins. «Aber ich glaube, es wird Zeit, dass Sie uns ein bisschen mehr über dieses Fax erzählen. Und welche Bedeutung es für Ellis hatte.»

Ein letztes Widerstreben stieg in ihr auf, eine Art Abwehr dagegen, dass diese Polizisten die Ersten sein sollten, die es erfuhren. Aber dann war das Gefühl verflogen. «Ich hatte gerade erfahren, dass ich schwanger bin.»

Die Worte fielen in die Stille des Raums. Nach einem Augenblick drehte Collins sich zu der Polizistin um. «Ich glaube, dass wir diesen Tee jetzt vielleicht doch vertragen könnten.»

«Also. Was wirst du nun machen?»

Lucy saß mit untergeschlagenen Beinen auf dem Sofa und lehnte sich an Jack. Die Kinder waren im Bett, und sie saßen zu dritt in dem verdunkelten Wohnzimmer ganz dicht beim Feuer. Es zischte und prasselte hinter dem Schutzgitter. Kate starrte in die Flammen, die ihre gelben Arme in den Kamin hinaufstreckten, und dachte an Lügen und Brandstiftung.

«Keine Ahnung.»

Eine Flasche Whisky stand zwischen ihnen. Kate hielt ein Glas in beiden Händen. Sie hatte noch keinen Schluck getrunken.

«Aber die Polizei ist sich sicher?», fragte Lucy. «Ich meine, es scheint so ... so ...» Sie senkte den Kopf und sprach nicht weiter.

«Sie sagen, jeder Zweifel sei ausgeschlossen.»

«Aber wie können sie sich sicher sein, dass er ihn getötet hat? Ich meine, den Psychologen? Nach allem, was sie wissen, könnte es – ich weiß nicht – ein Einbrecher gewesen sein oder sonst irgendjemand. Es muss nicht zwangsläufig Alex gewesen sein.»

«Ellis», sagte Kate, ohne den Blick von den Flammen abzuwenden. «Sein Name ist Timothy Ellis.»

Lucy erwiderte nichts darauf. Jack saß neben ihr und blickte mit grimmigem Gesicht auf seinen Schoß.

«Kein Wunder, dass er so jung aussah», meinte Lucy nach einer Weile. «Sechsundzwanzig! Ich meine, was ich einfach nicht fasse, ist die Frechheit, die der Kerl aufgebracht hat!»

«Ich glaube, dass ‹Frechheit› nichts damit zu tun hat», bemerkte Jack.

«Nein, ich weiß, aber ... Na ja, er schien mir einfach so *nett.*» Lucy schüttelte den Kopf. «Aber wenn man jetzt so zurückblickt, sieht man natürlich, dass da einiges nicht gestimmt hat, oder? Ich fand ihn immer etwas scheu für einen Psychologen. Und wenn man darüber nachdenkt, war es auch ziemlich merkwürdig, dass er dir nie seine Wohnung gezeigt hat.»

Kate hätte sie am liebsten angeschrien, dass sie den Mund halten sollte.

«Wenigstens hat er sich nicht auf deine Kosten bereichern können», fuhr Lucy ohne Rücksicht fort. «Ich wette, er war stocksauer, als er gemerkt hat, dass er deine Schecks nicht einlösen kann. Da fragt man sich schon, wie er sich all diese Fahrten nach Birmingham und den ganzen Rest leisten konnte, was? Ich meine, für eine Teilzeitarbeit bei einem Drucker bekommt man doch sicher nicht viel, oder?»

Diese Überlegung war in Kates Augen jetzt völlig irrelevant. Sie musste sich zu einer Antwort zwingen. «Die Polizei hat in seinem Zimmer ein Pappschild mit der Aufschrift ‹Birmingham› gefunden. Sie glauben, er ist getrampt.»

Lucy quittierte diese Information mit einem neuerlichen Kopfschütteln. «Tja, dafür, dass er angeblich geisteskrank ist, hat er sich die Sache wunderbar ausgedacht, das muss man ihm lassen.» Sie sah Kate an. «Aber was wirst du jetzt tun?»

«Lucy, Herrgott, ich weiß es nicht. Ich kann im Augenblick ja nicht einmal klar denken. Ich fühle mich nur ...» Die Anstrengung, ihre Enttäuschung in Worte zu fassen, war zu viel für sie.

«Ich weiß, aber du musst früher oder später eine Entscheidung treffen», beharrte Lucy. «Wegen des Babys, meine ich.»

«Lucy ...», warnte Jack.

«Na ja, ich habe doch recht.»

«Was denn für eine Entscheidung wegen des Babys?», fragte Kate.

«Ob du es behalten willst oder nicht.»

Das Knistern des Feuers wurde lauter und vermischte sich mit dem Rauschen des Blutes in ihren Ohren. Das Zimmer neigte sich, als wäre der Fußboden nicht mehr stabil. Kate stellte ihr Glas auf den Couchtisch und umfasste mit beiden Händen die Sessellehnen, ihr wurde mit einem Mal speiübel. Die Stimmen von Lucy und Jack prasselten unaufhörlich weiter auf sie ein.

«Um Himmels willen, Lucy!»

«Na ja, sie muss doch den Tatsachen ins Auge sehen!»

«Mein Gott, lass sie doch erst mal zu Atem kommen! Sie hatte wahrhaftig genug Schocks für einen einzigen Tag!»

Plötzlich registrierte Kate, dass Jack vor ihr kniete und ihr das Whiskyglas an die Lippen hielt. Sie konnte den Alkohol riechen, und einen Augenblick lang stieg die Woge der Übelkeit noch höher. Dann ebbte sie wieder ab. Kate schob das Glas weg, ohne zu trinken.

Jack stellte es wieder auf den Couchtisch und kehrte zu seinem Platz zurück. «Alles in Ordnung mit dir?»

Kate nickte. Aber das war eine Lüge. Sie fühlte sich schwach, als erhole sie sich mühsam von einer Krankheit.

«Hör mal, warum gehst du nicht morgen zu einem Arzt?», fragte Lucy.

«Ich will keine Tranquilizer.»

«Das meinte ich auch nicht. Ich dachte nur, du solltest vielleicht mal mit jemandem reden. Dir den Rat eines Experten holen.»

«Weswegen?»

Kate sah, dass Jack seiner Frau einen ungläubigen Blick zuwarf. Lucy ignorierte ihn.

«Du weißt, weswegen. Es tut mir leid, Kate, aber ich glaube, du musst akzeptieren, dass der Gedanke an eine Abtreibung eine ernsthafte Überlegung wert ist.»

«Verflucht nochmal! Jetzt lass sie endlich in Ruhe, Lucy!», brauste Jack auf.

«Nein, das tue ich nicht! Ich bin genauso für den Schutz des ungeborenen Lebens wie jeder andere auch, aber es muss Ausnahmen geben! Und machen wir uns doch nichts vor, ein Kind von einem geisteskranken Mörder ist ein solcher Fall!»

Die Worte trafen Kate wie ein Schlag. Lucy ließ nicht locker.

«Du musst den Tatsachen ins Auge sehen, Kate. Ich gebe zu, ich mochte ihn auch, aber der Mann ist ein Wahnsinniger. Abgesehen von allem anderen hat er dich unter Vorspiegelung falscher Tatsachen geschwängert. Es gibt Notfalltermine für Vergewaltigungsopfer, und ich sehe nicht, dass die Dinge in deinem Fall sehr viel anders liegen sollten. Aber je länger du es hinauszögerst, umso schlimmer wird es sein. Je eher du ...»

«Bitte, Lucy ...» Kate schloss die Augen. «Lass ... Gib mir ... bitte.»

«Ich weiß, aber –»

«Hör auf, Lucy.» Jacks Stimme hatte einen resoluten Klang, und er legte seiner Frau entschlossen eine Hand auf die Schulter. Lucy zögerte kurz und lehnte sich dann zurück.

«Na gut.» Mit einem Seufzer warf sie die Arme hoch. «Na gut.»

Hinter dem Kamingitter loderte das Kohlenfeuer gleichgültig auf. Mit geballten Fäusten starrte Kate in das Herz der Flammen.

Als sie nach Hause kam, blinkte das Lämpchen an ihrem Anrufbeantworter. Sie stellte sich davor, blickte auf den beharrlichen Puls hinab, streckte dann schnell die Hand aus und drückte den Abspielknopf. Aus dem Lautsprecher kam nur knisternde Statik. Sie dachte, sie hätte vielleicht ein leises Atmen gehört, bevor die Verbindung mit einem endgültigen Klicken abgebrochen wurde, aber sie war sich nicht sicher.

Der Apparat hatte noch eine weitere Nachricht aufgezeichnet, ein Angebot einer Firma, die Fenster mit Doppelverglasung feilbot, dann wurde das Band surrend zurückgespult. Als es mit einem Klicken wieder in Aufnahmebereitschaft ging, begab Kate sich ins Badezimmer, zog sich aus und duschte. Es war ihre dritte Dusche an diesem Tag. Sie stand unter dem Strom des heißen Wassers, bis der Boiler leer war und das Wasser kalt wurde. Als sie aus der Duschkabine stieg, bemerkte sie, dass sie kein sauberes Handtuch griffbereit hatte, und ging mit nackten Füßen ins Schlafzimmer. Dort zog sie ein Handtuch aus der Schublade, wodurch ein anderer Gegenstand plötzlich sichtbar wurde. Sie betrachtete ihn mit leerem Blick, bevor sie plötzlich erkannte, worum es sich handelte.

Der Kinderhandschuh hob sich erschreckend rot gegen die weißen Handtücher ab. Sein Anblick versetzte ihr einen Stich. Kate hatte ihn vollkommen vergessen, und sein plötzliches Auftauchen erschien ihr wie ein Hohn. Sie riss ihn an sich, brachte ihn in die Küche und warf ihn in den Mülleimer.

Kapitel 14

Der rothaarige Bibliothekar erinnerte sich an Kate. Seine windgeröteten Wangen schienen einen noch tieferen Farbton anzunehmen, sobald er sie sah. Ein andermal hätte sie sich geschmeichelt gefühlt, aber heute registrierte sie es kaum.

«Es war vor einigen Monaten», sagte sie. «Sie haben mir mit etwas geholfen, das ...»

«Sagen Sie's nicht ...» Er schnippte mit den Fingern. «Eine PsychLIT-Suche, nicht wahr?»

«Sie sagten, ich könnte Fotokopien von den Artikeln bekommen. Wäre das immer noch möglich?»

Er nickte, freute sich offenbar, ihr helfen zu können. «Sie müssen eine Gebühr zahlen, aber wenn wir die betreffenden Zeitschriften im Archiv haben, ist das kein Problem.»

Er führte sie zu einem unbenutzten Monitorbildschirm. Sie gab ihm abermals Alex Turners Namen, und er lud die CD-ROM-Dateien.

«Welche wollen Sie sehen?», fragte der Bibliothekar.

«Alle bitte.»

Der Bibliothekar machte einen Ausdruck und bat Kate zu warten. Sie setzte sich an einen Tisch in der Nähe der Computerterminals. In ihrer Nähe saßen Studenten und ein oder zwei ältere Leute, alle mehr oder weniger in die Texte auf ihren Bildschirmen versunken. Es dauerte recht lange, bis der Bibliothekar mit einem Stapel Fotokopien in der Hand zurückkehrte.

«Sie werden eine Weile brauchen, um sich da durchzuackern», sagte er fröhlich. «Ein oder zwei davon sind in unbekannten amerikanischen Zeitschriften erschienen, die wir nicht archivieren, aber die meisten hatten wir.»

Kate wartete, bis er sich entfernt hatte, bevor sie die fotokopierten Artikel durchblätterte. Sie hatte gesagt, sie wolle alle haben, aber im Grunde interessierte sie sich nur für einen. Sie fand ihn in der Mitte des Stapels.

«Die Kinder des Prometheus: Fallstudien über Pyromanen.»

Das war der letzte Eintrag, den sie sich vor Monaten angesehen hatte, als sie Alex Turners Referenzen überprüfte. Damals hatte sie nur einen flüchtigen Blick darauf geworfen, aber der Titel war offensichtlich hängengeblieben. Jedenfalls die Tatsache, dass es dabei um Pyromanie ging. Sie wusste nicht, was sie dem Artikel zu entnehmen hoffte, wenn er ihr überhaupt etwas sagen würde. Aber Pyromanie war eine zwanghafte Hinwendung zum Feuer. Und Inspector Collins hatte Timothy Ellis einen Brandstifter genannt.

Kate begann zu lesen. Der Text war ziemlich zäh, und sie überflog zahlreiche Absätze, bis sie zu den für sie relevanten Stellen kam. Der Artikel definierte Pyromanie als «Fehlregulierung der Impulskontrolle», als unwiderstehlichen Impuls, Feuer zu legen, und als Faszination, sie brennen zu sehen. Die meisten Brandstifter, so der Artikel weiter, entstammten schwierigen sozialen Verhältnissen und litten unter dem Gefühl persönlicher Unzulänglichkeit. Es folgten vier Fallstudien.

Kate übersprang die ersten beiden nach einem kurzen Blick, aber die nächste erregte sofort ihre Aufmerksamkeit. Es wurden keine Namen genannt, der junge Mann, um des es ging, wurde lediglich als «C» bezeichnet. Er kam aus einer Familie der Mittelklasse, die Familienverhältnisse wurden als dysfunktional und gewalttätig beschrieben.

... Als Jüngster und damit Rangniederster in der Familienhierarchie war C oft das Opfer von Quälereien seitens seiner Brüder. Als C fünf Jahre alt war, hielt ihm einer seiner Brüder die Finger in eine Gasflamme. Das stimmt mit der Beobachtung von Jackson (1994) überein, dass einige Brandstifter irgendwann selbst Opfer von Verbrennungen waren. Zwar lässt sich nicht sagen, ob diese Erfahrung die direkte Ursache für C.s spätere Besessenheit vom Feuer war, aber auf jeden Fall führte das Trauma zu einer sprachlichen Behinderung in der Form schweren Stotterns, was seine Isolation und sein Gefühl persönlicher Unzulänglichkeit verstärkte.

Kate las den Abschnitt noch einmal. Dann rieb sie sich die Augen und fuhr fort.

... C kam zum ersten Mal mit der Polizei in Berührung, als er im Alter von zehn Jahren in einem Park seiner Nachbarschaft einen Schuppen niederbrannte, was die Anordnung einer psychologischen Untersuchung zur Folge hatte. Es folgte eine Phase relativer Stabilität, die mit C.s Aufenthalt bei der Großmutter väterlicherseits zusammenfiel – sein Vater saß in dieser Zeit eine Haftstrafe wegen Betrugs ab.
Nach seiner Rückkehr ins Elternhaus nahm er die Brand-

stiftungen jedoch wieder auf. Mit vierzehn zündete er ein Nebengebäude der Schule an und wurde daraufhin in psychiatrische Behandlung überstellt. Obwohl in deren Verlauf Symptome einer Schizophrenie festgestellt wurden, wurde C.s Pyromanie in erster Linie als pathologisches Problem angesehen, das aus dem unbewussten Verlangen erwächst, sich selbst von negativen Emotionen zu reinigen. Das resultierte häufig im Anstecken von Objekten, die für ihn mit solchen negativen Emotionen verknüpft waren (im Nebengebäude der Schule beispielsweise war er einige Tage zuvor von einer Gruppe Mitschüler verprügelt worden). C.s darauffolgende Schuldgefühle führten allerdings dazu, dass er sich noch mehr in sich selbst zurückzog, und dies wiederum zu einem weiteren Drang, Feuer zu legen.

Im Anschluss wurde erläutert, dass C.s Schizophrenie anscheinend gut auf Psychopharmaka ansprach und dass die Pyromanie eine Zeitlang unter Kontrolle schien. Dann kam Kate zu einer Passage, die ihr den Atem stocken ließ.

... Das Schlüsselerlebnis in C.s Krankengeschichte ist vermutlich der Tod seiner Großmutter. Sie starb, als er fünfzehn Jahre alt war, und zwar kurz nachdem sie eine Auseinandersetzung mit C.s Eltern über seine Versorgung geführt hatte. Am Abend der Beerdigung seiner Großmutter legte C Feuer im Haus seiner Eltern. Seine Eltern und seine Brüder kamen in den Flammen ums Leben. Noch heute scheint sich C über die Absichten, die er mit der Brandstiftung verfolgte, nicht im Klaren zu sein. Es ist nicht auszuschließen, dass er das Feuer legte, ohne über die Folgen dieser Tat überhaupt nachgedacht zu haben. Wie immer wurde C nach der Tat von Schuldgefühlen geplagt, also übergoss er sich vor dem brennenden Haus mit Benzin. Nur das schnelle Eingreifen des Rettungsdienstes verhinderte, dass er sich selbst verbrannte.

Kate wurde übel. Sie hielt inne und atmete tief durch. Schließlich zwang sie sich, den Artikel zu Ende zu lesen. Auf der Grundlage des «Mental Health Act» war C eingewiesen und in ein geschlossenes Therapiezentrum für Jugendliche überführt worden. Er hatte unter anderem eine Sprechtherapie gegen das Stottern erhalten, und nach acht Jahren war er in die Obhut eines psychiatrischen Sozialarbeiters und eines klinischen Psychologen entlassen worden. Die letzten Zeilen hinterließen einen bitteren, metallischen Geschmack in Kates Mund: «C hat sich in das normale soziale Leben wieder gut eingegliedert. Bis heute hat es keinen Rückfall mehr gegeben, was die Brandstiftungen betrifft. C ist sich seiner psychischen Probleme und der daraus erwachsenden Gefährdungen für sich und andere inzwischen bewusst und zeigt hohe Bereitschaft, diese zu überwinden. Es besteht durchaus die Möglichkeit, dass er dies erreichen kann.»

Kate wurde schwarz vor Augen. Sie verspürte eine prickelnde Benommenheit und hielt sich an der Tischkante fest, bis der Schwächeanfall vorüberging. Als sie sich halbwegs erholt hatte, legte sie die Fotokopien zusammen und stopfte sie in ihre Handtasche. Ihre Bewegungen waren ungeschickt, und mehrere Blätter fielen zu Boden. Sie bückte sich, um sie wieder aufzuheben, und erstarrte plötzlich.

Der Mann, den sie im Leichenschauhaus hatte liegen sehen, starrte ihr von einem der Artikel entgegen. Das Foto hatte Passgröße, eine Schwarzweißaufnahme, und das

Gesicht lächelte lebendig, nicht durch den Tod entstellt und verzerrt. Aber es handelte sich unverkennbar um denselben Mann. Sein Name stand in Druckbuchstaben darunter.

Dr. Alex Turner.

Kate schaffte es gerade noch bis zur Toilette, ehe sie sich übergab.

Die Arzthelferin versuchte, sie mit einem Termin später in der Woche zu vertrösten. Aber schließlich gab sie nach und erklärte Kate widerstrebend, dass sie auch an diesem Abend noch einen Arzt sprechen könne, wenn sie bereit war zu warten. Kate saß auf einem der harten Plastikstühle im Wartezimmer und mied jeden Blickkontakt mit anderen Patienten. Ein älterer Mann, der ein Bein steif von sich gestreckt hielt, saß ihr schnaufend gegenüber. Neben ihm brütete ein Teenager in stiller Versunkenheit über einer Frauenzeitschrift. Einige Stühle weiter las eine junge Mutter einem blass aussehenden Kleinkind auf ihrem Schoß leise etwas vor.

Kate nahm sich schließlich ebenfalls eine Zeitschrift vom Tisch in der Mitte des Raumes, aber die Worte und Bilder ergaben keinen Sinn. Als sie auf einen Artikel über Fehlgeburten stieß, legte sie die Zeitschrift wieder auf den Tisch.

Das Licht der Leuchtstoffröhren ließ alles fad und leblos erscheinen. Das Wartezimmer war bedrückend in seinem Schweigen, sodass das leiseste Geräusch vielfach verstärkt klang. Die Stimme der jungen Mutter murmelte in einem ohrenbetäubenden Flüstern. Das Husten des alten Mannes dröhnte aus den Tiefen seiner Brust, und die Zeitschrift des Teenagers raschelte bei jedem Umblättern überlaut. Kate starrte auf den Scheitel der vornübergebeugten Arzthelferin hinter der Glastrennwand und versuchte an nichts zu denken.

Einer nach dem anderen wurden die Patienten ins Sprechzimmer gerufen, bis sie als Letzte übrig blieb. Der alte Mann kam heraus und ging steifbeinig zur Tür. Als sie sich quietschend hinter ihm schloss, war Kate wieder allein.

«Kate Powell.»

Sie stand auf und trat an die Theke der Helferin, die Kate ihre Akte unter dem Glas hindurch zuschob.

«Raum 3.»

Kate ging durch den Flur und klopfte an die Tür. Von drinnen antwortete undeutlich eine Männerstimme. Sie konnte sie nicht verstehen, ging aber trotzdem hinein.

Der Arzt hatte sie nie zuvor behandelt. Er war schon älter, klein, mit grauem Haar und Goldrandkneifer. Ohne von dem Formular aufzusehen, das er ausfüllte, streckte er die Hand nach ihrer Krankenakte aus. Kate setzte sich hin und wartete.

Schließlich seufzte er leise und blickte auf. «Was kann ich für Sie tun?»

Kate hatte genau einstudiert, was sie sagen wollte. Jetzt war alles wie weggewischt.

«Ich will eine Abtreibung», stieß sie hervor.

Der Arzt sah sie einen Augenblick lang über den Rand seiner Brille hinweg an. Er nahm ihre Unterlagen aus dem Umschlag und las die jüngeren Einträge, ohne ihr eine Antwort zu geben.

«Sie sind noch keine fünf Wochen schwanger. Stimmt das?»

Kate nickte. Der Arzt schürzte die Lippen und blätterte ohne Eile ihre Unterlagen durch. Sie wartete; ihre Hände lagen zu Fäusten geballt und weiß auf ihrem Schoß. Als der

Arzt nichts von Interesse in ihren Papieren fand, wandte er sich wieder zu ihr um.

«Warum wollen Sie eine Abtreibung?»

Sie erklärte es ihm. Er hörte zu, ohne sie zu unterbrechen. Die Beine übereinandergeschlagen, hatte er den Blick auf einen Notizblock auf seinem Schreibtisch geheftet, auf dem er sich gelegentlich Notizen machte. Kate versuchte zu verhindern, dass ihre Stimme bebte, aber als sie fertig war, zitterte sie am ganzen Körper. Sie hatte gehofft, dass es eine befreiende Wirkung haben würde, wenn sie ihre Geschichte jemandem von Anfang bis Ende erzählte. Aber es half nicht.

Der Arzt machte sich noch ein oder zwei Notizen.

«Und was sagt die Klinik, die die künstliche Befruchtung durchgeführt hat, zu dieser Sache? Ich nehme an, Sie haben sie verständigt?»

«Sie ... Sie sagen, sie hätten nichts damit zu tun. Als ich nach einem Schwangerschaftsabbruch fragte, sagten sie, ich solle mich an meinen eigenen Arzt wenden.»

Dr. Janson war entsetzt gewesen, als Kate sie angerufen hatte, und wenn sie sich auch größte Mühe gegeben hatte, nicht mitleidlos zu klingen, so war es doch offensichtlich ihre Hauptsorge gewesen, die Klinik von jeder Verantwortung freizusprechen. Kate ganz allein habe den Spender ausgesucht, bemerkte sie hastig und überschlug sich beinahe in dem Bestreben, die Klinik vor jedem Hauch eines Skandals zu bewahren. Aber Kate hatte niemanden gebraucht, der ihr sagte, bei wem die Schuld lag.

Als der Arzt seinen Stift zur Seite legte und Kate ansah, verriet seine Miene nichts von seinen Gefühlen.

«Was Sie im Grunde sagen wollen, ist doch, dass Sie, nachdem Sie größte Mühe auf sich genommen haben, schwanger zu werden, jetzt Ihre Meinung geändert haben.»

Seine Nüchternheit raubte Kate den Atem.

«Nein!», rief sie. «Nein, so einfach ist das nicht!»

Der Arzt nahm die Brille ab und ließ sie an der Kordel um seinen Hals baumeln.

«Aber genau das ist es doch im Grunde, was Sie sagen, oder etwa nicht?» Er nahm ein Papiertaschentuch aus der Tasche und begann, den Kneifer zu putzen. «Ich habe durchaus Verständnis für Ihre Lage. Mir ist schon klar, dass das ein sehr traumatisches Erlebnis für Sie gewesen sein muss. Aber die Frage, die wir uns stellen müssen, ist, warum genau Sie Ihre Schwangerschaft abbrechen wollen.»

Kate starrte ihn an. Sie konnte einfach nicht glauben, dass er das ernst meinte. «Liegt das nicht auf der Hand?»

Er seufzte und betrachtete die Brillengläser noch einmal, bevor er die Brille wieder von der Kordel baumeln ließ. «Es liegt auf der Hand, dass Sie sehr erregt sind, was verständlich ist. Ich versuche bloß festzustellen, ob Sie überhaupt kein Baby mehr wollen. Oder ob Sie nur dieses besondere nicht mehr wollen.»

Kate öffnete den Mund, um zu antworten, schloss ihn dann aber wieder. Der Arzt fuhr fort.

«Es ist nur natürlich, wenn Sie verwirrt und verängstigt sind. Und wütend, nehme ich an. Man hat Sie belogen und betrogen, und Sie haben auf die schlimmste nur denkbare Art und Weise herausgefunden, dass der Mann, den Sie zum Vater Ihres Babys haben wollten, nicht der ist, für den er sich ausgegeben hat. Aber vielleicht sollten Sie eine psychologische Beratung in Anspruch nehmen, die Ihnen hilft, mit diesen Gefühlen fertig zu werden, statt eine übereilte Abtreibung vornehmen zu lassen.»

«Ich will keine Beratung!» Die Verwirrung, deren sie Herr geworden zu sein glaubte, trat wieder an die Oberfläche. Sie schüttelte den Kopf. «Ich kann diese Schwangerschaft unmöglich fortsetzen!»

«Warum nicht?»

«*Warum nicht?* Weil er geisteskrank ist!»

«Ist das der einzige Grund?»

«*Reicht* das denn nicht? Alles, was er mir von sich erzählt hat, war eine Lüge. Er – er hat seine eigene Familie umgebracht! Und gerade eben erst noch einen *anderen* Menschen, Herrgott nochmal!»

«Er hat das getan. Nicht das Baby.» Der Arzt sah sie gelassen an. «Das Kind, das Sie im Leib tragen, hat nichts getan, es ist lediglich empfangen worden. Ist es fair, ihm die Schuld für etwas zu geben, das sein Vater verbrochen hat?»

Wieder fand Kate keine Antwort. Sie hatte keine Gegenargumente erwartet, und die Fragen, die der Arzt aufbrachte, durchdrangen ihre Entschlossenheit wie Dornen.

«Wie kann ich dieses Baby jetzt noch bekommen?» Ihre Stimme klang gequält. «Woher soll ich wissen, dass es nicht so sein wird wie er?»

Der Arzt massierte sich müde den Nasenrücken. «Wenn jede Familie, unter deren Vorfahren es Geisteskrankheiten gegeben hat, sie an ihre Kinder weitergeben würde, wären wir früher oder später alle betroffen.» Er seufzte. «Ja, Schizophrenie kann manchmal in der Familie liegen, aber man kann sie nicht mit der Augenfarbe vergleichen. Sie wird nicht direkt weitergegeben. Ich glaube, ungefähr ein Kind von zehn könnte, *könnte*», betonte er, «diese Erkrankung entwickeln, wenn eines der Elternteile schizophren ist. Was eine neunzigprozentige Chance lässt, dass dieser Fall nicht eintritt. Was die Brandstiftung betrifft ...» Er zuckte die Achseln. «Ich bin kein Experte in Sachen Psychologie, aber ich bezweifle doch stark, dass sich so etwas vererbt. Ich denke, zwanghaftes Verhalten jeder Art ist eher eine Frage der Umwelt und der Erziehung als des Erbes.»

«Sie wollen mir damit also sagen, dass Sie sich einer Abtreibung in den Weg stellen», entgegnete Kate kalt. Sie war kurz davor, das Sprechzimmer zu verlassen.

«Nein, ich will nur sagen, dass es sich um eine gewichtige Entscheidung handelt, und bevor ich Ihnen eine Überweisung für einen Schwangerschaftsabbruch ausstelle, muss ich mich davon überzeugen, dass Sie es nicht aus den falschen Gründen tun. Ich möchte nicht, dass Sie später etwas zu bereuen haben.»

Sie erinnerte sich daran, dass Lucy einst genau dieselben Worte gewählt hatte, damals, als sie erstmals an einen Spender gedacht hatte. Es war keine angenehme Erinnerung, und sie antwortete nicht. Der Arzt beobachtete sie.

«Niemand würde bestreiten, dass Sie sich in einer furchtbaren Situation befinden», sagte er, als offensichtlich war, dass sie nicht antworten würde. «Dieser Mann ist offensichtlich ein schwer gestörtes Individuum, und Sie sind zweifellos das Opfer einer gewissen Art von Missbrauch geworden. Was ein Grund mehr ist, warum Sie eine Beratung in Erwägung ziehen sollten. Zumindest möchte ich Ihnen vorschlagen, eine Weile zu warten, bevor Sie in Bezug auf Ihre Schwangerschaft irgendeine Entscheidung treffen.»

«Ich möchte nicht warten.» Das Verlangen, das Geschehene ungeschehen zu machen, schrie in ihr auf. Alles andere trat weit in den Hintergrund.

Der Arzt seufzte. «Es ist Ihre Entscheidung, aber wenn Sie diese Abtreibung vornehmen lassen, werden Sie den Rest Ihres Lebens damit leben müssen. Sie müssen sehr genau darüber nachdenken, ob Sie das wirklich wollen.»

Er sah sie direkt an.

«Wollen Sie es?»

Kate hatte das Gefühl, als befände sie sich gar nicht selbst in diesem Raum, als wäre es nicht ihre Abtreibung, die sie hier diskutierten. Sie klammerte sich mit aller Kraft an ihre Entschlossenheit.

«Ja.»

Als sie ihre Wohnung erreichte, hatte ein Regen eingesetzt, ein feiner Nieselregen, der das gelbe Leuchten der Straßenlaternen in Nebelschleier hüllte. Kate schleppte sich die Treppe hoch und bückte sich geistesabwesend, um Dougal zu streicheln, als dieser vor ihr auftauchte und um ihre Knöchel strich. In der Wohnung schaltete sie überall Lichter und Lampen an, bis die Räume sich zumindest dem äußeren Anschein nach mit einer gewissen Wärme füllten. Der Fernseher lieferte die passende Geräuschkulisse und vermittelte so den Schein von Leben.

Sie gab Dougal zu fressen und machte sich selbst ein Käsesandwich. Der Kühlschrank war beinahe leer, stellte sie fest. Als sie gerade die Kühlschranktür schließen wollte, sah sie die Champagnerflasche, die immer noch ungeöffnet in der Tür wartete. Der Anblick versetzte ihr einen plötzlichen Stich und riss sie aus der Benommenheit, die sie umfangen hielt. Sie griff nach der Flasche und ließ sie rasch im Mülleimer verschwinden. Die feuchte Kälte des Glases brannte auf ihrer Haut, und sie rieb sich die Hand mit einem Trockentuch ab, bis das Gefühl verflogen war.

Als sie mit ihrem Sandwich ins Wohnzimmer trat, sah sie, dass das Lämpchen des Anrufbeantworters blinkte. Es waren zwei Nachrichten für sie da. Die erste stammte von

Lucy, die wissen wollte, wie es beim Arzt gelaufen war. Die zweite offenbarte nur ein leises Rauschen, bevor der Anrufer aufgelegt hatte.

Kate stand da und hörte zu, wie das Band sich zurückspulte. Dann stellte sie ihren Teller weg und wählte hastig Lucys Nummer. Lucys eigener Anrufbeantworter antwortete. Kate wartete auf den Piepton, bevor sie zu sprechen begann.

«Ich bin's, Kate.» Erst jetzt bemerkte sie, dass es überhaupt nichts gab, was sie hätte sagen wollen. «Ruf mich an, wenn du wieder da bist», fügte sie hinzu und wollte gerade auflegen, als der Anrufbeantworter am anderen Ende mit einem schrillen Piepton ausgeschaltet wurde.

«Tut mir leid», sagte Lucy atemlos, «wir sind gerade mitten beim Essen, daher wollten wir erst mal abwarten, wer dran ist.»

«Ich rufe später nochmal an, wenn du möchtest.»

«Nein, das geht schon in Ordnung. Ich wollte hören, wie es gelaufen ist.»

Jetzt, da Kate ihre Freundin angerufen hatte, verspürte sie ein gewisses Widerstreben zu reden. «Ich lass es machen. Die Abtreibung.»

Sie hörte, wie Lucy einen erleichterten Seufzer ausstieß. «Es ist das Beste so, Kate, wirklich. Wie schnell kannst du einen Termin bekommen?»

«Das weiß ich noch nicht. Aber ziemlich bald.»

«Du hast dich richtig entschieden. Ich weiß, es war keine leichte Wahl, aber ...»

«Hör mal, Lucy, ich ... ich will im Augenblick nicht darüber reden.» Der Wunsch, das Telefon aufzulegen, war beinahe überwältigend. «Es tut mir leid, ich rufe dich morgen nochmal an.»

«Bist du okay? Möchtest du rüberkommen?»

«Nein danke. Ich komme schon zurecht, ich will nur ... Wir reden morgen weiter.»

Sie legte auf. Die Anstrengung des Gesprächs hatte sie vollkommen durcheinandergebracht, und als sie wieder ins Wohnzimmer ging, stellte sie fest, dass sie ihr Sandwich im Flur zurückgelassen hatte. Kaum hatte sie es erreicht, klingelte das Telefon.

Kate starrte es an. Es klingelte noch einmal. Sie wartete bis zur letzten Sekunde, bevor der Anrufbeantworter übernahm, und griff dann nach dem Hörer.

«Hallo?»

Schweigen am anderen Ende der Leitung. Sie schluckte.

«Du bist es, nicht wahr?» Immer noch keine Antwort. «Um Gottes willen, *sag* doch etwas!»

«*Es tut mir leid.*»

Es war fast ein Flüstern. Kate lehnte beim Klang seiner Stimme die Stirn an die Wand.

«Kate? B-Bist du da?»

«Ja, bin ich.»

«Ich habe schon mal angerufen ... Du w-warst nicht da.»

Kate wischte sich die Augen ab.

«Wo steckst du?», fragte sie.

Er antwortete nicht.

«Ich war bei der Polizei», fuhr sie fort. Sie konnte ihn atmen hören. «Man hat mir erzählt, was du getan hast.»

Schweigen.

«Warum? Warum hast du es getan?», brach es aus ihr heraus.

«E-Es tut mir leid.»

«*Leid?*» Es war ein Aufschrei, den sie unmöglich zurückhalten konnte. Sie hätte den Hörer am liebsten gegen die

Wand geknallt. «*Leid?* Ich weiß nicht einmal, wie ich dich nennen soll!»

«Kate ... b-bitte. Ich w-wollte nicht, dass so etwas passiert.»

«Du wolltest nicht, dass es passiert? Was zum Teufel hast du denn gedacht, was passieren würde?»

«E-Es tut mir leid, ich ...»

«*Hör verdammt nochmal auf zu sagen, dass es dir leidtut!*»

Sie verstummte. Sie fühlte sich atemlos, als wäre sie eine Treppe hinaufgerannt. Mit etwas ruhigerer Stimme fragte sie: «Warum? Warum hast du es getan?»

Das Schweigen dehnte sich derart in die Länge, dass sie schon glaubte, er würde nicht antworten.

«Ich habe deine Anzeige gesehen.» Seine Stimme klang, als kämpfe er gegen die Tränen. «Ich war in seinem Wartezimmer, und da lag diese Z-Zeitschrift und da stand sie drin. Und dann, als ich zu Dr. T-Turner reinging, musste er für ein paar Minuten raus, und ich habe seine Jacke auf der Stuhllehne hängen sehen, und da ... da habe ich seine B-Brieftasche genommen.»

Kate ließ sich mit dem Rücken zur Wand zu Boden gleiten. «Aber *warum?* Ich verstehe es nicht.»

Sie hörte ihn schniefen. «Ich w-wusste, dass du mich nicht wollen würdest! Aber wenn ... wenn du dachtest, ich wäre jemand anders ... Ich wusste ja nicht, dass es s-so lange dauern würde! Ich dachte ... Ich dachte, du würdest es n-nie erfahren und dass du m-mein Baby bekommen würdest. Dass du dich darum kümmern würdest und es lieben und, und es wäre so, als bekäme ich eine zweite Chance!»

O Gott. Sie biss sich auf die Unterlippe.

«... und dann habe ich dich kennengelernt, und du hast

mir erzählt, dass es M-Monate dauern würde ... und ich war glücklich. Du sahst so ...»

Kate presste die Augen zu. *Nicht. Bitte nicht.*

«Ich wollte nur, dass du mich magst! Ich w-wusste nicht, dass die Dinge sich so entwickeln würden. Ich ... Ich wollte es dir ja immer sagen, aber ich konnte nicht. Ich wusste, du w-würdest mich nicht mehr sehen wollen ... Ich konnte nicht!»

«Ist das der Grund, warum du Alex Turner getötet hast?»

Es kam ihr seltsam vor, diesen Namen ihm gegenüber auszusprechen und einen anderen damit zu meinen. Zuerst antwortete er nicht.

«Er hat das Fax bekommen.» Er sprach leise. «Er hat mich angerufen und gesagt, es wäre wichtig und ich s-solle gleich nach der Arbeit zu ihm kommen.»

«Nach der Arbeit? In der Druckerei, meinst du, oder ist das noch so eine Karriere, die du erfunden hast?» Sobald sie die Worte ausgesprochen hatte, schämte sie sich dafür.

Er stockte kurz. «Die D-Druckerei. Kate, ich ...»

«Sprich weiter.»

Am anderen Ende der Leitung hörte sie einen zittrigen Atemzug. «Er ... Er war ganz allein. Als ich reinging, hat er mir nur das F-Fax gezeigt und dann gesagt: ‹Wer ist Kate?› I-Ich konnte einfach nicht denken! Er sagte, er hätte schon vermutet, dass ich es w-war, der seine Brieftasche gestohlen hatte, aber er wäre sich nicht sicher gewesen. A-Aber als er las, was du über den heiligen Christophorus meiner G-Großmutter geschrieben hattest, wusste er Bescheid, weil ich ihm alles von ihr erzählt hatte, auch von dem Christophorus. Und er sagte: ‹Tim, meinen Sie nicht, Sie sollten ihr b-besser sagen, was Sie getan haben?› Also habe ich es ihm erklärt, und die ganze Zeit musste ich ständig daran d-denken, dass du schwanger bist und dass es unser Baby ist, und, und ich war *so glücklich!*»

Es entstand eine Pause. Sie konnte ihn atmen hören, während er die Szene noch einmal durchlebte. Als er fortfuhr, war seine Stimme leise und brach beinahe.

«Und als ich fertig war, sagte er: ‹Da haben S-Sie ja ganz schön was angestellt, wie?› Und dann sagte er, die Sache müsse geklärt werden, und er würde es dir s-sagen müssen. Ich sagte, das würde ich selber tun, aber er meinte, dass k-könne er nicht zulassen, dafür sei die Sache zu weit gegangen! Er w-wollte einfach nicht hö-*hören*!»

Sein Stottern war schlimmer geworden, wie eine Maschine, die sich in Stücke zitterte.

«Dann sagte er mir, ich solle mich b-beruhigen, aber wie k-konnte ich das, wo er alles verderben wollte? Wenn er mir nur erlaubt hätte, es dir zu *sagen*, wäre a-alles in Ordnung gewesen, aber das wollte er nicht. Er hat mir gesagt, ich soll mich hinsetzen, und angefangen, mir zu erzählen, alles w-würde wieder gut werden, aber ich wusste, dass das nicht stimmte, ich w-wusste, dass er lo-*log*. Dann sagte er zu mir, ich solle ihn nicht *stoßen*, aber das *hatte* ich gar nicht, i-ich bin mir sicher, dass ich es nicht getan hatte, und dann ging er zur T-Tür, und ich wusste, er wollte sie an-anrufen, damit sie mich holen kommen, und ich würde dich n-nie wiedersehen, also habe ich, habe ich versucht, ihn *aufzuhalten*. Ich wollte es doch nur *erklären*, d-damit er es verstand, und dann …»

Er hielt inne. Kate saß stocksteif da; jeder Muskel hatte sich angespannt. Sie konnte seinen schnellen, gequälten Atem hören.

«Ich w-wollte das nicht», sagte er. «Es ist nur passiert; weil er es dir s-sagen wollte, aber dann war da plötzlich so viel *Blut*. Ich wollte einfach nicht, dass er es dir s-sagte, das war alles, ich konnte den Gedanken nicht ertragen, was du von mir halten würdest, Kate, ich ...»

Nicht. Sie war sich nicht sicher, ob sie dieses Wort laut ausgesprochen hatte oder nicht.

«... ich l-liebe dich, Kate ...»

Nein.

«... b-bitte, Kate. Es tut mir l-leid ...»

«Nein»

«... bitte, du darfst mich nicht ha-hassen, ich w-wollte niemandem wehtun ...»

«Halt den Mund.»

«... hab keine Angst, ich würde dir niemals etwas tun ...»

«Halt den *Mund*!»

«... ich habe es nur wegen des B-Babys getan ...»

«*Es gibt kein Baby!*»

Es war ein unwillkürlicher Aufschrei. Ihm folgte ein Augenblick der Stille.

«Wie m-meinst du das?» In seiner Stimme schwang kaum unterdrückte Panik mit. «Kate, sag das nicht!»

«Ich meine, es gibt kein Baby!»

«Doch, es gibt eins. Ich habe dein F-Fax gelesen. Du hast ges-gesagt, es ...»

«Es ist *tot*! Ich habe eine Abtreibung machen lassen!»

Unterbewusst spürte sie, wie sie selbst vor den Worten erschrak, aber es verschaffte ihr eine wilde Befriedigung zuzuschlagen, ihm ebenfalls wehzutun.

«Nein.» Das eine Wort klang gedämpft.

«Ich habe es heute Morgen machen lassen.»

«N-Nein, ich g-glaube dir nicht!»

«Sie haben es getötet.» Die Worte gingen mit ihr durch.

«Du lügst!»

«Sie haben es rausgeschnitten –»

«O Gott nein, G-Gott, nein –»

«– und dann haben sie es in den Verbrennungsofen geworfen und eingeäschert!»

Angewidert von sich selbst, hielt sie plötzlich inne. Sie hörte ihn stöhnen.

«Nein», sagte sie. «Ich habe es nicht ernst gemeint.»

«Nein, nein, Gott, nein, o nein –»

«Hör zu», begann sie, «ich habe das nicht –»

«Nein, nein, nein nein neineinnein –»

Der Schmerz in seiner Stimme bahnte sich einen Weg durch ihren eigenen. «Bitte warte doch! Du hattest recht, ich habe –»

«Hure!»

Das Wort traf sie wie eine Faust.

«Verdammte m-mordende Hure!»

«Nein, hör mich doch an –!»

«Ich werde dich umbringen! Ich werde dich verdammt nochmal umbringen, du mordende Hure!»

Dann war die Leitung tot.

Der Hörer summte an ihrem Ohr. Langsam ließ Kate ihn sinken. Sie spürte ein Gewicht auf ihrem Schoß. Als sie hinunterblickte, sah sie, dass irgendwann im Laufe des Gesprächs Dougal herbeigekommen und sich unbemerkt auf ihre Knie gesetzt hatte. Ein Geräusch vom Telefon ließ sie zusammenfahren, und sie hätte es beinahe fallen gelassen, als eine schrille Stimme vom Band sie aufforderte, den Hörer auf die Gabel zu legen. Sie schob Dougal weg und erhob sich mit steifen Gliedern. Ihre Hals- und Schultermuskeln schmerzten, als hätte sie zu lange im Fitnesscenter trainiert. Sie legte den Hörer wieder auf und blickte sich im Flur um, als sähe sie diesen zum ersten Mal. Aber er erschien ihr nicht anders als vor zehn Minuten.

Aus dem Wohnzimmer tönte noch immer das ausgelassene Gelächter der Quizshow. Kate wandte dem Geräusch den Rücken zu. Sie ging die Treppe hinunter und vergewisserte sich, dass beide Türen geschlossen waren. Als sie wieder oben war, rief sie die Polizei an.

Kapitel 15

Es war kein Vergleich mit der Klinik in Birmingham. Zum einen war Kate voll bekleidet und saß auf einem harten Plastikstuhl, statt auf einer Couch zu liegen. Und dann war der Raum in einer stumpfen Cremefarbe gehalten, schon daran zeigte sich der Unterschied zwischen öffentlicher und Privatklinik, und die grellen Leuchtstoffröhren summten wie eine gefangene Fliege. Der Arzt war klein und gedrungen, und die Tracht der Krankenschwester alles andere als frisch gebügelt. Aber trotz allem musste Kate ständig an den anderen Ort denken. Vielleicht lag das daran, dass es damals ein Anfang gewesen war und dies hier jetzt ein Ende.

Der Kreis hatte sich geschlossen, und alles war so sinnlos.

Instinktiv hob sie die Hand an die Kehle und tastete nach dem Goldkettchen, das jetzt in einer Schublade in ihrer Wohnung lag. Sie ließ die Hand wieder sinken.

«Das Vorgehen bei einem frühen medizinischen Schwangerschaftsabbruch ist ziemlich einfach», sagte die Ärztin, und wieder wurde Kate von der Erinnerung an jenes andere Mal in jener anderen Klinik heimgesucht. «Im Grunde leiten wir lediglich eine Fehlgeburt ein. Das Medikament, das wir benutzen, heißt Mifegyne, und im Wesentlichen besteht seine Wirkung darin, die Bildung der Auskleidung der

Gebärmutter zu unterbinden. Nach Einnahme des Medikaments müssen Sie eine Stunde hierbleiben, damit wir sicher sein können, dass es keine Nebenwirkungen gibt, aber das kommt nur selten vor.»

Die Ärztin lächelte sie beruhigend an. Sie war eine Frau in den Fünfzigern mit einem freundlichen Gesicht. «Danach können Sie wieder nach Hause gehen. Dann kommen Sie in ein paar Tagen wieder her, und wir setzen Ihnen ein Pessar ein, damit Sie den Inhalt Ihrer Gebärmutter abstoßen können.»

«Werde ich irgendetwas sehen können?» Kate konnte das Beben in ihrer Stimme hören.

«Sie werden wahrscheinlich sehen, was Sie abstoßen, ja. Aber es wird sich nicht sehr von einer gewöhnlichen Regelblutung unterscheiden. Es wird noch nichts Erkennbares geben, wenn es das ist, was Sie meinen. In diesem Stadium sind es nur Zellen.»

Zellen.

Kate drängte das Bild aus ihren Gedanken. «Was ... Was geschieht damit? Danach, meine ich. Was werden Sie damit machen!»

Ihr Blick wanderte zu dem gelben Kartonzylinder auf dem Fenstersims. Er war mit der stilisierten Zeichnung von Flammen versehen. Die Ärztin folgte ihrem Blick und schüttelte verständnisvoll den Kopf.

«Der ist nur für Papiertücher.»

Sie gab Kate einen kleinen Plastikbehälter, der einer Miniaturtasse ähnelte. Darin lag eine einzige weiße Tablette. Kate sah sie an. Das winzige Ding schien nichtssagend und harmlos. Die Krankenschwester hielt ihr ein Glas Wasser hin. Kate nahm es an. Das Zittern ihrer Hand übertrug sich auf das Wasser, dessen Oberfläche sich leicht kräuselte. Kate hob die Plastiktasse mit der Tablette darin an die Lippen. Über den Tassenrand konnte sie die Ärztin und die Krankenschwester sehen, die sie beobachteten. Ein Schluck, und es wäre erledigt. Die Sekunden verstrichen.

Kate ließ die Tasse sinken.

«Ich kann nicht.»

Sie schüttelte den Kopf. «Es tut mir leid, ich kann einfach nicht.»

Sie hielt den Behälter von sich, wollte ihn plötzlich loswerden. Die Ärztin nahm ihn ihr ab.

«Schon gut, niemand drängt Sie, die Sache durchzuziehen.»

Kate spürte, wie ihr die Tränen in die Augen stiegen: «Es tut mir leid. Ich hätte niemals herkommen sollen.»

«Keine Sorge. Sie sind nicht die Erste, die so weit gekommen ist und dann ihre Meinung geändert hat.» Die Ärztin lächelte sie an und streichelte ihren Arm, auch wenn sich die Gesichtszüge der Krankenschwester versteinerten, als sie das Wasserglas in der Spüle ausleerte. «Besser, Sie finden es jetzt raus als später.»

Als Kate durch den Flur dem Wartebereich entgegenging, fühlte sie sich schwach und ausgelaugt. Lucy blickte überrascht von einer Zeitschrift auf.

«Das ging aber schnell.»

«Ich hab's nicht machen lassen.»

Lucy ließ das Magazin sinken. Ihr Gesicht spiegelte Erstaunen wider. «Warum, was ist ...?»

«Bitte, lass uns einfach gehen.» Kate sah die anderen Frauen im Wartezimmer an. Sie wandten den Blick ab, hörten aber offensichtlich zu. «Ich erklär's dir draußen.»

Der Schnee, der am Morgen gefallen war, lag nun als dünner brauner Matsch auf dem Pflaster. Vom Himmel kamen noch immer ein paar Flocken heruntergeweht. Sie legten sich wie kalte Funken auf Kates Wangen.

«Was ist passiert?», fragte Lucy, als sie sich von dem Krankenhaus entfernten.

«Nichts. Ich habe es einfach nicht fertiggebracht.»

«Du meinst, du bist einfach wieder rausspaziert?»

Kate nickte. Lucy gab einen verärgerten, kehligen Laut von sich.

«Kate, was hast du dir dabei nur *gedacht*? Hör mal, wenn du wieder reingehst, würden die vielleicht ...»

«Ich gehe nicht wieder rein.»

«Sei nicht dumm. Ich weiß, es ist schwierig, aber du musst dich der Entscheidung früher oder später stellen.»

«Ich habe mich der Entscheidung gestellt. Ich werde das Baby behalten.»

«Oh, komm schon, Kate, sei vernünftig!»

«Bin ich ja.»

«Ich dachte, es wäre alles abgemacht! Du hast selbst gesagt, es wäre das Beste so!»

«Ich habe meine Meinung geändert.»

Sie waren stehengeblieben. Die vom Himmel fallenden Schneekristalle hatten sich in Graupel verwandelt und sprenkelten ihre Haare mit glitzernden Perlen. Lucy schob sich eine feuchte Strähne aus der Stirn.

«Pass auf, wir sehen jetzt erst mal zu, dass wir aus diesem Mistwetter rauskommen, und dann reden wir darüber.»

«Da gibt es nichts zu bereden. Ich habe dir gesagt, ich behalte es.»

«Du *kannst* es nicht behalten! Denk doch mal darüber nach, was du da tust! Der Vater ist ein kompletter Irrer, der wegen Mordes gesucht wird. Er hat dir bereits gedroht, dich zu töten, und du willst trotzdem sein Baby bekommen?»

«Das Baby trifft keine Schuld. Der Arzt hatte recht, ich kann ihm nicht die Verantwortung für die Taten seines Vaters geben.»

«Und was, wenn das Kind genauso wird wie er? Das ist nämlich durchaus möglich, und es ist mir egal, was die Ärzte dazu sagen. Was wirst du dann machen?»

«Dieses Risiko muss ich eingehen. Aber es ist trotzdem mindestens ebenso sehr mein Kind wie seines, und ich werde alles in meiner Kraft Stehende unternehmen, um dafür zu sorgen, dass es bessere Chancen hat als er.»

«Und das war's? Du glaubst, das Kind wird dir dankbar sein, wenn es alt genug ist zu verstehen, wer sein Vater war? Was wirst du ihm sagen?»

«Also gut, ich weiß es nicht. Ich habe ja nicht mal eine Ahnung, was ich morgen tun werde, ganz zu schweigen davon, was ich in ein paar Jahren tue! Ich weiß lediglich, dass ich dieses Baby nicht töten werde!»

«Mein Gott, Kate, es ist doch noch nicht mal ein Baby! Sei nicht dumm!»

«Ich bin nicht dumm.»

«Ach nein?» Lucy verdrehte die Augen. «Das ist wieder mal so typisch für dich! Du nimmst von niemandem Rat an, nicht wahr?»

Kates Zorn hatte nur auf ein Ziel gewartet. «Wenn ich deinen Rat angenommen hätte, wäre ich mittlerweile schon mit ihm verheiratet!»

«Ich gebe zu, er hat auch mich zum Narren gehalten, aber ich habe von Anfang an gesagt, dass ich das Ganze für eine schlechte Idee hielt. Aber du wolltest ja nichts davon hören! Du warst ja versessen darauf, die Sache auf deine Art anzugehen, und sieh nur, wohin dich das gebracht hat!»

«Du glaubst also, das Ganze sei meine Schuld, ja?»

«Wenn du schon fragst – jawohl! Niemand hat dich dazu gezwungen, du warst diejenige, die es so haben wollte. Herrgott, manchmal würde ich dich am liebsten einmal kräftig durchschütteln! Man sollte doch glauben, du hättest deine Lektion mittlerweile gelernt!»

«Was soll das jetzt wieder heißen?»

Lucys Wangen waren zornrot geworden. «Nichts. Vergiss, was ich gesagt habe.»

«O nein, ich will wissen, was das heißen sollte!»

«Du weißt, was es heißen sollte. Ich spreche von Paul Sutherland. Du hättest ihn, schon Monate bevor es zu diesem Eklat gekommen ist, verlassen sollen, aber nein, du musstest ja warten, bis er dich rauswarf! Im Ernst, ich verstehe dich nicht, Kate! Wenn eine Situation schlimm ist, hat man fast den Eindruck, dass du dir ein Bein ausreißt, um sie *noch* schlimmer zu machen!»

«Du kannst unmöglich diese beiden Männer miteinander vergleichen!»

«O doch, es ist genau dasselbe wie damals.»

Kates Gesicht brannte. «Bloß dass diesmal nur eine von uns mit ihm geschlafen hat.»

Noch während sie die Worte aussprach, wusste sie, dass sie den Streit auf eine andere Ebene hob, aber jetzt war es zu spät. Lucy funkelte sie wütend an.

«Na prima, kommen wir endlich darauf zu sprechen! Ich habe mich schon gefragt, wie lange es dauern würde, bis du mir *das* an den Kopf wirfst!»

«Ich werfe dir nichts an den Kopf. Ich erinnere dich nur daran, dass du nicht ganz so vollkommen bist, wie du glaubst.»

«Das vielleicht nicht, aber immerhin bin ich in der Lage,

auch Beziehungen zu führen, die nicht in der Katastrophe enden!»

«Ach, verpiss dich doch!»

Sie starrten sich mit weit aufgerissenen Augen an, geschockt über den plötzlichen Bruch ihrer Freundschaft. Ihr Atem umhüllte sie in einer weißen Wolke. Auf einmal konnten sie einander nicht mehr in die Augen sehen. Lucy sprach als Erste.

«Na schön, kannst du haben. Aber komm am Ende bloß nicht wieder zu mir und Jack gelaufen.»

«Keine Bange, das werde ich nicht.»

Sie gingen in unterschiedlichen Richtungen auseinander. Kate rechnete halb damit, dass Lucy ihr etwas nachrief, und ein Teil von ihr wollte sich umdrehen und selbst den entscheidenden Schritt tun. Aber Lucy rief nicht nach ihr, und Kate ging weiter.

Als sie an die Ecke kam und sich noch einmal umsah, war Lucy fort.

Die morgendliche Übelkeit war ein Vergnügen, mit dem Kate nicht gerechnet hatte. Natürlich hatte sie gewusst, dass so etwas zu erwarten wäre, aber Erwartung und Erfahrung waren noch lange nicht dasselbe. Den Brechreiz in der Bibliothek hatte sie zunächst dem Schock zugeschrieben, aber am Morgen darauf kehrte er zurück. Seitdem war er zu einem regelmäßigen Teil ihrer morgendlichen Routine geworden; er gehörte genauso dazu wie duschen, anziehen, zur U-Bahn gehen, und sie wusste, dass sie irgendwann auch das tatsächliche Erbrechen in ihren Zeitplan würde einfügen müssen.

Es wäre ja nicht so schlimm, dachte sie, wenn es jeden Tag zur selben Zeit passieren würde. Sie wusste, dass Lucy (obwohl sie versuchte, nicht an Lucy zu denken) damals die Uhr danach stellen konnte; sie hatte jeden Morgen darauf geachtet, dass sich zwischen elf und Viertel nach eine Toilette in ihrer Nähe befand. Aber Kates Übelkeitsattacken waren weniger berechenbar. Die Magenverstimmung, mit der sie zu erwachen pflegte, konnte den ganzen Tag anhalten wie ein Kater nach einer durchzechten Nacht. Manchmal aber hatte sie Schwierigkeiten, noch rechtzeitig ins Bad zu kommen.

Als sie in der U-Bahn saß, spürte sie, wie die Übelkeit langsam hochstieg. Ängstlich zählte sie die Stationen ab, die sie noch vor sich hatte. King's Cross war mehrere Haltestellen entfernt. Sie saß vollkommen reglos da und versuchte, nicht daran zu denken. Der Zug schlingerte und kam im Tunnel quietschend zum Stehen. Bei dem plötzlichen Ruck brach Kate ein klebriger Schweiß aus, ein Zeichen, das sie zu erkennen gelernt hatte; das Erbrechen stand unmittelbar bevor. Sie betete, dass der Zug sich wieder in Bewegung setzen würde, und versuchte zu überlegen, ob sie irgendetwas in ihrer Tasche hatte, in das sie sich hätte übergeben können. Aber da war nichts als die Tasche selbst.

Sie schloss die Augen, aber das machte die Sache nur noch schlimmer. Der Zug machte einen Satz nach vorn, und Kate sah zu ihrer Erleichterung die Lichter eines Bahnsteigs draußen vorm Fenster aufscheinen. Ohne sich darum zu scheren, an welcher Station sie sich befand, stieg sie hastig aus der Bahn und drängte sich durch die Menge derer, die darauf warteten, einsteigen zu können. Während sie so ruhig wie nur möglich durch die Nase ein- und ausatmete, lief sie die Rolltreppe hoch und hielt verzweifelt nach einem Toilettenschild Ausschau.

In der oberen Bahnhofshalle wurde sie fündig. Kate

durchlebte noch ein paar unangenehme Sekunden, in denen sie kein Zwanzigpencestück für das Drehkreuz finden konnte, aber dann war sie durch und verriegelte die Toilettentür hinter sich.

Das einzig Gute daran war, dass es schnell vorüberging. Sie fühlte sich zwar erbärmlich, aber nicht mehr ganz so furchtbar wie zuvor, spülte sich über dem Waschbecken den Mund aus und trocknete ihn mit einem Papierhandtuch. Sie betrachtete ihr Spiegelbild über den Wasserhähnen. Ihr Gesicht sah bleich aus, die Haut unter den Augen verfärbt.

Du hast es so gewollt, rief sie sich ins Gedächtnis. *Für Selbstmitleid ist es jetzt zu spät.*

Durch das Erbrechen war ihr Blutzucker derart gesunken, dass er förmlich nach etwas Essbarem schrie. Sie überlegte kurz, ob sie Clive Bescheid sagen sollte, gelangte aber zu dem Schluss, dass er ihre Verspätung ohnehin bemerken würde, und ging in ein Café direkt vor dem U-Bahnhof. Sie bestellte sich ein Croissant und Marmelade und dazu einen schwachen, milchigen Tee. Der Kaffee duftete wunderbar, aber sie hatte gelesen, dass Kaffee genau wie Alkohol einer Schwangerschaft eher abträglich war. Während sie einen Löffel Zucker in den Tee rührte, fragte sie sich, ob sie das neun Monate lang aushalten würde.

Als sie das Café verließ und wieder die Rolltreppe hinunterging, um den nächsten Zug zu nehmen, fühlte sie sich schon ein wenig besser. Und als hätte die Unterbrechung ihrer Fahrt ein Zeichen gesetzt, hatte Kate es nun überhaupt nicht mehr eilig, zur Arbeit zu kommen. Es war fast elf, als sie in die Straße mit den georgianischen Reihenhäusern einbog. In dem Büro im Erdgeschoss brannte Licht, und durch die Fenster sah sie, dass Clive sich einen Stapel Papiere an die Brust drückte. Sie hatte gerade noch Zeit, seinen gestressten Gesichtsausdruck wahrzunehmen, bevor sie die Tür öffnete und wie angewurzelt stehenblieb.

Das Büro glich einem Schlachtfeld. Die Tische waren umgeworfen, die Schubladen des Aktenschranks herausgezogen und auf den Boden geleert worden. Überall auf dem Teppich lag Papier verstreut. Als er hörte, wie die Tür geöffnet wurde, drehte Clive sich um, das Bündel Papiere immer noch an die Brust gepresst. Josefina und Caroline lagen beide auf den Knien und rafften noch weitere Blätter zusammen.

Endlich fand Kate ihre Stimme wieder. «Was ist passiert?»

Clive legte die Papiere auf einen Stuhl. «Bei uns hat jemand eingebrochen. Allerdings», räumte er ein, «scheint nichts gestohlen worden zu sein. Jedenfalls soweit ich das bisher beurteilen kann.»

Kate schloss die Tür hinter sich und bahnte sich einen Weg durch das Chaos. «Habt ihr schon die Polizei verständigt?»

«Ja – wozu auch immer das gut sein mag. Sie wollen, dass wir eine Liste machen. Von allem, was gestohlen wurde. Sie schicken jemanden wegen Fingerabdrücken rüber, daher sollen wir nach Möglichkeit nichts anfassen. Aber ich dachte, wir könnten uns auch gleich die Ärmel hochkrempeln und versuchen, den Schlamassel aufzuräumen.»

Kate sah sich nur mit weit aufgerissenen Augen um.

«Sieht so aus, als hätte jemand das Toilettenfenster hinten eingeschlagen», fuhr Clive fort. «Die Polizei meint, beim Zeitungskiosk weiter runter die Straße wäre ebenfalls eingebrochen worden. Das war allerdings ein richtiger Einbruch, und sie meinen, der Alarm vom Kiosk hätte unseren Täter rechtzeitig verscheucht, bevor er etwas stehlen konnte.

Wer es auch war, er hat lediglich das Büro hier unten zerlegt und sich dann deins vorgenommen.»

«Wie schlimm ist es?»

«Das siehst du dir besser selber an.»

Sie ging die Treppe hinauf, und Clive folgte ihr. Das Chaos oben war noch schlimmer. Kate streckte unwillkürlich die Hand nach dem Ventilator aus, der demoliert auf einem Regal lag, aber dann fiel ihr ein, dass sie nichts anfassen sollte, und sie ließ den Arm langsam wieder sinken.

Clive schob hinter ihr die Tür zu. «Hör mal», begann er beklommen, «ich weiß nicht, ob ich mich richtig verhalten habe, aber ... na ja, die Polizei hat gefragt, ob ich jemanden wüsste, der was gegen uns hat, also habe ich ihnen von Paul Sutherland erzählt.»

Kate sah sich in den Trümmern ihres Büros um. «Ich glaube nicht, dass er das gewesen ist.»

«Wenn er betrunken war, könnte er es schon getan haben. Genug Aggressionspotential hat er doch.»

Kate behielt ihre Zweifel für sich.

«Die andere Sache ist die – hast du deinen Filofax mit nach Hause genommen?», fragte Clive. «Den großen, den du immer auf deinem Schreibtisch liegen hast?»

Es war ein sperriges, schwarzes Lederding von der Größe einer kleinen Aktentasche. Lucy und Jack hatten ihr den Terminkalender gekauft, als sie damals die Agentur eröffnete. Sie nahm ihn gelegentlich mit nach Hause, wenn sie von ihrer Wohnung aus arbeitete, aber meistens blieb er in ihrem Büro.

«Nein. Er müsste hier sein.»

«Hm, dann ist er vielleicht irgendwo unter einem Papierstapel versteckt, aber ich habe ihn bisher nicht gefunden.»

Kate ging zu der Stelle, an der ihr umgekippter Schreibtisch lag. Die Utensilien, die sie für gewöhnlich darauf aufbewahrte, lagen verstreut darum herum. Der schwere schwarze Filofax war nicht dabei.

«Ich dachte, es sähe Sutherland ähnlich, so etwas mitgehen zu lassen», fuhr Clive fort. «Schließlich stehen da die Adressen sämtlicher Kunden drin. Ich kann mir nicht vorstellen, dass es für irgendjemand anders von Nutzen sein könnte.»

Kate fuhr sich mit der Hand durchs Haar.

«Wie auch immer. Ich sollte jetzt wohl besser aufräumen», sagte sie.

Sie schlug Clives Angebot aus, ihr zu helfen, und als er die Treppe hinunterging, sah sie sich um und fragte sich, wo sie bloß anfangen sollte. Die Gewalttätigkeit erschien ihr so ziellos und willkürlich. Der Täter hatte ihre Nachschlagewerke aus dem Regal gefegt, und sie machte sich daran, sie aufzuheben. Dabei knirschte etwas unter ihrem Fuß.

Sie blickte hinunter.

Es war eine Streichholzschachtel.

Kapitel 16

Die Kapelle des Krematoriums war überkonfessionell, modern und spartanisch mit faden, senfgelben Wänden und Fenstern aus klarem Glas, die hoch oben dicht unter der Decke saßen. Die Bänke aus heller Eiche waren funktional und geradlinig wie Parkbänke. Das nackte Holzkruzifix am anderen Ende der Kirche wirkte ohne das Abbild der von Schmerzen verzerrten Gestalt darauf sonderbar abstrakt und nüchtern.

Kate schlüpfte in eine leere Reihe ganz hinten. Die meisten Reihen vor ihr waren besetzt; dicht an dicht saßen dunkel gekleidete Gestalten, die Blicke auf die schlichte Kanzel gerichtet. Neben der Kanzel stand der Sarg, der zu drei Seiten von dunkelblauen Vorhängen umgeben wurde. Als Kate sich schweigend setzte, sah sich niemand nach ihr um. Durch die Wandlautsprecher ertönte eine Bob-Marley-Aufnahme und half so, unangebrachtes Rascheln und Husten zu überspielen. Als der weißgewandete Pfarrer die Kanzel betrat, wurde das Stück ausgeblendet.

Der Pfarrer war ein zur Fülligkeit neigender, noch recht junger Mann mit vorzeitig ergrauendem Haar. Er ließ die Arme locker an sich hinabhängen und wartete, bis die letzten Klänge der Musik verstummt waren. Erst dann erhob er die Stimme.

«Wir sind heute hier versammelt, um von Alex Turner Abschied zu nehmen.»

Seine Stimme drang klar und deutlich durch den kahlen Raum. Von einer jungen Frau in der ersten Reihe kam ein ersticktes Schluchzen. Neben ihr saß eine ältere Frau, die ihr die Arme um die Schultern gelegt hatte.

Der Pfarrer sprach davon, dass der Verstorbene sein Leben der Aufgabe gewidmet habe, anderen zu helfen. «Dass er bei ebendiesem Bemühen sein Leben lassen musste, ist ein Grund zur Trauer, aber Alex selbst wäre der Erste gewesen, der uns gedrängt hätte, nicht zu verdammen. Sondern den Versuch zu machen, zu verstehen.»

Die junge Frau saß mit gesenktem Kopf da. Kate konnte ihre Schultern zittern sehen. Ein Stück weiter auf derselben Bank putzte sich ein älterer Mann die Nase und tupfte sich die Augen ab.

«Es ist nicht immer leicht. Wir haben einen Freund verloren. Einen Sohn. Einen Ehemann. Und einen Vater, denn das Kind, das Kay, Alex' Frau, unter dem Herzen trägt, wird ihn nun nie kennenlernen.»

Einen Augenblick lang dachte Kate, er hätte ihren eigenen Namen ausgesprochen: Wieder sah sie zu der jungen Frau in der ersten Reihe hin.

«Eine der Tragödien ist die, dass auch Alex sein Kind niemals sehen wird, ein Kind, das er und Kay sich schon lange gewünscht haben ...»

Ein kalter Luftzug strich über Kates Nacken, als die Tür der Kapelle geöffnet wurde. Sie drehte sich um und sah, wie ein Mann in einer dicken Wachsjacke die Tür vorsichtig hinter sich zuzog. Während er auf das Ende von Kates Bank zuging, quietschten seine Schuhsohlen auf dem Fußboden. Er setzte sich. Um seinen Hals hing eine unhandliche Kamera.

Als er an dem Apparat herumzufingern begann, wandte Kate hastig den Blick ab.

«Ich hatte das Privileg, Alex durch unsere gemeinsame Sozialarbeit im Viertel kennenzulernen, und ich kann wahrhaftig sagen, dass ich in ihn als einen geduldigen und gütigen Menschen erlebt habe; einen Menschen, der sich ehrlich um diejenigen sorgte, die hilfesuchend zu ihm kamen. Und wenn wir nun für Alex beten, möchte ich, dass wir auch für den gequälten jungen Mann beten, der ihn uns so plötzlich entrissen hat. Und füreinander, damit wir in uns die Kraft finden können, ihm zu vergeben.»

Kates Augen füllten sich plötzlich mit Tränen. Sie senkte den Kopf und ließ sie direkt auf ihren Mantel tropfen. Im allgemeinen Rascheln, mit dem die Gemeinde sich für das Gebet bereit machte, nahm Kate ein Papiertuch aus ihrer Tasche und putzte sich leise die Nase.

Ein Geräusch vom Ende der Bank lenkte ihre Aufmerksamkeit ab. Als sie aufblickte, sah sie, dass der Fotograf sich ebenfalls vorgebeugt hatte, aber nur, um das Objektiv seiner Kamera auszuwechseln. Neben ihm stand eine geöffnete Tasche, und als er ihr ein Objektiv entnahm, kullerte ein anderes dabei zu Boden. Sie hörte das leise Klappern und dann das gemurmelte «Scheiße» des Mannes über die volltönende Stimme des Pfarrers hinweg.

Das Gebet war zu Ende. Der Pfarrer fuhr fort, aber jetzt wanderte Kates Aufmerksamkeit zwischen seiner Rede und dem Fotografen hin und her.

Die Messe war kurz. Es wurde nicht gesungen. Stattdessen saßen sie schweigend da, während über die Lautsprecher Elgars Cellokonzert erklang. Am Ende des Konzerts wollte Kate sich eigentlich lautlos aus der Kirche stehlen, aber der Fotograf versperrte ihr den Weg.

«Wir hoffen und glauben, dass Alex' Geist nicht gestorben ist, dass der Alex, den wir kannten und liebten, immer noch existiert, abseits von uns, aber noch immer unversehrt», fuhr der Pfarrer fort. «Aber Alex bleibt auch auf andere Weise bei uns. Er wird immer ein Teil unserer Herzen sein, immer in unseren Erinnerungen. Und er wird in dem Kind weiterleben, das Kay zur Welt bringt, ein lebendes Andenken an den Alex Turner, den wir kannten und liebten und dem wir nun Lebewohl sagen wollen.»

Mit einem ruckartigen Rascheln schlossen sich die Vorhänge über dem Sarg. Als sie schwankend zum Stillstand kamen, trat der Pfarrer ohne ein weiteres Wort von der Kanzel zurück. Kate sah noch einmal zum Fotografen. Er hatte seine Kamera gezückt und saß nur noch auf der Kante der Bank. Sie wandte sich ab und überlegte, ob sie sich vielleicht am anderen Ende hinauszwängen konnte. Aber die Bank grenzte direkt an die Wand.

Sie blickte gerade rechtzeitig wieder auf, um zu sehen, wie der Fotograf aufsprang und ein paar Fotos von der jungen Frau machte, als diese sich erhob. Er glitt aus der Bank und ging zur Tür. Kate erhob sich ebenfalls zum Gehen, aber inzwischen kamen die Leute von den vorderen Bänken bereits den Mittelgang hinunter.

Also nahm sie mit abgewandtem Kopf wieder Platz. Aus den Augenwinkeln konnte sie die junge Frau sehen, die nun auf gleicher Höhe mit ihrer Bank stand. Ein älteres Ehepaar stützte sie zu beiden Seiten, während hinter ihr der Mann ging, der sich vor einigen Minuten die Augen gewischt hatte. Die junge Frau ging langsam wie eine Schwerkranke, und Kate konnte ihren schweren Leib unter dem schwarzen Mantel und das bleiche, tränenüberströmte Gesicht sehen.

Dann waren sie hinter ihr und bewegten sich langsam auf die Tür zu. Kate hielt den Kopf gesenkt. Während die unsicheren Schritte näher kamen, konnte sie das unterdrückte Schluchzen der Frau hören. Sie zog den Kopf noch weiter ein und wartete darauf, dass sie stehenbleiben würden, wappnete sich innerlich gegen den Aufschrei des Erkennens, gegen die Anklage.

Die Tür öffnete sich knarrend. Die Schritte verhallten und gingen in dem Schlurfen der anderen Trauergäste unter, die langsam an ihr vorbeidefilierten.

Kate rührte sich nicht. Sie hielt den Blick auf ihre Hände gesenkt, die sie mit steifen Fingern auf dem Schoß gefaltet hatte. Die Prozession schleppte sich dahin. Endlich konnte sie hören, dass es nun bald vorüber war. Der Rest der Kapelle lag still da, während die letzten Nachzügler hinter Kate zur Tür gingen, und Kate schickte sich ebenfalls an, die Kapelle zu verlassen.

«Hallo, Miss Powell.»

Beim Klang der Stimme zuckte sie zusammen. Sie blickte auf zu dem Mann, der vor ihr stand, und konnte sich einen Augenblick lang nicht darauf besinnen, wer es war. Dann fügten sich das kurzgeschnittene graue Haar und die Augen mit dem leicht traurigen Ausdruck unter den buschigen schwarzen Brauen zu einem Bild zusammen, und sie erkannte den Detective Inspector wieder.

«Ich hatte nicht erwartet, Sie hier zu sehen», sagte er. Die letzten Trauergäste waren durch die Tür verschwunden. Sie hatten die Kapelle für sich.

Kate warf einen Blick auf den Sarg, der hinter den geschlossenen Vorhängen verborgen stand. «Ich dachte, es wäre das Mindeste, was ich tun kann.»

Hinter den Vorhängen wurde ein mechanisches, sirrendes Geräusch laut. Die Vorhänge bewegten sich leicht. «Wir gehen jetzt besser», sagte Collins. «Für heute ist noch eine Trauerfeier angesetzt.»

Kate schob sich an der Bank entlang. Collins wartete auf sie. Er trug denselben braunen Anzug und denselben Tweedmantel wie bei ihren ersten beiden Begegnungen. Er hielt ihr die Tür auf, und gemeinsam gingen sie durch den kurzen Korridor zum Haupteingang.

Draußen war die Luft kalt und scharf. Die Trauergemeinde hatte sich in lockeren Grüppchen auf der breiten Asphalteinfahrt um die junge Frau geschart. Kate wandte den Blick ab.

«Ich gehe jetzt wohl besser.»

Collins musterte sie. «Wenn Sie noch einen Augenblick warten, nehme ich Sie mit.»

«Nein danke, ich komme schon zurecht.» Plötzlich hatte sie es eilig wegzukommen.

«Ich würde trotzdem gern ein Wort mit Ihnen reden. Mein Wagen steht auf der anderen Seite.»

Sie gingen um die Trauergemeinde herum auf eine Reihe geparkter Autos zu. Dann blieb Collins stehen. Kate spürte seine Hand auf ihrem Arm. Er zog sie ein kleines Stück zurück, und als sie aufschaute, sah sie, dass er den Fotografen aus der Kapelle im Blick hatte. Die Aufmerksamkeit des Mannes richtete sich auf die zentrale Gruppe um die Witwe. Kate konnte das Klicken und Sirren des Kameramotors hören, während er seine Aufnahmen machte.

«Gehen wir lieber hier entlang», sagte Collins, nahm sie beim Arm und kehrte auf demselben Weg zurück, den sie gekommen waren.

Sie gingen um die Kapelle herum und kamen hinter dem Fotografen raus, sodass er sie nicht sehen konnte.

«Warum wollten Sie nicht, dass er Sie sieht?», fragte Kate.

Er musterte sie kurz, wandte dann aber den Blick wieder ab.

«Es waren eher Sie, die er nicht sehen sollte. Wir haben Sie bisher aus der Sache rausgehalten. Ich möchte nicht, dass die Presse jetzt anfängt, über irgendeine ‹mysteriöse Frau› auf der Beerdigung zu spekulieren.»

Die Ermordung eines Psychologen durch einen seiner Patienten hatte für nationale Schlagzeilen gesorgt, aber in keinem der Berichte hatte es irgendeinen Hinweis auf Kate gegeben. Die Rücksichtnahme des Inspectors überraschte sie.

«Vielen Dank.»

«Sie brauchen sich nicht bei mir zu bedanken. Die Presse war schon schlimm genug, als sie wieder mal gegen das angeblich gescheiterte Konzept vom betreuten Wohnen wetterte. Mittlerweile haben die Zeitungen das Interesse an dem Fall verloren. Aber wenn herauskommt, warum Ellis ihn getötet hat, haben wir sämtliche Sensationsblätter im Land auf dem Hals. Dann gibt es ein Mordsspektakel, und damit ist niemandem gedient.»

Schließlich standen sie vor den in Reih und Glied geparkten Autos. Collins ging zu einem grauen Ford. Der Sergeant, der ihn bei seinem ersten Besuch in Kates Büro begleitet hatte, saß hinter dem Fahrersitz und las eine Zeitung. Nun faltete er sie hastig zusammen.

«Wir nehmen Miss Powell mit», erklärte Collins ihm, während er ihr die hintere Tür aufhielt.

Der Sergeant grinste Kate an, schien sich dann aber zu besinnen, dass diese Geste vielleicht doch zu vertraut wirkte, und setzte eine ernstere Miene auf. Als Collins sich neben

Kate auf den Hintersitz zwängte, warf der Sergeant ihm einen schnellen Blick zu.

«Wohin?»

«Die nächste U-Bahn-Station würde mir reichen», sagte Kate.

Er ließ den Wagen an. Auch andere Autos aus der Reihe fuhren nun die Einfahrt hinunter.

«Ich habe mich mit der Wynguard-Klinik in Verbindung gesetzt», sagte Collins, als sie durch die Tore des Krematoriums fuhren. «Nicht dass man uns dort viel hätte helfen können.» Der Anflug eines Lächelns spielte um seine Lippen. «Ihre Frau Dr. Janson scheint eine sorgengeplagte Dame zu sein. Offenkundig hat die Klinik es versäumt, sich mit Ellis' Hausarzt in Verbindung zu setzen. Man schien das nicht für nötig zu halten, da er ja ein ‹bekannter Spender› war. Ist das der richtige Ausdruck?» Kate nickte.

«Nun denn. Das ist eine Sache, die Sie mit denen ausmachen müssen, aber es würde mich nicht überraschen, wenn Sie die Klinik wegen Fahrlässigkeit zur Rechenschaft ziehen könnten. Ich bezweifle, dass Ellis wusste, wer der Arzt des echten Alex Turner war – wenn die Klinik also versucht hätte, seine medizinischen Unterlagen zu bekommen, hätten sie sofort gemerkt, dass da etwas nicht stimmte. Ich bin mir nicht sicher, was das Gesetz für solche Fälle vorsieht, aber es wäre vielleicht sinnvoll, wenn Sie sich einmal mit einem Anwalt in Verbindung setzten.»

Sie schüttelte den Kopf. «Ich mache den Leuten aus der Klinik keine Vorwürfe.»

Collins ließ das Thema fallen.

«Es gibt noch etwas, das ich Ihnen sagen wollte. Paul Sutherland ist freigelassen worden», fuhr er fort. «Er behauptet nach wie vor, sich nicht daran erinnern zu können, wo er in der Nacht war, in der in Ihr Büro eingebrochen wurde, und die Beamten, die ihn verhaftet haben, können das nachvollziehen. Anscheinend hat es eine ganze Weile gedauert, bis er nüchtern genug war, um überhaupt ein vernünftiges Wort herauszubringen. Aber sie konnten zumindest einen Teil seiner Aktivitäten zurückverfolgen, und es sieht nicht so aus, als wäre er es gewesen.»

Der Wagen roch nach Zigaretten. Kate kurbelte das Fenster herunter, um ein wenig frische Luft hereinzulassen.

«Das habe ich auch nie geglaubt.» Der Wind strich kalt über ihr Gesicht.

«Bei den Fingerabdrücken hatten wir leider auch kein Glück.» Collins' Knie drückte sich in die Rückseite des Sitzes vor ihm. Kate, die neben ihm saß, kam sich vor wie ein kleines Mädchen. «Sieht so aus, als hätte der Täter Handschuhe getragen. Also wusste er entweder, was er tat, oder er hat kalte Füße bekommen.»

«Was ist mit den Streichhölzern?»

Collins zog die Mundwinkel herab und schüttelte den Kopf.

«Das beweist nicht, dass es Ellis war, wenn Sie das andeuten wollten.»

«Sie glauben also nicht, dass er es gewesen ist?»

«Ich glaube nicht, dass eine Streichholzschachtel irgendetwas beweist, weder so noch so. Es könnte auch einfach ein Einbrecher gewesen sein, der raucht. Wir werden jedenfalls sowohl auf Ihr Büro als auch auf Ihre Wohnung ein Auge haben, aber ich würde nicht zu viel in die Sache reininterpretieren.»

Kate drehte sich um und starrte aus dem Fenster. «Haben Sie herausgefunden, von wo er mich angerufen hat?»

Nach ihrem Telefongespräch mit Ellis hatte sie den Service «Last-call Return» angerufen. Dadurch war seine Nummer ermittelt und aufgezeichnet worden, und sie hatte sie an Collins weitergegeben. Aber sie konnte seiner Miene ablesen, dass das Ganze Zeitverschwendung gewesen war.

«Er hat einen öffentlichen Fernsprecher in der Nähe der U-Bahn-Station Oxford Circus benutzt. Niemand erinnert sich daran, ihn gesehen zu haben.» Dieses Eingeständnis schien den Inspector zu verstimmen. «Aber jemand wie er wird sich nicht lange versteckt halten können. Früher oder später taucht er wieder auf.»

Der Sergeant fuhr an den Straßenrand. «Ist das okay? Auf der anderen Straßenseite ist eine U-Bahn-Station.»

Kate bedankte sich und stieg aus. Der Tabakgeruch schien ihr zu folgen, als habe er sich schon in ihren Kleidern verfangen. Collins stieg ebenfalls aus.

«Keine Angst», sagte er, die Hand auf dem Griff der Beifahrertür. «Es dauert bestimmt nicht mehr lange, bis wir ihn finden.»

Als er sich auf den Vordersitz sinken ließ, sackte der Wagen eine Spur ab. Kurz darauf fuhren die beiden wieder los, und Kate sah sich um, ob der Weg zur anderen Straßenseite frei war.

Vor dem wolkenverhangenen Himmel zeichnete sich der schmale Schornstein des Krematoriums ab wie ein zur Mahnung erhobener Finger.

An diesem Abend machte sie sich ein Schinken-Käse-Omelett, dazu gab es Rosenkohl und zwei Scheiben Vollkornbrot. Rosenkohl war zwar nicht gerade ihr Lieblingsgemüse, aber er enthielt viel Folsäure, und darauf kam es während der Schwangerschaft an. Obwohl Kate keinen rechten Appetit hatte, war das ein Anreiz, trotzdem etwas zu essen.

Sie war sich der Ironie bewusst, dass sie ausgerechnet jetzt, da sie so viel essen konnte, wie sie wollte, ohne dabei ein schlechtes Gewissen zu bekommen oder gleich ins Fitnessstudio rennen zu müssen, es gar nicht mehr recht genießen konnte.

Nachdem sie aufgegessen und das Geschirr weggeräumt hatte, war es erst acht Uhr. Also ging sie ins Wohnzimmer und starrte für ein, zwei Stunden auf den Fernseher, bis es endlich spät genug war, ins Bett zu gehen.

Ein beharrliches Schrillen riss sie aus unruhigem Schlaf. Sie tastete nach dem Wecker, um ihn abzustellen, ehe sie realisierte, dass der Lärm aus dem Gang kam. Sie setzte sich auf. Es war noch dunkel, ohne auch nur den Hauch jenes schwachen Lichtes, das die Morgendämmerung anzeigt. Noch benommen vom Schlaf, brauchte Kate weitere zwei oder drei Sekunden, um zu begreifen, was sie geweckt hatte.

Es war der Rauchmelder.

Sie warf die Decken zurück und rannte in den Flur. Das Heulen der Alarmanlage wurde sofort lauter, und nun konnte sie auch den Rauch riechen, der den Alarm ausgelöst hatte. Sie knipste die Flurbeleuchtung an und musste in dem grellen Licht blinzeln. In der Luft lag ein leichter, grauer Dunst, aber von einem Feuer keine Spur.

Kate rannte ins Wohnzimmer. Es war so, wie sie es hinterlassen hatte, dunkel und still. Der Geruch des Rauchs war dort schwächer. Sie lief wieder hinaus, um in der Küche nachzusehen, und bemerkte dabei, dass der Rauch im Flur bereits dichter geworden war. Als sie an der Treppe vorbeikam, ließ ein Geräusch sie nach unten blicken.

Unter der Wohnungstür quollen Rauchschwaden hindurch. Der Fuß der Treppe lag im Dunkeln, aber hinter der durchscheinenden Katzenklappe war ein helles Leuchten zu sehen. Die Katzenklappe war einwärtsgebogen, als hätte der Wind sie zugeweht und die Hitze des Feuers sie auf die andere Seite gedrückt. Das Plastik zog bereits die ersten Blasen.

Kate machte auf dem Absatz kehrt und rannte in die Küche. Sie drehte beide Wasserhähne voll auf, um die Abwaschschüssel zu füllen, ließ sie laufen und stürzte unterdessen zum Telefon. Mit zitternden Händen wählte sie 999.

«Notdienst, welche Abteilung wünschen Sie?»

«Feuer. Meine Wohnung brennt.»

Eine Sekunde später hatte sie eine andere Stimme am Apparat. Kate versuchte, die Panik aus ihrer Stimme zu verbannen, konnte aber nichts gegen das Beben unternehmen, während sie die Situation schilderte. Im Hintergrund heulte immer noch der Feueralarm.

«Befindet sich außer Ihnen noch jemand im Haus?», fragte die Stimme am anderen Ende der Leitung, eine Frau.

«Nein.» Jetzt war Kate dankbar dafür, dass die andere Wohnung leerstand.

«Können Sie raus?»

«Nein, die Wohnungstür steht in Flammen, zum Teufel nochmal!»

Sie hörte die Panik in ihrer Stimme, aber die Telefonistin blieb ruhig und gab Kate Anweisung, in ein Zimmer mit Blick zur Straße zu gehen, die Tür zu schließen und das Fenster zu öffnen.

«Bleiben Sie am Fenster, damit man Sie sehen kann», sagte die Telefonistin. «Und hängen Sie ein Handtuch oder irgendetwas als Kennzeichen raus.»

Der Rauch war noch dichter geworden und hatte durch das schmelzende Plastik der Katzentür jetzt eine giftige

Schärfe angenommen. Hustend legte Kate auf und rannte wieder in die Küche. Die Waschschüssel war übergelaufen, und ohne die Hähne abzudrehen, nahm Kate sie mit beiden Händen auf und taumelte damit hinaus. Wasser spritzte auf das T-Shirt, das sie nachts trug. Endlich stand sie oben an der Treppe und kippte die Schale aus. Ohne abzuwarten, welche Wirkung das hatte, stolperte sie durch den Flur zurück und ins Wohnzimmer.

Die Luft darin war klarer, und erst als sie die Tür hinter sich geschlossen hatte, kam es ihr in den Sinn, dass das Zimmer direkt über dem Feuer lag. Etwas spät überlegte sie nun, ob das Badezimmer wohl sicherer gewesen wäre. Aber vor dem Gedanken, noch einmal zurück in den Qualm zu müssen, schreckte sie zurück.

Ohne Licht zu machen, durchquerte sie den Raum und stellte sich ans Fenster. Es war ein Schiebefenster, verklebt von der Farbe zahlloser Anstriche. In jedem Sommer seit ihrem Einzug hatte Kate sich vorgenommen, es zu reparieren, war dann aber nie dazu gekommen. Es ließ sich problemlos sechs Zoll weit öffnen, aber dann klemmte es. Sie mühte sich ein paar Sekunden lang damit ab und gab es auf. Ein Streifen kalter Luft wehte gegen ihre Taille. Sie hatte vergessen, ein Handtuch mitzunehmen, daher streifte sie den Bezug von einem Kissen ab und hängte ihn stattdessen durch den Fensterspalt. Dann legte sie den Kopf gegen das kalte Glas und blickte hinaus. Die Straße war leer, der von Collins versprochene Streifenwagen nirgends zu sehen. Der Weg vor der Haustür wurde von einem flackernden, vielfarbigen Licht erleuchtet. Blaue, rote und orangefarbene Flecken tanzten wild durch den Vorgarten, da der Flammenschein durch das Buntglasfenster gefiltert wurde. Kate konnte es leise klimpern hören, während eine Facette nach der anderen barst, bis sich das Harlekinleuchten schließlich in ein einförmiges Gelb verwandelt hatte.

In der Dunkelheit regte sich etwas. Sie spähte hinaus und sah Dougal auf der Gartenmauer sitzen. Die Augen des Katers glänzten im Widerschein des Feuers, das er beobachtete. Kates Atem ließ die Fensterscheibe beschlagen, und als sie sie abwischte, war Dougal verschwunden.

Ganz schwach und noch von ferne hörte sie das Heulen einer Sirene.

Wasser tropfte von der Decke. Auf dem Boden hatte sich eine Pfütze voller Ruß gebildet, die die gesprungenen Keramikkacheln bedeckte. Die Wände und die Decke waren geschwärzt, die Holzvertäfelung an Türen und Türrahmen verkohlt und blasig. Die Fußmatte aus Kokos lag in der Ecke, in die sie der Druck des Löschwassers geschoben hatte, ein verschrumpeltes schwarzes Etwas. Und über allem hing der beißende Aschegestank des gelöschten Feuers.

Der Feuerwehrmann richtete sich auf. Hinter ihm rollten andere Uniformierte den Schlauch wieder ein und verstauten ihn im Wagen. Glas knirschte unter seinen Füßen. Die Glühbirne an der Decke war zersplittert, aber vom Fuß der Treppe kam genug Licht, um sehen zu können.

«Wir müssen die Ergebnisse der kriminalistischen Untersuchung abwarten, aber ich glaube nicht, dass es da viel Raum für Zweifel gibt», sagte er. Er war ein stämmiger Mann in mittleren Jahren. Der gelbe Helm, den er jetzt unterm Arm hielt, hatte ihm das Haar flach an den Kopf gepresst.

Mit einem Nicken zeigte er auf die Katzenklappe unten in der Haustür. Sie war geschmolzen und geronnen wie Kerzenwachs, ein unwirklicher Zwilling der Katzenklappe in der Wohnungstür.

«Der Täter hat Benzin durch die Klappe in der Haustür gegossen, dann ein Stück Stoff hinterhergeschoben und dessen Ende von draußen angezündet.» Mit dem Fuß schob er einen verkohlten Überrest von etwas beiseite, das Stoff gewesen sein mochte. «Wer auch immer das getan hat, verstand genug von der Sache, um das Streichholz nicht durch die Klappe zu stecken und sich dabei die Finger zu verbrennen. Sie können von Glück sagen, dass nur der Eingangsbereich betroffen war. Da gibt es nicht viel Brennbares. Jedenfalls nicht, solange das Feuer nicht eine der Wohnungen erreicht. Unser Freund hat das entweder nicht gewusst, oder es war Absicht. Nicht dass das eine Entschuldigung wäre. Ohne Feueralarmanlage hätte die Sache ziemlich unangenehm für Sie werden können.»

Der Feuerwehrmann betrachtete die Überreste rauchigen Glases in der oberen Hälfte der Wohnungstür und schüttelte den Kopf. «Irgendeine Vorstellung, wer das getan haben könnte?»

Kate zog ihren Bademantel fester um sich. Vor der Haustür war es kalt von dem Wasser, das von überall herabtropfte. «Er ist ... ähm, die Polizei sucht bereits nach ihm.» Ihre Zähne klapperten, vor Schreck wie vor Kälte.

Der Feuerwehrmann wartete darauf, dass sie noch mehr sagte, und sah sich um, als ein Streifenwagen vor dem roten Feuerwehrwagen anhielt. «Ich muss einen Bericht schreiben. Sie können es ihnen ja selbst erzählen.»

Er ging die wenigen Treppen hinunter auf den Fußweg. Seine Stiefel spritzten durch die schlammigen Pfützen.

«Nur eins noch. Ich würde mir an Ihrer Stelle nicht nochmal eine Katzenklappe einbauen lassen, wenn Sie die neue Tür einpassen lassen. Wer das auch getan hat, er könnte sich beim nächsten Mal mehr Mühe geben. Mit einem Schlauch könnte er das Benzin dann gleich in Ihre Wohnung laufen lassen.»

Er sah sie noch einen Augenblick lang an, um sicherzugehen, dass seine Worte sie erreicht hatten. Dann zwinkerte er ihr zu.

«Die Katze muss dann eben warten, bis Sie sie reinlassen.»

Kapitel 17

Kates Geburtstag fiel auf einen grauen, windigen Tag, an dem man alle Lichter einschalten musste, um sich gegen das erbarmungslose Zwielicht zur Wehr zu setzen, und der bevorstehende Frühling einem in weiter Ferne erschien. Sie hatte vorher kaum einen Gedanken an diesen Tag verschwendet; es war einfach zu viel geschehen, um sich mit solchen Nichtigkeiten zu beschäftigen. Aber als sie an diesem Morgen erwachte, kam ihr zu Bewusstsein, dass sich abermals ein Jahr vom Kalender ihres Lebens gestohlen hatte.

Auf dem Weg hinaus nahm sie die Post aus dem Briefkasten. Die neue Haustür war gleich am Tag nach dem Brand montiert worden, eine stabile Hartholzplatte mit einem kleinen Milchglasfenster. Die Tür zu der leerstehenden Wohnung hatte man ebenfalls ersetzt. Ironischerweise hatte ihre eigene Tür nur einen neuen Anstrich benötigt, aber die Kokosmatte vor der anderen hatte wie ein Docht gewirkt und das Holz tief verkohlt.

Ein Polizeiwagen kam die Straße herunter. Kate fragte sich, ob es Zufall war oder Beweis dafür, dass Collins die Patrouillen vor ihrem Haus tatsächlich wie versprochen verstärkt hatte. Der Wagen fuhr vorbei, ohne dass einer der Insassen sie angesehen hätte, und sie richtete ihre Aufmerksamkeit wieder auf die Post.

Es waren zwei Geburtstagskarten dabei. Eine kam von einer Tante aus Dorset und die andere von einem Mädchen, mit dem sie das College besucht hatte. Sie gehörte zu den wenigen, denen sie nach ihrem Umzug ihre Adresse gegeben hatte und die sich gelegentlich brieflich bei ihr meldeten. Von Lucy war nichts dabei. Kate spürte einen Anflug von Ärger, der den Schmerz kaschierte. Noch nie hatte eine von ihnen den Geburtstag der anderen verpasst. Sie war sich sicher gewesen, dass Lucy ihr eine Karte schicken würde, und hatte sich bereits darauf gefreut, sie als Vorwand benutzen zu können, um wieder bei ihr anzurufen. Aber jetzt verstärkte die Zurückweisung Kate nur in ihrer Entschlossenheit, genau das nicht zu tun.

Bei der Arbeit verlor niemand ein Wort über ihren Geburtstag. Früher hatte Clive sich für gewöhnlich daran erinnert, aber diesmal offensichtlich nicht. Kate bemerkte, dass sie sich selbst leidtat und Gefahr lief, sich in ihrem Selbstmitleid zu suhlen. *Blöde Kuh*, dachte sie wütend und ging in ihr Büro, um sich dort einzusperren.

Es war fast Mittag, als Clive sich über die Gegensprechanlage meldete. «Da unten ist jemand, der dich sprechen möchte», sagte er. Seine Stimme klang merkwürdig. «Kannst du mal kurz runterkommen?»

«Wer ist es denn?»

«Ähm ... Ich glaube, das solltest du besser selber feststellen.» Er zögerte leicht. «Aber es ist nichts, weswegen du dir Sorgen machen müsstest.»

Er hatte aufgelegt. Eher verärgert als verwirrt, ging Kate die Treppe hinunter. Sie öffnete die Tür zum Büro. In der Mitte des Raums stand ein Polizist.

«Keine Sorge, es ist alles in Ordnung», sagte Clive hastig. Kate sah, dass er einen schnellen Blick mit Caroline wechselte, aber ihre Aufmerksamkeit galt dem Polizisten. Er war jung und gutaussehend. Er ging auf sie zu. «Kate Powell?»

Ihr Mund war trocken. «Ja?»

Sie war sich vage der Tatsache bewusst, dass Clive aufmunternd nickte. Der Polizist schlug ein Notizbuch auf und warf einen kurzen Blick darauf.

«Sie haben heute Geburtstag?»

«Ähm, ja. Warum, was hat das ...»

«In dem Fall muss ich Anklage gegen Sie erheben, weil Sie trotz Ihrer vierunddreißig Jahre im Besitz einer unerlaubt jugendlichen Figur sind», sagte er und zog mit einem heftigen Ruck seine Uniformjacke auf.

Klettverschlüsse rissen lautstark auseinander und gaben den Blick auf einen Krawattenlatz über bloßer Brust frei. Der Mann machte eine Show daraus, sich beider Kleidungsstücke und auch des Helms zu entledigen, und ließ anschließend die Hosen fallen. Darunter trug er bloß einen schwarzen String mit Polizeiabzeichen. Kate riss sich von diesem Anblick los, als der junge Mann seine Hose beiseiteschleuderte und zu singen begann.

«Happy birthday to Kate, happy birthday to Kate, happy birthday to Ka-yate, happy birthday to you!»

Er endete mit einer schwungvollen Verbeugung und grinste. «Jetzt habe ich eine Überraschung für dich», sagte er, und Kate trat unwillkürlich einen Schritt zurück, als er eine Hand in seinen String schob und Anstalten machte, etwas herauszuziehen.

«Nein!», rief sie, aber es war nur ein Stoffknüppel, mit dem er ihr nun vor der Nase herumfuchtelte.

«Die Strafe ist ein Kuss, oder ich muss dir eins mit dem hier verpassen», sagte er, aber bevor Kate antworten konnte, war Clive dazwischengetreten.

«Ich glaube, diesen Teil können wir auslassen, vielen Dank.»

Der Stripper warf einen schnellen Blick in die Runde und nickte dann fröhlich.

«In diesem Fall wünsche ich noch einen schönen Geburtstag», sagte er zu Kate, beugte sich vor und küsste sie auf die Lippen, bevor sie Zeit hatte, sich zu rühren. Dann raffte er seine Kleider zusammen und zog sich mit routinierter Geschicklichkeit an, bevor er schließlich zur Tür ging. Er zwinkerte Kate zu.

«Diesmal lasse ich dich mit einer mündlichen Verwarnung davonkommen», sagte er und ging hinaus.

Es herrschte Stille. Der alkoholische Duft seines Rasierwassers hing noch im Büro.

«Es, ähm, es sollte eigentlich ein Pfarrer sein», sagte Clive entschuldigend. Er warf Caroline einen bösen Blick zu.

«Die haben gesagt, sie könnten nur die Cop-Nummer liefern!», protestierte das Mädchen. «Ich musste mich entscheiden – entweder das oder einen Gorilla!»

Es waren ihre ängstlichen Mienen, die die Sache schließlich besiegelten. Der Druck, der sich während der vergangenen Tage in ihr aufgestaut hatte, hatte endlich ein Ventil gefunden, und Kate taumelte gegen eine Schreibtischkante, während ein unbändiges Gelächter sie überkam. Auch ein Hauch von Hysterie schwang darin mit, aber deswegen war es nicht weniger erlösend. Sie wischte sich die Augen und sah die drei anderen an, deren Gelächter ebenfalls Erleichterung verriet.

«Lasst uns Mittagessen gehen», sagte sie.

Sie entschieden sich für ein italienisches Restaurant, das nicht allzu weit vom Büro entfernt war. Clive bestellte eine Flasche Wein, von der Caroline und Josefina den größten Teil tranken. Als Kate ein Mineralwasser bestellte, zog Clive nur die Augenbrauen hoch, sagte aber nichts. Nachdem sie gegessen und einen Kaffee getrunken hatten, überraschte er Kate, indem er die beiden Mädchen anwies, allein ins Büro zurückzukehren.

«Wir kommen gleich nach», sagte er.

Sie sahen den beiden durchs Fenster nach, wie sie eingehakt und lachend ihrem Blick entschwanden. Clive schüttelte den Kopf.

«Irgendetwas sagt mir, dass die beiden heute Nachmittag nicht viel geschafft kriegen.» Sein Lächeln verflog. Langsam rührte er in seinem Kaffee. «Tut mir leid, wenn es ein Schock für dich war, da reinspaziert zu kommen und vor einem Polizisten zu stehen. Es war blöd von mir, die Sache Caroline zu überlassen.»

Kate lächelte. «Wer hatte denn die Idee?»

«Sie und Josefina. Aber ich war einverstanden. Wir dachten, es würde dich vielleicht aufheitern.»

Sie blickte auf ihr Glas hinunter. «Dann war es also so offensichtlich?»

«Mir war klar, dass etwas nicht stimmte, drücken wir's mal so aus. Seit die Polizei bei dir war, bist du nicht mehr dieselbe gewesen.» Clive hielt inne. «Möchtest du darüber reden?»

Zu ihrer Überraschung stellte Kate fest, dass sie das tatsächlich wollte. Sie sah sich flüchtig um. Es waren keine Kellner in Hörweite.

«Ich bin schwanger.»

Diese Eröffnung schien Clive nicht weiter zu überraschen. «Ja, irgendwie habe ich mir das schon gedacht.» Er zeigte mit dem Kopf auf ihr Mineralwasser. «Kein Wein, kein Kaffee. Und du hast angefangen, während der Arbeit Kräutertee zu trinken. Na ja, meinen Glückwunsch. Oder ist das die falsche Bemerkung?»

Kate versuchte zu lächeln. «Um ehrlich zu sein, weiß ich das selber nicht genau.» Sie spürte, wie ihre Augen sich mit Tränen füllten. Sie tupfte sie mit der Serviette ab. «Scheiße. Tut mir leid.»

«Keine Ursache. Wenn ich es nicht hätte wissen wollen, hätte ich nicht gefragt. Also, was ist passiert?»

Sie hatte nicht die Absicht gehabt, ihm alles zu erzählen. Aber jetzt, da sie Lucy nicht mehr zum Reden hatte, war das Verlangen, irgendjemandem ihr Herz auszuschütten, einfach zu groß. Er hörte schweigend zu, bis sie fertig war, lehnte sich dann zurück und stieß einen leisen Pfiff aus.

«Na ja, ich hatte zwar Beziehungsprobleme erwartet, aber so was denn doch nicht.»

«Originell, wie? Und bevor du es aussprichst: Falls mir noch jemand vorhält, wie dumm ich gewesen bin, schreie ich.»

Er zuckte die Achseln. «Ich glaube nicht, dass du dumm gewesen bist. Du hast verdammtes Pech gehabt, aber das ist auch alles.»

«Du meinst also nicht, es sei meine Schuld? Dass ich mir alles selbst zuzuschreiben habe?»

«Du meine Güte, Kate, warum sollte es denn deine Schuld sein? Du hast doch bloß versucht, vorsichtig zu sein. Ich kann mir nicht vorstellen, dass dir das irgendjemand zum Vorwurf machen könnte.»

«Hat mich aber nicht weit gebracht, diese Vorsicht, wie?»

«Nein, aber wie soll man denn mit so etwas rechnen?»

Dasselbe hatte Kate sich immer und immer wieder auch gesagt, aber eine masochistische Stimme wisperte ihr ständig ins Ohr, dass sie es verdient hätte. «Du glaubst also, ich tue das Richtige, wenn ich das Baby behalte?»

«Wenn es das ist, was du willst, ja.» Er beugte sich zu ihr vor. «Hör mal, es geht um dein Leben. Du hast nur einen Versuch, also tu, was du willst. Wenn du das Gefühl hättest, eine Abtreibung zu wollen ...» Er hob die Hände. «Gut. Deine Entscheidung. Aber wenn du es behalten willst, dann ist auch das deine Entscheidung. Was die anderen denken, spielt keine Rolle.»

Kate sah zu, wie ihre Hände ein Stück Brot auf ihrem Teller zerkrümelten. Dann meinte sie mit geheuchelter Unbefangenheit: «Vielleicht hätte ich doch auf Lucy hören sollen. Sie meinte, ich hätte dich bitten sollen, der Spender zu sein.»

Clive antwortete nicht. Als sie aufblickte, sah er aus dem Fenster, und auf seinem Gesicht stand ein undurchdringlicher Ausdruck.

«Tut mir leid, ich wollte dich nicht in Verlegenheit bringen», sagte sie.

«Hast du nicht. Ich fühle mich geschmeichelt.» Seine nächsten Worte schien er mit Bedacht zu wählen. «Aber ich glaube nicht, dass ich eine gute Wahl gewesen wäre.»

«Warum nicht?» Kate zögerte. «Weil du schwarz bist?»

«Wohl eher, weil ich schwul bin, denke ich.» Dann drehte er sich mit einem schiefen Lächeln wieder zu ihr um. «Es wäre dem armen kleinen Teufel gegenüber wohl nicht fair, allzu viele Vorurteile über seinem Haupt anzusammeln, wie? Ein Vater, der schwarz ist und dazu noch homosexuell? Versuch das mal der wohlmeinenden Öffentlichkeit zu erklären.»

Kate spürte, dass er auf ihre Antwort wartete. Sie schüttelte den Kopf.

«War ich denn so begriffsstutzig, oder ist das etwas, das du für gewöhnlich für dich behältst?»

«Ich behalte es nicht für mich. Ich sehe nur keinen Grund, es den Leuten auf die Nase zu binden, das ist alles. Wie ich schon sagte, mein Leben, meine Sache.» Eine Spur von Wachsamkeit stahl sich in seine Haltung: «Spielt das eine Rolle?»

«Was glaubst du?»

Clive grinste. «Also», fuhr er mit energischerem Tonfall fort. «Was unternimmt die Polizei wegen dieser Drohungen gegen dich?»

Einen Augenblick lang hatte Kate ihre Probleme vergessen. Jetzt drückten sie wieder mit ihrem ganzen Gewicht auf ihre Stimmung.

«Ich weiß nicht. Sie sagen, sie behielten meine Wohnung und die Agentur im Auge, aber im Klartext bedeutet das lediglich, dass ab und zu ein Streifenwagen vorbeifährt. Davon abgesehen ...» Sie zuckte die Achseln.

Clive blickte stirnrunzelnd in seine leere Kaffeetasse. «Vielleicht solltest du dich von deiner Wohnung fernhalten, bis ein wenig Gras über die Sache gewachsen ist», sagte er langsam. «Okay, er wird wahrscheinlich nichts mehr unternehmen, aber ich finde, du solltest trotzdem darüber nachdenken. Du kannst gerne bei mir wohnen. Da wird bald eine Schlafcouch frei.»

Kate hatte bereits darüber nachgedacht, ob sie sich nicht in die Sicherheit eines Hotels zurückziehen und die Anonymität als Puffer gegen den Wahnsinn der Brandstiftung nutzen sollte. Aber sie hatte der Versuchung widerstanden. Sie würde nicht weglaufen.

Sie griff über den Tisch und drückte Clive die Hand. «Ich weiß das Angebot zu schätzen, aber es ist schon okay. Ich komme schon zurecht.»

Sie stand auf.

«Komm. Wir machen uns besser wieder an die Arbeit.»

Sie hatten an sämtlichen Erdgeschossfenstern der Agentur Sicherheitsriegel anbringen lassen. Darüber hinaus war eine Alarmanlage installiert worden, und Kate hatte den Briefschlitz in der Tür versiegeln und durch einen Briefkasten ersetzen lassen. Sie hatte sich gleich auch einen für ihre Wohnung gekauft, da das Gitter an der neuen Tür bestenfalls symbolischen Schutz bot. Die Aktenschränke waren mit feuerfesten Schaumgummiplatten ausgekleidet worden, und von den Computerdateien hatten sie Kopien gezogen. Die Disketten wurden in Clives Wohnung aufbewahrt. Außerdem hatten sie zusätzliche Feuerlöscher gekauft, diesmal pudergefüllte, weil sie gegen Benzinfeuer mehr auszurichten vermochten als Wasser – und Kate nahm auch einen mit nach Hause.

Sie hatten im Büro keine automatische Löschanlage installieren lassen, weil sie sich das nicht leisten konnten, aber Kate fand, dass sie alles in ihren Kräften Stehende zu ihrem Schutz getan hatten. Allein die Tatsache, überhaupt etwas tun zu können, statt sich nur passiv zurückzulehnen und abzuwarten, half ihr schon ein wenig. Trotzdem spürte Kate, dass sie sich jedes Mal, wenn sie sich der Agentur näherte, auf verkohlte Fensterrahmen und versengte Ziegelsteine gefasst machte. Jedes Mal, wenn sie die Agentur unversehrt vorfand, mischte sich in ihre Erleichterung ein wachsendes Gefühl der Hoffnung; vielleicht war das Feuer in ihrer Wohnung doch ein Ende gewesen, kein Anfang.

Zum ersten Mal war Kate, wenn nicht von echtem Optimismus, so doch zumindest von dem Gefühl erfüllt, dass ihr Leben eines Tages wieder in geregelte Bahnen zurückfinden würde.

Dieser Glaube wurde bestärkt, als sie eines Morgens auf dem Weg zur Arbeit feststellte, dass an dem abgebrannten Lagerhaus die Abrissarbeiten begonnen hatten. Sie würde drei Kreuze schlagen, wenn es endlich verschwand, dachte sie, als die Abbruchkugel Mauerreste und geschwärzte Balken zu einem Haufen Staub und Trümmer reduzierte. Sie bog in die Straße ein, in der die Agentur lag, und entspannte sich ein wenig, als sie keine Feuerwehrwagen dort geparkt sah. Während sie in ihrer Tasche nach dem Schlüssel suchte, registrierte sie beiläufig, dass mal wieder die Plakatkleber aktiv gewesen waren. Die Fülle verbretterter Gebäude gab Banden, Clubs und politischen Randgruppen jede Menge Raum zur Selbstdarstellung. Die ständig wechselnden Plakate gehörten so sehr zur Landschaft, dass Kate sie kaum noch bemerkte, und als sie jetzt die Schlüssel herauszog und aufblickte, war ihr erster Gedanke, dass sie vor dem falschen Gebäude stehengeblieben war. Dann sah sie genauer hin, und der Schock fuhr ihr in die Glieder.

Die Poster bedeckten die Mauern des Erdgeschosses zur Gänze, nicht nur das Büro, sondern auch die Gebäude rechts und links davon. Sie waren offenbar in großer Eile geklebt worden, überlappten einander und liefen schräg über Fenster und Türen, sodass die gesamte Hausfront eine wirre Collage eines einzigen wiederholten Bildes war.

Kate starrte es fassungslos an. Dann fuhr sie plötzlich herum und suchte Halt an einer Straßenlaterne, während sie sich krümmte und übergab. Sie hörte Schritte auf sich zukommen und erkannte Clives Stimme.

«Kate? Kate, alles in Ordnung?»

Sie antwortete nicht. Sie klammerte sich an den Laternenpfahl, bis der Brechkrampf vorüber war. Clive stand zögernd neben ihr. Sie hörte «O mein Gott» und wusste, dass er die Plakate ebenfalls gesehen hatte.

Zitternd richtete sie sich auf. Als Clive sich zu ihr umdrehte, spiegelte sein Gesicht Entsetzen wider.

«Nicht», sagte er, aber sie musste es sich einfach noch einmal ansehen. Sie schaute an ihm vorbei.

Das Plakat war farbig und in DIN A3. Es zeigte eine nackte, abartig dicke Frau. Ihre hängenden Brüste waren übersät von etwas, das entweder Blutergüsse oder Brandmale von Zigaretten sein mochten. Sie hockte mit breit gespreizten Beinen da und stellte ihre Scham zur Schau, während sie von einem halbverdeckten Mann penetriert wurde.

Oben auf diesem fleischigen Leib thronte Kates Gesicht. Ihr Kopf war unbeholfen, aber deswegen nicht weniger wirkungsvoll auf den der Frau gepfropft worden. Das Bild zeigte sie glücklich lachend und auf groteske Weise gleichgültig gegenüber ihrer Unzucht und der in fetten roten Lettern auf das Poster gedruckten Botschaft.

«KATE POWELL IST EINE MORDENDE HURE.»

Kate wandte sich ab und übergab sich noch einmal.

Kapitel 18

Collins' Gesicht ließ nichts von seinen Gedanken ahnen, während er das Poster betrachtete. Beim Abreißen waren die Ecken etwas beschädigt worden, aber der Rest war unversehrt. Von der Straße kam das feuchte Zischen des Dampfreinigers, der die Vorderseite des Reihenhauses attackierte. Trotz der geschlossenen Fenster war das Büro vom Geruch feuchten Papiers durchtränkt.

Der Inspector legte das Poster wieder auf den Schreibtisch. «Nun, ich glaube, wir können festhalten, dass er seine Erfahrungen in der Druckerei gut genutzt hat.»

Kate riss den Blick von dem verkehrt herum liegenden Bild auf ihrem Schreibtisch los. «Freut mich, dass Sie die Sache so komisch finden.»

Collins versuchte, seinen ausladenden Körper in eine bequemere Position zu bringen, aber als der Stuhl ein protestierendes Quietschen von sich gab, beließ er es bei der unbequemen. Seine großen Hände lagen schlaff auf den Oberschenkeln.

«Ich finde es nicht besonders komisch, Miss Powell. Obwohl es mir schon lieber ist, wenn er Poster anfertigt, statt Brände zu legen. Beunruhigend, ich weiß, aber auch wieder nicht so schlimm, als wenn er das Gebäude abgebrannt hätte.»

Kate antwortete nicht. Das Feuer in ihrer Wohnung hatte sie erschüttert, aber dies hier erschien ihr irgendwie noch schlimmer.

«Erkennen Sie das Bild? Ich meine, das von Ihnen?», fragte Collins.

Sie nickte, sah das Bild jedoch immer noch nicht an: «Ich glaube, es ist eins von denen, die er in Cambridge gemacht hat. Von demselben Tag wie das, das ich Ihnen gegeben habe. Ich glaube nicht, dass er andere Fotos von mir hatte.»

Die Erinnerung schien einem anderen Menschen zu gehören. Sie verursachte ihr einen stumpfen Schmerz in der Brust, wie Sodbrennen.

«Spielt es denn überhaupt eine Rolle, woher er das Foto hat?», brauste sie auf, um den Schmerz zu zerstreuen. «Es geht hier doch wohl eher darum, dass er die verfluchten Poster aufgehängt hat! Was ist aus den Streifenwagen geworden, die angeblich nach ihm Ausschau halten sollten?»

Collins rieb sich mit einem dicken Zeigefinger den Nasenrücken. «Keiner der Männer hat hier in der Gegend etwas Ungewöhnliches entdeckt.»

«Dann können Sie ja nicht sehr lange in der Gegend gewesen sein. Wie konnten sie ihn denn übersehen, verflucht nochmal? Er muss die halbe Nacht hier gewesen sein!»

«King's Cross ist nicht gerade leicht zu überwachen, Miss Powell. Unsere Beamten tun ihr Bestes, aber sie können nicht überall gleichzeitig sein.»

«Ich habe vielmehr den Eindruck, dass sie überhaupt nicht hier waren.»

Collins warf ihr einen tadelnden Blick zu. Ihr fiel auf, dass er sich beim Rasieren an der Wange geschnitten hatte.

«Um genau zu sein, Miss Powell, hatten wir hier und in

der Nähe Ihres Zuhauses einige Nächte nach dem Brandstiftungsversuch einen Wagen stationiert. Aber wir sind eine Polizeitruppe, keine Nachtwächter. Wir können eine Vierundzwanzig-Stunden-Überwachung nur auf Verdacht nicht bis in alle Ewigkeit fortsetzen. Es tut mir sehr leid, was passiert ist, und in Zukunft werden wir unseren Streifenwagen wieder öfter vorbeischicken, aber einen Menschen wie Timothy Ellis könnte man wohl nicht mal im günstigsten Falle als berechenbar bezeichnen. Und wenn er seine Medikamente gegen die Schizophrenie abgesetzt hat, wie wir es vermuten müssen, wird er noch unberechenbarer werden.» Er bedachte sie mit einem ausdruckslosen Blick.

«Vor allem jetzt, wo er glaubt, Sie hätten eine Abtreibung machen lassen.»

Diese deutliche Erinnerung an das, was sie getan hatte, ließ Kate die Röte in die Wangen schießen. Ohne ein Wort sah sie zu, wie Collins das Poster dem Sergeant aushändigte, der sich noch mehr im Hintergrund gehalten hatte als sonst.

Der Inspector hievte sich mühsam auf die Füße und zuckte leicht zusammen, als seine Kniegelenke krachten. «Wir nehmen das da mit und versuchen herauszufinden, woher es kommt», erklärte er ihr.

Seine Stimme klang nicht besonders hoffnungsvoll.

Als sie an diesem Abend das Büro abschloss, stand Clive neben ihr; er bestand darauf, sie zur U-Bahn-Station zu begleiten. Sie hatte früher Schluss gemacht als sonst, beinahe sofort nachdem die Dampfreiniger fertig waren. Die Atmosphäre im Büro war den ganzen Tag über gedrückt gewesen. Caroline und Josefina schienen eine Erklärung bekommen zu haben, und obwohl alle sich energisch um

Normalität bemühten, wann immer Kate hinunterkam, durchschaute sie doch die Fassade. Niemand wusste recht, was er sagen sollte.

Kate stellte die Alarmanlage an, zog die Tür zu, machte einen Schritt zurück und blickte an der Hausfront hinauf. Das Pflaster war übersät mit Papierfetzchen, die die Reinigungsleute zurückgelassen hatten. Von den Wänden tropfte Wasser und sammelte sich in kleinen Pfützen auf dem Boden. Die Tür und das Fenster waren sauber geschrubbt worden, aber an den raueren Flächen der Steine und des Mörtels klebten noch immer winzige weiße Fleckchen.

«Ist gar nicht mehr so schlimm, oder?», meinte Clive.

Er schien selbst nicht besonders überzeugt davon zu sein. Kate schüttelte den Kopf, da sie ihrer Stimme misstraute. Sie versuchte, sich die Gestalt vorzustellen, die da mit Bürste und Papier in der Dunkelheit zugange gewesen war. Sie fragte sich, was währenddessen wohl in Ellis' Kopf vorgegangen sein mochte; dann durchzuckte sie die Erkenntnis, dass sie mittlerweile diesen Namen benutzte, wenn sie an ihn dachte. Ellis. Nicht Alex. Alex Turner war tot.

Jetzt gab es nur noch Timothy Ellis.

Kate wandte sich ab. Dabei sah sie, dass ein Posterfetzchen an ihrem Schuh kleben geblieben war. Sie kratzte es mit dem anderen Fuß weg und trat hastig einen Schritt zurück.

«Gehen wir», sagte sie.

Sie trennten sich bei King's Cross, und Kate nahm eine U-Bahn zum Fitnessclub. Obwohl er nicht weit von ihrer Wohnung entfernt lag, war sie, seit sie von ihrer Schwangerschaft wusste, nicht mehr da gewesen; teils, weil sie andere Dinge im Kopf hatte, teils, weil sie den verletzlichen Fötus nicht ihren strapaziösen Übungen aussetzen wollte.

Die Sporthalle des Fitnessclubs wurde von der üblichen Feierabendtruppe heimgesucht. Kate zog ihren schwarzen Einteiler an und blickte auf ihren Bauch hinunter. Man sah noch nichts, und sie führte das Gefühl, merkwürdig aufgebläht zu sein, auf einen Mangel an Bewegung und ein Zuviel an Phantasie zurück. Mit plötzlich erwachtem Eifer ging sie die Treppe hinunter ins Untergeschoss, wo der Swimmingpool des Clubs untergebracht war.

Sie schwamm dreißig Bahnen, bevor sie aus dem Wasser stieg. Unter der Dusche schmerzte ihr Körper noch von der Anstrengung im Wasser. Dann zog sie sich an und trocknete sich das Haar. Sie überlegte, ob sie sich auf dem Heimweg etwas zu essen mitnehmen sollte. Die körperliche Anstrengung hatte sie hungrig gemacht, aber ihre Lust zu kochen verringert. Als sie aus der Umkleidekabine kam, hatte sie beschlossen, sich den Luxus zu gönnen und auswärts zu essen. Den merkwürdigen Blick, den der Angestellte am Empfangstisch ihr zuwarf, nahm sie im Hinausgehen nur am Rande wahr; sie hatte zu viel damit zu tun, darüber nachzudenken, ob sie zum Italiener oder zum Chinesen gehen wollte.

Der Fitnessclub nahm in einem umgebauten Lagerhaus den größten Teil der beiden ersten Stockwerke und einen Teil des Untergeschosses für sich in Anspruch. Der Eingang im Erdgeschoss lag zwischen einem Obstgeschäft und einer Apotheke. Beide Läden waren bei Kates Ankunft offen gewesen, hatten nun jedoch ihre Türen geschlossen, und vor ihren Fenstern waren stählerne Sicherheitsgitter herabgelassen worden. Als Kate auf die Straße trat und immer noch mit der Frage beschäftigt war, wo sie essen solle, bemerkte sie, dass etwas an den Stahlgittern anders war als sonst. Es dauerte ein oder zwei Sekunden, bis ihr klar wurde, dass das graue Metall mit weißen Flecken gesprenkelt war.

Sie blieb stehen. Aufmerksam geworden, fielen ihr nun auch die Papierfetzchen auf, die auf dem Pflaster vor den Läden verstreut lagen. Sie drehte sich noch einmal zur Tür des Fitnessclubs um. Die Oberfläche ihres Stahlblechs wies frische Kratzer auf, als hätte man dort etwas abgeschabt.

Kate blickte an der Häuserfront entlang, aber nichts ließ darauf schließen, dass auch an den anderen Läden etwas geklebt hatte. Ein plötzlicher Schmerz in den Händen kam ihr zu Bewusstsein. Ihre Fingernägel hatten sich in die Innenflächen ihrer geballten Fäuste gebohrt. Sie öffnete die Hände und wandte sich von den weißgesprenkelten Gittern ab.

Der Appetit war ihr vergangen. Mit der Absicht, nach Hause zu gehen, überquerte sie die Straße. Auf der anderen Seite, direkt gegenüber dem Fitnesszentrum, befand sich die Bushaltestelle. Sie war auf dem Hinweg bereits daran vorbeigegangen, ohne sie genauer zu betrachten. Jetzt stand sie direkt davor.

Die Poster bedeckten sie beinahe zur Gänze.

Während der nächsten zwei Tage schien es Kate, als wären die Poster überall, wo sie hinging. Ihre Gesichtszüge lächelten ihr in der ganzen Stadt vom Körper der dicken Frau entgegen. Manchmal tauchte nur ein einziges Poster mitten auf einer Wand oder einem Fenster auf. An anderen Stellen fand sich gleich eine ganze Ansammlung. An der U-Bahn-Haltestelle Tottenham Court Road sah sie eine lange Reihe der Poster auf der Wand neben den Rolltreppen, wahllos zwischen und über ältere Plakate geklebt. Die meisten davon waren zum Teil abgerissen worden, aber auf einigen war ihr Gesicht oder ihr Name noch zu sehen. Kate zog den Kopf ein und starrte auf ihre Füße, während die Rolltreppe sie an den Postern vorbeitrug. Oben angelangt, geriet sie, als sie von der Treppe steigen musste, kurz ins Stolpern und sah eines der Poster auf dem Boden kleben. Es war schmutzig und von Hunderten von Füßen abgetreten, aber immer noch zu erkennen. «KATE POWELL IST EINE MORDEN–» war darauf zu lesen, bevor eine fehlende Ecke den Rest der Botschaft abschnitt.

Bedrängt von den anderen Leuten, die von der Rolltreppe kamen, ging Kate darüber hinweg.

«Wie ist es möglich, dass er das machen kann?», protestierte sie Collins gegenüber. «Er wird doch angeblich wegen Mordes gesucht! Wie kann er da einfach rumlaufen und Poster ankleben, wo es ihm gefällt?»

Selbst am Telefon klang die Müdigkeit des Inspectors durch, als er ihr antwortete.

«In dieser Stadt laufen jede Nacht Tausende von illegalen Plakatklebern herum. Von denen sehen wir auch keinen bei der Arbeit. Und was den Mordverdacht betrifft – bisher hat noch niemand eine Verbindung zwischen Alex Turners Ermordung und den pornographischen Postern hergestellt, die an den merkwürdigsten Stellen auftauchen. Ich persönlich würde die Sache auch gern geheim halten, solange ich keinen Vorteil darin sehe, das man das tut. Daran müsste Ihnen doch ebenso gelegen sein.»

«Aber Sie müssen doch irgendetwas tun können!»

«Wir tun alles, was wir können. London ist eine große Stadt, wenn es darum geht, einen Mann zu finden, Miss Powell, und wir können unmöglich vorhersagen, wann oder wo Ellis das nächste Mal auftauchen wird. Ein Poster anzukleben dauert nur ein paar Sekunden. Ein schneller Klatsch Kleister, und weg ist er!»

Ein Pochen in Kates Schläfen ließ die nächste Kopfschmerzattacke ahnen. Sie massierte sich die Stirn. «Woher hat er nur das Geld? Womit bezahlt er das alles?»

«Gute Frage. Er produziert die Poster offensichtlich selbst, indem er sie zum Beispiel auf einem Macintosh zusammensetzt und sie dann durch einen Farbkopierer laufen lässt. Ellis hat bei der Arbeit Computer benutzt, sodass das für ihn kein Problem darstellen dürfte. Und was das Geld betrifft, so hat ihm seine Großmutter anscheinend ein wenig hinterlassen. Es ist allerdings kein Vermögen, und es sieht so aus, als hätte er das Kapital, seit er Sie kennengelernt hat, ziemlich stark angegriffen. Wir haben in seinem Zimmer sein Sparbuch gefunden, und es ist fast nichts mehr darauf. Aber das heißt nicht, dass er nicht noch Ersparnisse haben könnte, von denen wir nichts wissen. Er könnte das Geld natürlich auch irgendwo gestohlen haben. Man bekommt gebrauchte Hardware heutzutage ja wirklich preiswert, und das Einzige, was er dann noch benötigt, ist eine Steckdose, um das Ganze mit Saft zu versorgen. Wir überprüfen kleine Hotels und Gasthäuser, aber das ist eine lange Geschichte.»

«Soll das ein Trost sein?»

«Nein, Miss Powell, es soll Ihnen nur zeigen, wo die Schwierigkeiten liegen.» In Collins' Stimme schwang eine untypische Schärfe mit. «Glauben Sie mir, es gefällt mir überhaupt nicht, einen Mordverdächtigen frei herumlaufen zu lassen, und wenn ich noch mehr tun könnte, um Timothy Ellis in die Finger zu bekommen, würde ich es tun. Aber bei den Informationen, die uns im Augenblick zur Verfügung stehen, gibt es einfach nichts mehr, was wir unternehmen könnten, und wenn Sie irgendwelche konstruktiven Vorschläge haben, werde ich sie mir mit Freuden anhören.»

Eine Sekunde später schien er seine Unbeherrschtheit

jedoch schon zu bereuen. Sein Tonfall wurde versöhnlicher. «Hören Sie, ich weiß, dass es hart für Sie ist. Wir werden ihn schnappen, das verspreche ich Ihnen. Aber Sie müssen wissen, dass wir nicht zaubern können. Seine Aktivitäten zielen offenkundig auf Gebiete, von denen er weiß, dass Sie sie aufsuchen, aber das ist schließlich der größte Teil von West- und Zentral-London. Es ist eine große Stadt, und wir können nicht erraten, wo er als Nächstes auftauchen wird.»

Später machte Kate sich schwere Vorwürfe, weil sie eigentlich hätte wissen müssen, was Ellis als Nächstes tun würde. Aber es bedurfte erst des Anrufs vom Parker Trust am folgenden Morgen, um ihr das zu Bewusstsein zu bringen.

«Hallo, Mr. Redwood», begrüßte sie den Vorsitzenden des Trusts am Telefon, während sie sich fragte, welch kleinliche Beanstandung er diesmal wohl vorbringen würde. «Wie geht es Ihnen?»

Eine entsprechende Höflichkeitsfloskel blieb aus. «Sie wissen wahrscheinlich, warum ich anrufe?»

Kate versuchte hastig, sich darauf zu besinnen, ob sie vielleicht etwas vergessen hatte. «Nein. Sollte ich?»

«Es geht um das Poster.»

O Gott. «Ach ja?», hörte Kate sich sagen.

«Ich nehme an, Sie wissen, wovon ich rede?»

Sie bemühte sich um einen gleichgültigen Tonfall. «Vielleicht sagen Sie es mir einfach, Mr. Redwood, dann können wir uns beide sicher sein.»

«Na schön. Ich rede von einem höchst anstößigen Poster, das Sie betrifft und das mir zur Kenntnis gebracht wurde. Ist das deutlich genug?»

Der Hörer in ihrer Hand fühlte sich plötzlich sehr schwer

an. Sie war sich der Gefahr bewusst gewesen, dass einige ihrer Klienten die Poster zu Gesicht bekommen könnten, aber sie hatte sich eingeredet, die Wahrscheinlichkeit dafür sei nur gering. ✖

«Es tut mir leid», sagte sie.

«Uns auch, Miss Powell. Das ist kaum die Art Profilierung, die wir erwarteten, als wir Ihrer Agentur den Auftrag gaben.»

«Ich bin selbst nicht glücklich darüber.»

«Nehmen Sie es mir nicht übel, aber das ist nur ein schwacher Trost. Ich nehme an, Sie wussten bereits von der Existenz des Posters?»

«Ja, aber ...»

«Und trotzdem haben Sie uns nicht darüber informiert?»

«Ich bin nicht auf den Gedanken gekommen, dass es den Trust etwas angehen könnte.»

«Da bin ich anderer Meinung. Ich habe von Anfang an klargemacht, dass alles, was den Trust betrifft, uns sehr wohl etwas angeht.»

«Die Poster zielen auf mich, nicht auf den Trust. Es tut mir leid, dass Sie in die Sache hineingezogen worden sind, aber ich wüsste nicht, warum Sie sich wegen dieser Poster Sorgen machen sollten.»

«Miss Powell, Ihre Agentur repräsentiert gegenwärtig den Trust, und solange sie das tut, fällt jedwede negative Publicity Ihrerseits auf uns zurück. Man sollte meinen, Ihnen als Werbeagentin wäre das klar. Und außerdem müssten Sie wissen, dass wir unmöglich eine Beziehung mit einer Firma fortsetzen können, deren Führung in irgendeine Art schmutziger Verleumdungskampagne verwickelt ist. Unter den gegebenen Umständen ...»

«Unter den gegebenen Umständen ist es nicht Ihre Sorge,

dass ein Geschäftspartner des ‹wohltätigen› Parker Trusts das Opfer einer offenkundig bösartigen und widerwärtigen Hetze ist, habe ich recht?»

Sie hatte erregt und ohne nachzudenken gesprochen, aber Redwood zumindest für einen Augenblick mundtot gemacht.

«Nun, Ihre Situation tut uns selbstverständlich leid», sagte er vorsichtig, «aber unser Mitleid hat auch Grenzen.»

«Selbstverständlich. Genauso selbstverständlich ist aber, dass es dem Ruf des Trusts als einer humanitären Organisation nicht gerade dienlich wäre, wenn bekannt wird, dass er das Opfer unfair behandelt hat. Ja, sogar unbarmherzig. Vor allem, wo es sich bei dem Opfer um eine Frau handelt, der Trust von Männern verwaltet wird und die Verleumdung überwiegend sexueller Natur ist.»

Redwood schwieg. Kate umklammerte den Hörer und zwang sich, ihrerseits zu schweigen, bis Redwood etwas sagen musste.

«Der Trust reagiert nicht auf Drohungen, Miss Powell.»

«Das erwarte ich auch gar nicht. Ich erkläre Ihnen lediglich, was unter solchen Umständen geschehen würde. Wie Sie schon sagen, ich bin Werbeagentin. Man sollte meinen, dass ich in diesen Dingen Bescheid weiß.»

Sie hielt den Atem an. Ihre Knöchel auf dem Telefonhörer waren weiß.

«Wir werden die Sache für diesmal durchgehen lassen, Miss Powell», sagte Redwood schließlich.

Kate atmete lautlos aus.

«Aber nur dieses eine Mal. Jede weitere Andeutung eines Skandals oder einer öffentlichen Debatte um Ihre Person oder Ihre Agentur, und Sie können Ihre Beziehung zum Trust als beendet erachten. Ich werde Sie schriftlich von dieser Tatsache in Kenntnis setzen. Damit es in Zukunft bezüglich unserer Position keine Missverständnisse mehr gibt.»

«Vielen Dank. Diese Sache tut mir wirklich sehr leid, und wenn Sie uns eine Rechnung für die Entfernung der Poster von Ihren Hauswänden schicken wollen ...»

«Das ist wohl kaum notwendig, schließlich kam das Poster mit der Post.»

«Mit der Post?», wiederholte Kate fassungslos.

«Jawohl. Es ist heute Morgen hier angekommen. Und auch wenn Sie zweifellos glauben, dass Ihre Privatsphäre Ihre eigene Sache ist, möchte ich Sie doch daran erinnern, dass der Trust insbesondere bei so gefühlsgeladenen Themen wie der Abtreibung stark an die Aufrechterhaltung christlicher Ethik glaubt, und das schließt ganz besonders die Unantastbarkeit des Lebens ein. Sei es geboren oder ungeboren.» Kate hatte das Gefühl, dass das Gespräch ihr entglitt. «Wovon reden Sie?»

«Ich rede davon, was das Poster Ihnen vorwirft. Auch wenn wir die Anschuldigung natürlich nicht für bare Münze nehmen, müssen wir dennoch ...»

Eine schreckliche Vorahnung machte sich in Kate breit. «Was steht auf dem Poster?», fragte sie.

«Ich glaube kaum, dass es einen Sinn hat, wenn ich es wiederhole ...»

«Ich möchte wissen, was auf dem Poster steht.»

Es entstand eine Pause, in der sie förmlich spüren konnte, wie der verwirrte Redwood allmählich begriff. Etwas wie Genugtuung schlich sich in seine Stimme.

«Vielleicht sollten Sie besser mal Ihre eigene Post durchsehen, Miss Powell», sagte er und legte auf.

Mit pochenden Schläfen summte sie über die Gegensprechanlage Clive an.

«Ist die Post schon da?»

«Ja, ich sortiere sie gerade. Ich bring sie rauf.»

Sie hörte, wie unten eine Tür geöffnet und geschlossen wurde, dann das Näherkommen seiner Schritte. Er trat ein und lächelte, bis er ihre Miene sah.

«Was ist los?»

Kate schüttelte den Kopf, ohne zu antworten. Sie streckte die Hand nach dem Stapel mit Umschlägen aus. Clive sah besorgt zu, wie sie sie durchblätterte. Als sie an den großen braunen Umschlag kam, hielt sie inne. Ihr Name und die Adresse der Agentur standen in unordentlichen Großbuchstaben auf der Rückseite. Sie riss den Umschlag auf.

Darin befand sich ein einzelnes, einmal gefaltetes Blatt Papier. Kate nahm es heraus.

Diesmal war ihr Kopf auf den Körper einer Frau im weißen Nachthemd gesetzt worden. Die Vorderseite des Nachthemds war blutverschmiert, und von den Händen der Frau, die sie steif von sich weg hielt, tropfte etwas Rotes herunter. Auf der Unterseite des Posters stand in derselben Farbe ein einziger Satz.

«KATE POWELL HAT IHR UNGEBORENES BABY GETÖTET.»

Kate legte das Blatt auf ihren Schreibtisch. Ihre Hände zitterten leicht. «Er hat eins davon dem Parker Trust geschickt», sagte sie. «Mit der Post.»

Clive faltete das Poster mit einem Ausdruck zornigen Ekels zusammen. «Das Schwein. Dieses widerliche kranke Schwein.»

Kate wollte etwas sagen, aber dann löschte ein entsetzlicher Verdacht ihre Worte aus.

«O Scheiße.» Sie starrte Clive an. «Der Filofax.»

Sie sah ihm an, dass er begriff, wovon sie redete. Er setzte sich.

«Er hat eine komplette Liste all unserer Klienten. Ohne Ausnahme.» Sie kämpfte um Selbstbeherrschung, während ihr das Ausmaß der Katastrophe langsam bewusst wurde. «Er braucht sich nicht einmal die Mühe zu machen, die Poster anzukleben, er kann die Mistdinger einfach verschicken! Gott, wahrscheinlich hat er es bereits getan!»

«Das kannst du nicht sicher wissen. Vielleicht hat er das ja gar nicht.» Aber Clive glaubte selbst nicht an das, was er sagte. «Na ja, wer wird sich schon um so was kümmern? Auf so einen Mist fällt doch keiner rein.»

«Ach, wirklich nicht? Außerdem brauchen sie es auch gar nicht zu glauben. Viele Leute wollen mit etwas Derartigem nichts zu tun haben, ob es nun stimmt oder nicht. Mein Gott, ich hätte das kommen sehen müssen!»

Sie starrten einander wortlos an, als ihnen die Konsequenzen aufgingen.

«Was meinst du, was wir jetzt tun sollen?», fragte Clive schließlich.

«Das weiß nur Gott allein», sagte Kate.

Kapitel 19

Er wird vorsichtiger.»

Mit einem leisen Klirren stellte Collins seine Teetasse wieder auf die Untertasse zurück. Der Stuhl knarrte unter dem korpulenten Polizisten, als er sich vorbeugte und die Tasse auf dem Couchtisch absetzte.

«Ich kann an einem blutbefleckten Poster, das mich bezichtigt, ein Kind abgetrieben zu haben, nichts Vorsichtiges entdecken», sagte Kate.

Sie war sehr überrascht gewesen, als an diesem Abend der Inspector an ihrer Tür geklingelt hatte. Sie hatte erst am Morgen mit ihm gesprochen und ihm von dem zweiten Poster berichtet. Sein Besuch erschreckte sie, aber er verstand es, sie schnell wieder zu beruhigen. Nichts Neues, sagte er. Nur ein inoffizieller Besuch.

Er lehnte sich schwer atmend in seinem Sessel zurück, die Beine gespreizt, die fleischigen Hände auf den Oberschenkeln. Sein brauner Anzug sah noch zerknitterter aus als sonst.

«Es ist weniger das Poster als das, was er damit anfängt.» Collins rutschte unbehaglich im Sessel hin und her. «Tut mir leid. Ich habe Probleme mit dem Rücken», erklärte er.

«Hätten Sie lieber einen Stuhl mit einer geraden Lehne?»

«O nein, ich komme schon zurecht, danke.» Er bemühte

sich, still zu sitzen. «Nein, die Sache an diesem zweiten Poster ist die, dass er nicht mehr so versessen darauf zu sein scheint, es überall anzukleben, wo Sie es sehen können. Er hat bei dem ersten Poster eine Menge Risiken auf sich genommen, als er es an U-Bahn-Stationen und belebten Straßen angebracht hat. Aber wie viele von diesem neuen Poster haben Sie bisher gesehen?»

«Auf dem Heimweg ein oder zwei in der Nähe von King's Cross.» Sie zuckte die Achseln. «Aber es war dunkel. Ich könnte heute Morgen einige übersehen haben, denn ich habe ja immer noch nach dem ersten Ausschau gehalten.»

«Trotzdem, es sind nicht viele. Er wird diesmal nicht genauso aufdrehen wie beim ersten Mal.» Der Inspector lächelte schief. «Ich würde das ja gern auf mein Konto verbuchen und sagen, es läge an unseren Kontrollen. Zweifellos ist das zum Teil auch der Fall, aber ich glaube, es gibt noch einen anderen Grund.»

Er beugte sich vor und griff abermals nach Tasse und Untertasse. In seiner Hand sahen sie aus, als gehörten sie zu einem Kinderservice.

«Das erste Poster galt fast ausschließlich Ihnen. Er wollte Sie treffen. Sie als ... nun ja, Sie beleidigen, indem er Pornographie einsetzte und die Poster an Plätzen aufhängte, wo Sie sie einfach sehen mussten. Er hat sich damit irgendwie abreagiert. Jetzt ist er etwas ruhiger geworden, und statt seine Haut zu riskieren, indem er die Dinger so mir nichts, dir nichts überall aufhängt, ist er auf die Idee verfallen, sie per Post an Ihre Klienten zu verschicken. Auch das Poster selbst ist weniger ... na ja, weniger hysterisch. Dafür ist es deutlicher, überlegter.»

Kate blickte auf ihren Tee hinab. Er war kalt geworden. «So, wie Sie es formulieren, klingt es, als ob er einen genauen Plan verfolgt.»

«Ich glaube nicht, dass wir mit Gewissheit sagen können, was er vorhat. Ellis ist nicht gerade ein rationaler Mensch. Möglich, dass er einfach tut, was ihm gerade in den Sinn kommt.»

Er reckte eine Schulter und zuckte unwillkürlich zusammen, wobei er sorgfältig darauf achtete, nicht die Tasse umzustoßen. Seine Stimme klang betont beiläufig. «Trotzdem, ich glaube, es wäre eine gute Idee, wenn Sie für eine Weile nirgendwo allein hingehen. Bestellen Sie sich entweder ein Taxi oder bitten Sie jemanden, Sie zu begleiten. Einen Mann vorzugsweise.»

«Sie glauben, er könnte mich angreifen?»

«Ich meine, Sie sollten keine unnötigen Risiken eingehen.»

Kate verschränkte schützend die Arme über dem Bauch. Das Zischen des Gaskamins füllte die Gesprächspause. In dem Wunsch, das Thema zu wechseln, fragte sie: «Wie viele unserer Klienten haben sich denn bisher noch bei Ihnen gemeldet?»

Sie war schließlich zu dem Schluss gelangt, dass ihre einzige Chance, den Schaden durch Ellis' Poster zu begrenzen, darin bestand, das Problem direkt anzugehen. Den Rest des Vormittags hatte sie damit zugebracht, einen Brief an sämtliche ihrer Klienten zu entwerfen und zu faxen, in welchem sie erklärte, die Poster seien Teil einer Kampagne, mit dem Ziel, sie zu diskreditieren. Schließlich hatte sie alle Klienten gebeten, sich bei Collins zu melden, falls sie ein Poster erhielten. Dann hatte sie noch ein Postskriptum hinzugefügt.

«Kate Powell freut sich überdies, die bevorstehende Geburt ihres ersten Kindes ankündigen zu dürfen.»

Es war ein seltsames, prickelndes Gefühl gewesen, die Worte geschrieben zu sehen, und sie hatte den Brief Clive übergeben, bevor sie ihre Meinung ändern konnte.

«Das nennt man wohl Feuer mit Feuer bekämpfen», hatte er grinsend angemerkt und dann ein Gesicht gezogen. «Tut mir leid. Schlechte Wortwahl.»

Der Inspector nahm einen weiteren Schluck Tee. «Eine ganze Menge. Ich glaube, Sie hatten recht in der Annahme, dass er das Poster an all Ihre Klienten geschickt hat.»

Kate hatte das im Grunde erwartet, aber die nüchterne Tatsachenfeststellung verursachte dennoch ein krampfhaftes Zusammenziehen in ihrer Brust, wie bei einem kurzen Asthmaanfall.

«Bisher sieht es so aus, als ob er sich ziemlich rigide an denselben Ablauf gehalten hat», fuhr Collins fort. «Dieselben braunen Umschläge – billige Qualität, aber wir haben noch nicht feststellen können, woher er sie hat. Abgestempelt in Zentral-London und nichts anderes darin als das neue Poster. Es ist übrigens genauso hergestellt wie das erste, daher verrät uns das auch nichts Neues.»

Kate zwang sich zu einem Lächeln. «Na ja, mit einer Rücksendeadresse hat wohl auch keiner gerechnet.»

«Nein», pflichtete er ihr bei. Er unternahm einen weiteren Versuch, sich in eine bequemere Position zu manövrieren. «Wie haben Ihre Klienten darauf reagiert?»

«Zwei haben heute Nachmittag die Geschäftsbeziehung beendet.»

Der eine war ein kleiner Verlag, der sich auf Kinderbücher spezialisiert hatte. Der andere ein Galerist, der sie gelegentlich beauftragte, seine Ausstellungen in Covent Garden zu bewerben. Es waren beides keine unersetzlichen Kunden, und sie hatte auch derzeit keine Aufträge von ihnen in Arbeit, aber der Galerist genoss einiges Ansehen, und Kate hatte den, wenn auch oberflächlichen, Kontakt mit der Kunstszene genossen. Die Verlegerin war am Telefon höflich, aber entschieden gewesen. Der Galerist, ein Mann namens Ramsey, den Kate immer gemocht hatte, weigerte sich, über die Sache auch nur zu diskutieren.

«Und Sie können sie nicht dazu bewegen, ihre Meinung zu ändern?», fragte Collins.

«Nein.»

Der Inspector zupfte nachdenklich an seinem Ohrläppchen. «Hm, na ja. Ich nehme an, es hätte auch noch schlimmer kommen können.»

Er brauchte nicht auszusprechen, was er dachte. Ellis hatte ihren Klienten nur das Poster geschickt. Er hatte keine Häuser in Brand gesteckt.

Bisher.

Collins leerte seine Teetasse und stellte sie mit einer endgültigen Geste auf den Couchtisch.

«Noch eine Tasse?», erkundigte sich Kate.

«Nein danke. Ich gehe jetzt besser. Meine Frau erwartet mich.» Er machte keine Anstalten, sich zu erheben. Er zeigte mit dem Kopf auf Kates Bauch. «Wie geht es dem, ähm ...»

Sie blickte an sich hinab. «Oh, bestens. Danke. Es fühlt sich noch gar nicht so an, als wäre ich wirklich schwanger. Abgesehen von der morgendlichen Übelkeit.»

«Bei meiner Frau war's auch so. Hat früh angefangen und gedauert, bis sie im achten Monat war. Nicht dass das irgendetwas zu bedeuten hätte», fügte er hastig hinzu.

Kate lächelte. «Wie viele Kinder haben Sie denn?»

«Nur eins. Eine Tochter, Elizabeth. Sie ist Ärztin.» Die Worte verrieten seinen Stolz.

«In London?»

«Manchester. Der Mann ist da Chirurg.»

«Enkelkinder?»

«Zwei Jungs. Sie müssten jetzt sechs und vier sein.» Sein Lächeln war voller Zuneigung, aber traurig. «Wir sehen nicht viel von ihnen, aber es ist wohl auch schwierig. Wo beide Eltern so viel zu tun haben.»

Der Satz klang nach einer logischen Erklärung, mit der man einen ständig lauernden Schmerz zu übertönen versuchte.

«Was ist mit Ihnen?», fragte Collins. «Haben Sie Geschwister?»

«Nein, ich war ein Einzelkind.»

«Was ist mit Ihren Eltern?»

«Die sind beide tot. Aber selbst wenn sie noch lebten, würde ich jetzt nicht zu ihnen laufen und sie um Hilfe bitten, wenn das der Grund Ihrer Frage war.»

Er machte sich nicht die Mühe, es zu leugnen. «Sie sind nicht miteinander klargekommen?»

Kate blickte in das Feuer des Gaskamins und versuchte die vielschichtigen Gefühle in einen einfachen Satz zu fassen. Sie erinnerte sich an ein ähnliches Gespräch mit einem anderen Mann, und das Thema war ihr plötzlich unbehaglich.

«Nicht besonders», sagte sie mit einem wegwerfenden Achselzucken. «Na, wie dem auch sei, vergangen ist vergangen.»

«Aber wünschen Sie nicht manchmal, dass sie ihr Enkelkind noch hätten sehen können?»

In seiner Frage schwang echte Neugier mit, beinahe Bestürzung. *Seine Tochter*, begriff Kate. *Er weiß immer noch nicht recht, was schiefgegangen ist.* Und auf einmal sah sie Collins nicht mehr als Polizisten, sondern als Vater, der mit der jüngeren Generation ungewollt in Konflikt geraten war und nun den Schmerz nicht begreifen konnte, den sein eigenes Fleisch und Blut ihm zufügte.

War ich auch so? Sie hatte immer nur über den Schmerz und die Ungerechtigkeiten nachgedacht, die sie selbst erfahren hatte, nicht über die, die sie anderen zugefügt haben mochte. Der Gedanke war unangenehm, und sie hatte mit der Gegenwart schon genug zu tun. Sie schob die Zweifel beiseite, obwohl ihr gleichzeitig auf unbehagliche Weise bewusst wurde, dass sie sich niemals mehr vollkommen zerstreuen würden.

«Alles in allem ist es vielleicht nur gut, dass meine Eltern ihr Enkelkind nicht erleben werden», sagte Kate mit gespielter Beiläufigkeit. «Sie hätten sich wohl Ihrer Meinung angeschlossen, was die Umstände seiner Zeugung angeht.»

Der Inspector blickte lächelnd auf seine Hände hinab. «Hat wahrscheinlich was mit dem Alter zu tun.»

Es war fast so etwas wie die gegenseitige Anerkennung ihrer unterschiedlichen Lebenswelten. Und es machte sie beide verlegen. Unvermittelt begann Collins' Magen zu knurren.

Er blickte peinlich berührt auf. «Pardon», murmelte er und klopfte sich auf den Bauch. Kate sah ihn zu ihrer Erheiterung erröten.

«Tja», sagte er, stützte sich auf die Knie und stand auf, «ich geh wohl besser.»

Kate begleitete ihn die Treppe hinunter. Er nahm den frischgestrichenen Eingang in Augenschein.

«Ich bin froh, dass Sie die Katzenklappe losgeworden sind», bemerkte er und klopfte auf die neue Tür. Draußen wandte er sich noch einmal um. «Und denken Sie daran, was ich gesagt habe. Passen Sie auf sich auf.»

Sie stellte überrascht fest, dass sie seine Sorge um ihr Wohlergehen zu würdigen wusste. Sie hätte ihm gern gesagt, dass ihr die Unterhaltung gutgetan hatte, aber die Worte kamen einfach nicht über ihre Lippen.

«Gute Nacht», sagte sie stattdessen und schloss die Tür.

Der junge Mann wartete auf der anderen Seite der Straße, gegenüber der Agentur. Kate bemerkte ihn, als sie die Straße hinunterkam, aber nach dem ersten schnellen Blick schenkte sie ihm keine Aufmerksamkeit mehr. Collins' Besuch am Vorabend hatte sie in eine sonderbare Stimmung versetzt. Sie war zu Bett gegangen und, anders als sonst, gleich eingeschlafen. Noch dazu hatte sie durchgeschlafen, bis ihr Wecker losging. Aber als sie erwacht war, hatte sie die vage Erinnerung an einen Traum vor Augen gehabt, in dem ihr Vater vor den Trümmern eines Hauses stand und sie beschuldigte, es mitsamt ihrem Baby darin heruntergebrannt zu haben. Obwohl sie sich an nichts Konkretes mehr erinnern konnte, war der Traum verstörend gewesen, und Kate versuchte immer noch, sich aus seinem Bann zu befreien, als ihr plötzlich bewusst wurde, dass der junge Mann auf der anderen Straßenseite sie unverhohlen beobachtete.

Sie sah noch einmal zu ihm hinüber und rechnete damit, dass er sich abwenden würde. Er lehnte, die Hände in den Taschen und den Kragen zum Schutz gegen die morgendliche Kühle aufgestellt, an einer Straßenlaterne. Als Kate näher kam, richtete er sich auf; der Atem dampfte vor seinem Mund, und er wandte den Blick nicht von ihr ab.

Kate sah weg. Auf einmal wurde ihr bewusst, wie leer die Straße war. Sie beschleunigte ihren Schritt ein wenig und hoffte, dass Clive sich bereits im Büro befand. Gleichzeitig zog sie die Schlüssel aus ihrer Tasche für den Fall, dass sich diese Hoffnung als vergeblich erweisen sollte. Der junge Mann überquerte die Straße. Sie erreichte die Tür. Es war abgeschlossen. Sie fummelte mit den Schlüsseln herum, versuchte Ruhe vorzutäuschen, und gerade als sie die Tür aufbekam, tauchte er hinter ihr auf.

«Kate Powell?»

Sie drehte sich um, die Hand noch auf dem Türknauf, und bereitete sich innerlich darauf vor, ins Büro zu flüchten und die Tür hinter sich zuzuschlagen.

«Ja?»

Dem Aussehen nach musste er Anfang zwanzig sein, mit langem, rötlichem Haar und dicker Lederjacke. Seine Augen waren von einem sehr hellen Blau. Er grinste sie an.

«Ich bin froh, dass Sie aufgetaucht sind. Ich fror da drüben nämlich langsam fest. Mein Name ist Stu Clark. Ich hab da auf Sie gewartet, um ein paar Worte mit Ihnen zu wechseln.»

«Worum geht's?»

Er wies mit dem Kopf auf die halbgeöffnete Tür. «Im Warmen lässt sich's besser reden.» Sein Grinsen schien eine Dauereinrichtung zu sein.

«Und worüber wollen Sie reden?»

«Ich habe einen Vorschlag für Sie. Wird Sie, glaube ich, interessieren.»

Seine Unverfrorenheit ging ihr auf die Nerven. «Sagen Sie mir, worum es sich handelt, und ich sage Ihnen, ob ich interessiert bin oder nicht», entgegnete sie, während sie mit dem Arm nach wie vor den Eingang versperrte.

«Bei einer Tasse Kaffee lässt es sich besser reden.»

«Ich lasse Sie nicht rein, also erzählen Sie mir jetzt entweder, was Sie wollen, oder verschwinden Sie.»

Etwas an der Art, wie er sie ansah, ließ sein Grinsen höhnisch erscheinen.

«Wie Sie wollen, meine Liebe. Es geht um gewisse Poster, die in der ganzen Stadt aufgetaucht sind.»

Kate spürte, wie sie der Schock durchfuhr. Sie versuchte, die Sache mit Dreistigkeit abzuwenden. «Ich weiß nicht, wovon Sie reden.»

«Ich rede von den Postern mit Ihnen drauf.» Sein Blick huschte über ihren Körper. «Na ja, mit Ihrem Gesicht. Ich glaube nicht, dass der Rest zu Ihnen gehört. Es sei denn, Sie hätten mächtig abgenommen.»

Hastig hob er die Hände. «War nur 'n Witz, meine Liebe, nichts für ungut.»

Sie starrte ihn an. «Sie sind Reporter, oder?»

«Journalist, wenn Sie nichts dagegen haben.»

«Für wen arbeiten Sie?»

«Ich arbeite freiberuflich. Für jeden, der zahlt. Aber ich kann Ihnen eins verraten, für eine Story wie diese werden die Leute Schlange stehen.»

«Es gibt keine Story»

«Na kommen Sie, Kate – darf ich Sie Kate nennen? Eine abscheuliche Posterkampagne, die eine hübsche junge Frau aller möglichen Dinge bezichtigt? Das ist eine Story von großem menschlichem Interesse.» Er legte den Kopf schräg. «Vor allem, da ich gehört habe, dass dahinter dieser Spinner steckt, der den Psychologen ermordet hat.»

Er zwinkerte ihr zu. «Wie wär's jetzt mit einer Tasse Kaffee?»

Kate spürte, wie alles Blut aus ihrem Gesicht wich. Dann

kehrte es mit einer einzigen Woge zurück. «Wer hat Ihnen das erzählt?»

«Tut mir leid, meine Liebe, ich darf meine Kontakte nicht preisgeben. Sie wissen ja, wie das ist.»

«War es die Polizei?»

Sie wusste, dass die undichte Stelle bei der Polizei sein musste, aber der Ausdruck von Triumph in seinen Augen verriet ihr, dass sie einen Fehler gemacht hatte.

«Er ist es also wirklich?»

«Ich sage nichts mehr.»

Sie machte Anstalten, ins Haus zu gehen, aber er legte die Hand an die Tür und hielt sie fest.

«Kein Grund zur Aufregung. Ich bin auf Ihrer Seite. Alles, was ich will, ist, Ihnen die Chance zu geben, Ihre Version zu erzählen.»

«Nehmen Sie die Hand weg.»

«Wenn die Story gut genug ist, könnte sogar ein hübsches Sümmchen dabei rausspringen.»

«Nehmen Sie jetzt die Hand weg?»

«Hören Sie, der Artikel wird ohnehin geschrieben. Es liegt in Ihrem eigenen Interesse, zu kooperieren.»

Sie drückte gegen die Tür, sodass sein Arm beiseitegedrängt wurde. Er stellte sich in den Eingang und hinderte sie daran, die Tür zu schließen.

«Also, warum ist Timothy Ellis so angekotzt von Ihnen, Kate? Welcher Natur war Ihre Beziehung zu ihm?»

Das Grinsen auf seinem Gesicht geriet keinen Augenblick ins Wanken. Kate ging zur Wand, wo der Feuerlöscher befestigt war.

«Haben Sie sein Kind wegmachen lassen, ist es das? Ist das der Grund, warum er durchgedreht und den Psychofritzen umgebracht hat?»

Kate riss den Feuerlöscher los und drehte sich damit um. Als er sah, was sie in Händen hielt, erstarb sein Grinsen.

«Okay, okay, ich geh ja schon.»

Als sie, die Mündung des Feuerlöschers auf ihn gerichtet, einen Schritt nach vorn machte, trat er hastig zurück auf den Gehsteig und wäre beinahe gegen Clive geprallt. Clive sah erst ihn an, dann den Feuerlöscher in Kates Händen.

«Was ist hier los?»

Der Journalist hob beide Hände und schob sich noch ein Stück weiter weg. «Nichts, wir haben bloß ein bisschen geredet. Alles in Ordnung.»

Er hatte den Rand des Gehsteigs erreicht. «Vielen Dank für Ihre Hilfe, Miss Powell.»

Grinsend ging er wieder über die Straße. Clive sah ihm nach und wandte sich dann erneut an Kate. Er zeigte mit dem Kopf auf den Feuerlöscher.

«Du hast dieses Ding langsam wirklich gut im Griff.»

«Ich bekomme ja auch ziemlich viel Gelegenheit zum Üben.» Sie trat beiseite, um ihn einzulassen.

«Also, worum ging es da?», wollte er wissen.

Kate ließ den Feuerlöscher auf einen Schreibtisch fallen. «Er ist Journalist. Er hat herausgefunden, wer die Kate Powell von den Postern ist.»

«O Scheiße. Wie viel weiß er?»

«Keine Ahnung. Er hat im Trüben gefischt, aber er wusste immerhin, wer die Poster aufgehängt hat. Scheiße! Darauf hätte ich auch verzichten können!»

«Von welcher Zeitung kam er?»

«Von gar keiner. Er sagte, er wäre freier Journalist.» Clive zog seinen Mantel aus und schickte sich an, Kaffee zu kochen. «Dann ist es also nicht so schlimm.»

Sie sah ihn an. «Warum nicht?»

«Weil es freie Journalisten gibt wie Sand am Meer. Er muss die Story immer noch verkaufen, und du weißt ja, wie schwer das ist.»

Kate wusste es, und zwar von den zahlreichen Pressemitteilungen, die sie selbst ignoriert hatte. Aber für sie war es schwierig, objektiv zu sein, da sie selbst so tief in der Sache drinsteckte. Es umnebelte ihr Denken.

Die Kaffeemaschine zischte leise, und Clive goss Wasser hinein. «Keine Sorge», sagte er zu ihr, während er die Kanne unter das erste dünne Rinnsal stellte. «Wahrscheinlich wird der Artikel nie gedruckt.»

Die Story erschien zwei Tage später. Kate saß in der U-Bahn, auf einer der langen Bänke, von denen man sein Gegenüber quer durch den Gang ansehen kann. Ein Mann auf der anderen Seite las in einem Revolverblatt, und sie starrte eine ganze Weile darauf, ohne zu begreifen, was sie da vor sich hatte.

Dann wurden die abstrakten Formen auf dem Papier mit einem Mal zu Wörtern und bildeten einen Satz. Kate hatte das Gefühl, als drehe sich der U-Bahn-Waggon vor ihren Augen. Als hätte er auf genau diesen Augenblick gewartet, blätterte der Mann die Seite um, und sie konnte sich plötzlich nur noch an das eine Wort erinnern, das sie erblickt hatte: POSTER.

Plötzlich war der Zug voll mit raschelnden Zeitungen. Als er zum Stehen kam, stand Kate auf und stieg aus. Sie war schon halb die Rolltreppe hinauf, bevor ihr auffiel, dass es gar nicht ihre Haltestelle war.

Sie ging auf den Bahnsteig zurück und nahm den nächsten Zug. Vor der Station bei King's Cross war ein Zeitschriftenkiosk. Kate ging hinüber und starrte die verschiedenen Zeitungsstapel an.

«Was kann ich für Sie tun, Schätzchen?», fragte der Verkäufer.

Kate wusste nicht mehr, welche Zeitung der Mann aus der U-Bahn gelesen hatte. Sie wusste, es war ein Revolverblatt, aber das war auch alles. Sie schüttelte den Kopf und wandte sich zum Gehen, kehrte dann aber abrupt noch einmal zurück und kaufte eine Ausgabe jeder Zeitung an dem Stand.

«Sie wollen mir wohl Konkurrenz machen, wie?», meinte der Verkäufer grinsend, als Kate bezahlte.

Kate gab keine Antwort. Ihre Gedanken waren schon bei dem dicken Zeitschriftenstapel unter ihrem Arm. Clive war bereits im Büro. Sein Begrüßungslächeln verblasste, als er den Blick von ihrem Gesicht abwandte und sah, was sie unterm Arm trug. Kate ging sofort die Treppe hinauf. Die Zeitschriften landeten mit einem dumpfen Aufprall auf ihrem Schreibtisch.

Sie fand den Artikel im *Daily Mirror*. Die Story erstreckte sich fast über eine ganze Seite und wurde von der Überschrift gekrönt, die sie in der U-Bahn gelesen hatte.

PSYCHOLOGENMÖRDER RÄCHT SICH MIT POSTER AN GELIEBTEN. Die Story war als Exklusivbericht ausgegeben. Sie bezeichnete Ellis als einen Schizophrenen, der im Zusammenhang mit dem «Amok-Attentat» auf den Psychologen Alex Turner gesucht werde. Der Artikel drehte sich darum, dass er, obwohl er immer noch vor der Polizei auf der Flucht war, eine «obszöne Posterkampagne gegen die attraktive PR-Chefin Kate Powell» führe. Die Poster selbst waren genüsslich beschrieben, vor allem das erste, und die Story beschäftigte sich mit ihrer Weigerung, einen Kommentar zu ihrer «Affäre» mit Ellis abzugeben oder auf die Frage einzugehen, ob sie das «Kind seiner Liebe» habe abtreiben lassen. Von der künstlichen Befruchtung kein Wort. Der Artikel endete mit einem Zitat aus ungenannter Quelle, in dem spekuliert wurde, dass Ellis den Psychologen womöglich ermordet habe, weil er «wahnsinnig vor Kummer und Schmerz» gewesen sei.

Dem Artikel beigefügt waren das Polizeifoto von Ellis und eine Abbildung des zweiten Posters in Schwarzweiß. Darunter war ein Foto von Kate selbst. Es war offensichtlich vor der Agentur aufgenommen worden. Auf der Aufnahme sah man sie, wie sie mit gehetztem Gesichtsausdruck und ahnungslos auf die Kamera zuging.

Ich sehe alt aus, dachte sie ohne Anteilnahme.

Sie hörte ein leises Krachen. Voller Überraschung sah Kate auf den zerbrochenen Bleistift in ihrer Hand. Sie konnte sich gar nicht daran erinnern, ihn aufgenommen zu haben. Sie ließ die beiden Hälften in den Papierkorb fallen und trat ans Fenster. Ein wenig weiter die Straße hinunter zweigte dem Haus gegenüber eine Gasse ab. Der Fotograf hätte die Aufnahme von dort aus machen können. Oder aus dem Schutz eines der tiefen Hauseingänge heraus.

Als Clive anklopfte und eintrat, drehte sie sich um. «Es steht also drin?»

Kate nickte und zeigte mit dem Kopf auf die Zeitung, die immer noch aufgeschlagen auf ihrem Schreibtisch lag. Er las den Artikel und faltete die Zeitung dann zusammen.

«Hm. Schreiben kann er jedenfalls nicht, der Scheißkerl.»

Sie musste lächeln. Aber das Lächeln war nicht von Dauer.

Die Story hatte in keiner der anderen Zeitungen gestanden, aber jetzt, da sie in einer erschienen war, stürzten sich auch die übrigen darauf. Wieder und wieder klingelte das Telefon mit Bitten um Interviews, Informationen. Kate nahm keinen der Anrufe entgegen. Caroline, Josefina oder Clive pflegten den Anrufern höflich zu sagen, nein, Kate gebe keine Kommentare ab. Mehrere Journalisten kamen sogar ins Büro, erhielten aber denselben Bescheid. Wenn Kate an ihr Fenster trat, konnte sie eine Reihe von Fotografen auf der anderen Straßenseite herumlungern sehen. Sie schienen zu frieren, waren aber geduldig. Kate trat vom Fenster weg, bevor sie entdeckt werden konnte.

Als Kate den Inspector anrief, reagierte Collins phlegmatisch. Er hatte den Artikel bereits gelesen.

«Es musste ja rauskommen, so lange, wie die Sache schon läuft», bemerkte er. «Wir können von Glück sagen, dass wir es überhaupt so lange geheim halten konnten.»

«Was soll ich jetzt machen?»

Sie hörte ihn seufzen. «Das liegt ganz bei Ihnen. Sie könnten zum Beispiel an die Öffentlichkeit treten. Den Leuten sagen, dass Sie immer noch schwanger sind, und hoffen, dass Ellis es sieht und Ihnen glaubt.»

Kate dachte an das höhnische Grinsen des Journalisten, der die ganze Sache in Gang gesetzt hatte. «Ich glaube nicht, dass ich das kann.»

«Na, dann haben Sie ja Ihre Antwort. Ziehen Sie einfach den Kopf ein und sagen Sie immer wieder: ‹Kein Kommentar.› Der Mord ist mittlerweile Schnee von gestern. Die Leute werden sich langweilen, wenn Sie ihnen kein neues Futter liefern.»

Der Inspector hatte recht, aber es ging schneller, als er erwartet hatte. Am Nachmittag kam Clive zu ihr, um ihr zu erzählen, dass die wartenden Fotografen und Journalisten verschwunden seien.

«Sie sind einfach alle gleichzeitig abgehauen», sagte er. «Muss wohl was anderes passiert sein.»

Es handelte sich, wie sie aus den Abendnachrichten erfuhren, um einen Wohnblock, der zusammengebrochen war und der sensationslüsternen Presse ausreichend Bildmaterial von Blut und Tod lieferte. Kate Powell war so gut wie vergessen. Einige Zeitungen brachten am nächsten Tag kleine Artikel über sie, aber die waren kaum mehr als ein dünner Aufguss des ersten und wurden von der Berichterstattung über die dramatischere Story vollkommen überschattet.

Aber der Schaden war angerichtet. Als Kate am nächsten Morgen zur Arbeit kam, war die Post bereits da. Von Clive fehlte jede Spur, und Kate kauerte sich unter ihren Regenschirm, um den Briefkasten zu öffnen und eine Reihe von Umschlägen zu entnehmen. Das teure Briefpapier des Parker Trusts erkannte sie sofort. Nachdem sie das Büro aufgesperrt hatte, ließ sie den Regenschirm zum Abtropfen im Flur stehen und setzte sich, ohne ihren Mantel auszuziehen oder das Licht einzuschalten, hinter einen der Schreibtische. Die anderen Umschläge blieben unbeachtet, während sie mit einem Papiermesser aus Plastik den dicken weißen aufschlitzte. Regen prasselte wie Hagel gegen die Fensterscheibe, während sie den Brief aus dem Umschlag zog.

Er war kurz und ohne Umschweife. Der Trust bedaure, dass man in Anbetracht der jüngsten negativen Publicity, die ihrer Person und ihrer Agentur zuteil geworden sei, den Auftrag zurückziehen müsse. Eine solche Publicity liefe den Interessen des Trusts zuwider, wie man ihr

346

bereits deutlich gemacht habe. Auch wenn man auf keinen Fall ein Urteil fällen wolle, habe man dennoch keine andere Wahl, als die Beziehung des Trusts zu Powell PR abzubrechen:

Während der Lektüre des Schreibens vermeinte Kate, Redwoods körperlose Stimme zu hören. Sie griff nach dem Telefon, hielt dann aber inne. Ihr Regenschirm tropfte mit der trägen Beharrlichkeit einer Uhr auf den Boden. Die Fensterscheibe klapperte, von einer Böe getroffen. Kate ließ den Brief sinken.

Die Tür ging auf, und Clive trat ein. Hastig zog er die Tür vor dem Ansturm der kalten Luft und des Regens draußen hinter sich zu. Kate richtete sich auf und wollte ihm gerade die Neuigkeit überbringen, als sie seine Reisetasche sah. Dann fiel ihr Blick auf sein Gesicht.

«Clive? Was ist passiert?»

Er machte keine Anstalten, seinen nassen Mantel auszuziehen. Er stand nur verlegen da und vermied es, sie anzusehen.

«Ich muss nach Newcastle fahren.» Seine Stimme klang rau. «Meine Mutter hat gestern Nacht angerufen. Mein Bruder war in einen Autounfall verwickelt. Er ist, äh ... er ist dabei umgekommen.»

Kate konnte ihn nur anstarren. Das unzureichende *Es tut mir leid* blieb ungesagt.

Sein Adamsapfel hüpfte auf und ab, während er schluckte.

«Die Sache ist die, ich weiß nicht, wie lange ich weg sein werde. Die Beerdigung muss organisiert werden, und ...» Er brach ab und legte eine Hand über die Augen. Kate sah seine Schultern zucken. Mit einer schnellen Bewegung schob sie den Brief zurück in den Umschlag, bevor er ihn sehen konnte.

Er wischte sich mit dem Handballen über die Augen. «Ich weiß, es kommt zu einem ungünstigen Zeitpunkt. Ich bin so bald wie möglich wieder da.»

«Mach dir deswegen keine Sorgen. Nimm dir alle Zeit, die du brauchst.» Sie wusste nicht, was sie sonst noch hätte sagen sollen. «Du hättest einfach anrufen können.»

Er zuckte die Achseln. «Der Zug geht sowieso von King's Cross. Einer fährt in einer halben Stunde, sodass ich vorm Abendessen dort sein kann.»

«Hast du einen Fahrschein?»

«Nein. Noch nicht.»

«Dann solltest du besser gehen. Ich möchte nicht, dass du den Zug verpasst.»

Clive nickte, rührte sich aber nicht von der Stelle. Kate kam hinter dem Schreibtisch hervor und ließ den Umschlag in ihre Tasche gleiten, während sie vor ihn hintrat und ihn umarmte. Er erwiderte ihre Umarmung, dann lösten sie sich voneinander.

«Ich rufe dich an.»

Er ging hinaus. Der Regenschirm tropfte immer noch auf den Teppich, aber jetzt langsamer. Kate schaltete die Lichter an und setzte die Kaffeemaschine in Gang.

Der Brief vom Parker Trust hatte in ihrer Tasche Eselsohren bekommen. Kate nahm ihn heraus. Sie sah den Umschlag an, ohne den Brief herauszuziehen. Plötzlich riss sie ihn abrupt in zwei Hälften und zerfetzte die Hälften in immer kleinere Stücke, die sie schließlich von sich schleuderte. Während sie wie tote Motten zu Boden flatterten, riss Kate ihre Handtasche an sich und begann, sie zu durchwühlen.

Sie zog das alte Zigarettenpäckchen heraus. Mit unsicheren Händen schob sie sich eine Zigarette zwischen die Lippen und versuchte, dem Feuerzeug eine Flamme abzuringen. Es gab nur ein trockenes Klicken von sich.

«Scheiße! Jetzt komm schon!»

Sie schlug das Feuerzeug gegen den Schreibtisch und schüttelte es. Beim nächsten Schnippen ihres Daumens produzierte es eine gelbe Flamme: Sie hielt sie an die Zigarette, zögerte einen Augenblick und senkte dann mit einer plötzlichen Neigung ihres Kopfes die Spitze der Zigarette in die Flamme.

Sie glühte hell auf. Ein dünner Feuerring bewegte sich auf Kate zu und ließ einen zerbrechlichen Zylinder bleicher Asche zurück, als sie den Rauch in ihre Lungen sog. Die Zigarette schmeckte schal, aber das Nikotin wirkte sofort. Vor ihren Augen drehte sich alles, und einen Herzschlag lang hielt sie den Atem an, um sich von dem Gefühl durchströmen zu lassen. Dann würgte sie. Der Rauch verbrannte ihre Kehle und ihre Nase, bis sie schließlich heftig husten musste. Mit tränenden Augen brachte sie die Zigarette in einer halbleeren Kaffeetasse zum Erlöschen.

Sie erstarb mit einem schnellen Zischen. Kate schob die Brühe aus kaltem Kaffee und Asche von sich und ließ sich in ihren Stuhl sinken. Sie hatte einen widerlichen Geschmack im Mund. Sie grub in ihrer Handtasche, bis sie ein Röhrchen Pfefferminzbonbons fand. Das Pfefferminz tat ihrem Rachen gut, konnte aber das bis tief in die Lunge reichende Gefühl der Verpestung nicht vertreiben, genauso wenig wie die Angst, dass dieser eine Zug bereits den Fötus vergiftet haben könnte, den sie in sich trug.

Kate starrte das Telefon an, nahm den Hörer auf und wählte eine Nummer. Am anderen Ende klingelte es mehrmals, bis sie schließlich Lucys Stimme hörte.

«Lucy, ich bin's, Kate, hör mal, es tut mir leid ...», sagte sie überstürzt und brach ab. Lucys Stimme sprach weiter. Kate lauschte noch einige Sekunden der aufgezeichneten Nachricht und legte dann auf.

Unten waren Caroline und Josefina angekommen. Sie hörte die beiden herumlaufen und reden. Kurz darauf piepte die Gegensprechanlage. Kate sah, wie das Lämpchen aufblitzte, rührte sich aber nicht von der Stelle. Schließlich hörte es auf zu blinken.

Eine ganze Weile später nahm sie die Kaffeetasse mit der Zigarette darin vom Schreibtisch und spülte sie in der Küche aus.

Kapítel 20

In Folge der Zeitungsstory verloren sie noch mehrere Klienten. Einer davon war eine Firma zur Herstellung von Schwangerschaftskleidern. Die Ironie der Situation entlockte Kate beinahe ein Lächeln.

Sie war sich der Tatsache bewusst, dass die Agentur sich dem Stadium näherte, in dem es eher um das Überleben ging als um die Höhe des Gewinns. Sie wusste, dass sie die Dinge auf aggressivere Weise hätte angehen sollen, indem sie sich aktiv um neue Klienten bemühte und gleichzeitig die ihr noch verbleibenden Klienten beruhigte. Aber das zu wissen war eine Sache. Sich dazu durchzuringen, es zu tun, eine ganz andere.

Caroline und Josefina schlichen im Büro auf Zehenspitzen um sie herum, leise und rücksichtsvoll wie Schwestern an einem Krankenbett. Die Mühe hätten sie sich sparen können. An Kate kam nichts heran. Selbst als ein oder zwei Klienten ihr telefonisch zu ihrer Schwangerschaft gratulierten, war ihre Freude ein oberflächliches Gefühl, kurzlebig und schal.

Es schien ihr nur schwer vorstellbar, dass seit dem Auftauchen der ersten Poster bloß eine Woche vergangen war. Ihre Welt beschränkte sich nunmehr auf den Weg zwischen ihrer Wohnung und der Agentur. Kate ging nirgends mehr hin, wenn sie nicht unbedingt musste. Sie ging nicht mehr ins Fitnessstudio, und den Supermarkt suchte sie nur dann auf, wenn ein leerer Kühlschrank sie dazu zwang. Jeden Tag telefonierte sie mit Collins, in der Hoffnung auf Neuigkeiten. Doch die ließen auf sich warten.

Aber wenigstens schien die Poster-Flut nachzulassen. Immer weniger neue tauchten auf, und in Kate keimte die vorsichtige Hoffnung, Ellis würde allmählich das Interesse verlieren. Oder vielleicht gingen ihm auch nur die Ideen aus.

Dann kam der gepolsterte Umschlag mit der Post. Sie hatte gewusst, von wem er war, sobald sie ihn geöffnet und den schweren Geruch von Benzin wahrgenommen hatte. Das wieder verschließbare Klarsichttütchen darin hatte geleckt, und durch die Folie konnte Kate die schmierige Asche erkennen. Nur ein Teil dessen, was einmal ein Poster gewesen war, war unversehrt geblieben – ihr Gesicht. Sie konnte Ellis regelrecht vor sich sehen, wie er das brennende Papier vorsichtig hin und her gedreht hatte, bis alles außer dem Gesicht den Flammen zum Opfer gefallen war. Dann hatte er es gelöscht, die Asche mit Benzin durchtränkt und ihr geschickt.

«Das ist doch eine Drohung, oder etwa nicht?», sagte sie, als Collins in der Agentur erschien. Der hysterische Unterton in ihrer Stimme missfiel ihr. Obwohl sie sich die Hände gründlich gewaschen hatte, fühlten sie sich ölig und schmutzig an.

Collins wirkte ungerührt. «Versuchen Sie erst mal, sich zu beruhigen …»

«Beruhigen?»

«Er versucht, Sie aus der Fassung zu bringen, das ist alles. Er will Ihnen Angst einjagen. Sie haben ihm wehgetan, und jetzt versucht er, sich zu rächen. Wenn er es ernst meinen würde, hätte er längst etwas unternommen.»

«Er hat bereits versucht, meine Wohnung in Brand zu stecken, Herrgott nochmal!»

«Wenn Ellis ernsthaft vorgehabt hätte, Ihre Wohnung abzubrennen, hätte er es bei seiner Erfahrung wohl auch geschafft.»

Kate wollte nichts lieber als ihm glauben. «Sie meinen also, ich hätte keinen Grund zur Sorge?»

«Nein, nur dass Sie die Dinge in die richtige Perspektive rücken sollen. Diese Poster sind schlimm, und ich weiß, dass sie Ihrem Geschäft geschadet haben. Aber Ihnen können sie nichts anhaben.»

Sie deutete auf den Plastikbeutel auf ihrem Schreibtisch, in dem jetzt die verbrannten Überreste des Posters als Beweismaterial gesichert waren. «Und was ist *damit*? Es ist doch so, als würde er mir damit mitteilen, was er als Nächstes vorhat! Er geilt sich schon mal dafür auf!»

«Hören Sie, Kate.» Aus der Stimme des Polizisten klang erschöpfte Geduld. Die unerwartete Verwendung ihres Vornamens war irgendwie tröstlich. «Ich versuche Ihnen nicht vorzumachen, dass Ellis nicht gefährlich ist. Aber wir ergreifen jede nur mögliche Vorsichtsmaßnahme, und er steht mittlerweile zu sehr im Rampenlicht, als dass er einfach weiter rumlaufen und Poster aufhängen könnte, wie er es bisher getan hat. Wahrscheinlich ist er inzwischen schon ziemlich frustriert und sucht deshalb nach anderen Möglichkeiten, an Sie heranzukommen.»

«Aber wenn er so frustriert ist, könnte ihn das nicht auf den Gedanken bringen, tatsächlich etwas zu *tun*?»

Collins seufzte. «Ich wollte Ihnen das eigentlich nicht sagen, weil ich Ihnen keine falsche Hoffnung machen will.

Aber Ellis ist von einem Zeugen gesichtet worden. Ein Verkehrspolizist hat ihn vergangene Nacht in der U-Bahn-Station am Piccadilly gesehen. Er hatte mehrere Plastiktüten bei sich, und als der Beamte ihn ansprechen wollte, ist er über die Absperrungen gesprungen und weggelaufen. Er ist entwischt, aber die Tüten hat er fallen lassen – in einer steckte eine Rolle mit Postern, in der anderen der Kleister.»

«Er ist entkommen?» Neben der Enttäuschung verspürte sie einen seltsamen Adrenalinstoß, als wäre der Ausgang der Geschichte noch ungewiss.

«Unglücklicherweise ja, aber es beweist, was ich gerade gesagt habe. Jedes Mal, wenn er jetzt seine Nase zeigt, wächst das Risiko, dass man ihn schnappt. Und es wird nicht mehr lange dauern, bis genau das passiert.»

Dieser Gedanke heiterte Kate für den Rest des Tages auf. An diesem Abend verließ sie das Büro, ohne direkt in ein Taxi zu springen – zum ersten Mal, seit Clive nach Hause gefahren war. Seitdem waren erst ein paar Tage vergangen, aber es schien ihr wie eine Ewigkeit. Die Straße kam ihr unter der grauen, bedrückenden Fläche des Himmels breiter und länger vor als gewöhnlich. Sie blickte sich alle paar Schritte um, während sie zu King's Cross ging, aber mit jedem Meter wuchs ihr Selbstvertrauen.

Für die drei Haltestellen bis zum Oxford Circus nahm sie die U-Bahn. Als sie aus dem Schacht ans Tageslicht stieg, drang schwacher Sonnenschein durch die Wolken. Kate hob ihm dankbar das Gesicht entgegen. Menschen drängten sich zielstrebig an ihr vorbei. Sie setzte sich in ein Café und trank eine Tasse heiße Schokolade. Danach bekam sie Hunger und bestellte ein Tomaten-Mozzarella-Sandwich. Bei dem Geschmack des Olivenöls musste sie an Sommer denken. Jetzt würde es bald Frühling werden, stellte sie überrascht fest. Bei diesem Gedanken ging es ihr noch ein wenig besser.

Kate verließ das Café und schlenderte an den Läden vorbei. Vor einem Schaufenster mit Babykleidung blieb sie stehen. Es gab winzige Jäckchen und Pullover, Miniaturjeans und kleine Stiefelchen. Das Glas warf ihr Spiegelbild zurück, und Kate sah, dass sie lächelte.

Alles geht vorüber, sagte sie sich.

Als an diesem Abend das Telefon klingelte, dachte sie, es wäre Clive. Er hatte bereits einmal kurz angerufen, um zu sagen, dass er länger wegbleiben würde als erwartet. Die Beerdigung seines Bruders war am Tag zuvor gewesen, und sie vermutete, dass er bald wieder anrief, wenn auch nur, um zu sagen, dass er immer noch nicht wusste, wann er zurückkommen würde.

Sie ging in den Flur, um den Hörer abzunehmen.

«Hallo?»

«Kate?»

Es war eine Männerstimme, vertraut, aber nicht die von Clive, und sie erstarrte einen Moment lang, bis sie sie zuordnen konnte.

«Ich bin's, Paul.»

Sie lehnte den Kopf gegen die Wand. Ihr Herz hämmerte vor Erleichterung.

«Bist du noch dran?», fragte er.

Kate richtete sich wachsam auf. «Was willst du?»

«Nichts. Ich dachte nur, ich rufe mal an und frage, wie's dir geht ...»

«Ich habe dir nichts zu sagen.»

Sie machte bereits Anstalten, den Hörer abzulegen. «Nein, warte, wartewartewarte! Bitte!»

Es war dieses *Bitte!* das sie innehalten ließ. Sie zögerte und hob den Hörer dann abermals ans Ohr.

«Na schön. Ich warte.»

Sie hörte ihn atmen. «Hör mal, ich bin – ich weiß, du willst nicht mit mir reden, und ich mache dir auch keinen Vorwurf. Ich habe nur angerufen, weil, na ja, weil – ach Scheiße, hör mal, ich versuche, dir zu sagen, dass es mir leidtut.»

Kate war zu überrascht, um zu antworten. Paul wartete einen Augenblick; offensichtlich hoffte er, dass sie etwas sagen würde.

«Kate? Ich sagte, es tut mir leid.»

Von der Arroganz, die gewöhnlich in seiner Stimme lag, war diesmal keine Spur herauszuhören. Dennoch rechnete Kate schon damit, dass die Sache einen Haken hatte.

«Es tut dir leid?», war alles, was ihr im Augenblick dazu einfiel.

«Ja, ich weiß, es kommt ein bisschen spät, aber ... ich wollte es dir nur sagen.»

Neugierig geworden, lauschte sie nun auf irgendein Anzeichen dafür, dass er schauspielerte. Aber seine Worte hatten nichts von ihrer gewohnten Schwülstigkeit.

«Wie kommt denn das so plötzlich?»

«Ich habe in letzter Zeit viel nachgedacht, und ...» Er stieß ein verlegenes Lachen aus. «Na schön, es lag daran, dass ich verhaftet worden bin. Wieder verhaftet, sollte ich wohl sagen.»

Kate machte sich auf die Anschuldigung gefasst. Es kam keine.

«Beim ersten Mal, nachdem ich den Ziegelstein durch dein Fenster geworfen hatte, war mir überhaupt nicht klar, was da vorging. Ich habe dir die Schuld gegeben. Du weißt ja, wie ich bin, es ist immer die Schuld der anderen, nie meine eigene.»

Oberflächlich hatte seine Stimme einen heiteren Klang, aber sie konnte seine Anspannung heraushören.

«Diesmal war ich so betrunken, dass mich die Polizisten in eine Ausnüchterungszelle gesteckt haben. O Gott, es hat so gestunken, und ich konnte all diese Säufer in den anderen Zellen schreien und heulen hören. Dann hörte ich ein paar Cops durch den Flur kommen, die sich über den Säufer unterhielten, den sie wegen Einbruchs geschnappt hätten ... Erst als sie meine Zelle aufschlossen, begriff ich, dass sie mich meinten. Und dann setzte ich mich auf und sah, dass ich mich vollgepisst und mir auf das Hemd gekotzt hatte.»

Er brach ab. Kate hörte ihn schlucken.

«Na, jedenfalls hatte ich Glück, weil es ihnen gelang, den Taxifahrer aufzuspüren, der mich nach Hause gebracht hatte. Er hat sich an mich erinnert, weil ich mit ihm gestritten und mich dann in seinem Wagen übergeben habe. War anscheinend genau das Richtige.» Er stieß ein freudloses Lachen aus. «Da haben sie mich dann gehen lassen, aber als ich draußen stand, wurde mir klar, dass ich weder meine Brieftasche noch Bargeld bei mir hatte, um nach Hause zu kommen. Also stand ich da und habe einfach angefangen zu flennen. Wie ein verdammtes Kind. Ich dachte nur: ‹O Scheiße, was mache ich eigentlich?› Ich habe mich noch nie zuvor so am Boden gefühlt. Als ich endlich zu Hause war, habe ich also als Erstes alle Flaschen im Haus in den Müll geworfen. Jede einzelne. Dann habe ich die Anonymen Alkoholiker angerufen.»

Er machte eine dramatische Pause, und Kate fragte sich, ob er das alles einstudiert hatte. Als sie nichts erwiderte, räusperte er sich und fuhr fort.

«Ich war jetzt schon bei mehreren Treffen und habe seither nichts getrunken. Sie sagen, man muss zwölf Schritte bewältigen. Der schwerste ist zu akzeptieren, dass man ein Problem hat. Und sich bei all den Leuten zu entschuldigen, denen gegenüber man sich wie der letzte Arsch benommen hat. Leuten wie dir.»

Kate schloss die Augen. Es war nicht so, dass sie ihm nicht geglaubt hätte. Nur, nichts von alldem schien für sie jetzt noch von Bedeutung zu sein.

«Ich weiß, dass ich dir das Leben schwergemacht habe», fügte er hinzu. «Nicht nur in letzter Zeit, auch davor.»

Sie versuchte, sich auf eine passende Antwort zu besinnen. «Das ist alles lange her. Vergessen wir's einfach.»

«Nein, ich meine es ernst. Ich war echt ein Arschloch. Ich wünschte, ich könnte die ganze Schuld auf den Alkohol schieben, aber das kann ich nicht.»

Er klang aufrichtig, beinahe flehentlich. Kate seufzte. «Ich bin froh, dass du reinen Tisch machst, Paul.» Und weil sie wusste, dass er etwas mehr erwartete, fügte sie hinzu: «Das war sicher nicht leicht.»

Er lachte und schien erleichtert. «Es war das Schwierigste, was ich jemals getan habe. Ich bin heute Nachmittag zu dir ins Büro gefahren, um es dir zu sagen, aber ich konnte mich nicht überwinden hineinzugehen. Nach meinem letzten Besuch hättest du mich ja sicher nicht mit offenen Armen empfangen. Außerdem habe ich deinen Freund draußen gesehen, also hielt ich das Ganze für keine gute Idee.»

Der Themawechsel verwirrte sie. Welchen Freund?, fragte sie sich.

«Du weißt schon», fuhr Paul fort. «Der Typ, mit dem du im Restaurant warst.»

Die Erkenntnis schlug wie eine Woge über ihr zusammen.

«Draußen?», wiederholte sie stupide.

«Auf der anderen Straßenseite. Er stand in einem Hauseingang. Ich dachte, er wartet auf dich.»

«Er war heute Nachmittag da?»

«Ja, ungefähr gegen vier Uhr, aber –»

«Was hat er getan?»

«Nichts, er hat einfach dort gestanden. Ich konnte ihn erst nicht richtig einordnen. Um ehrlich zu sein, habe ich ihn für einen Klinkenputzer gehalten. Er sah aus, als würde er Zeitschriften verkaufen.»

Kate lachte nicht.

«Hm, na ja, er war jedenfalls ein bisschen neben der Spur. Ich habe überlegt, ob ich zu ihm rübergehen und mich entschuldigen soll wegen ... na ja, du weißt schon. Aber dann hat er mich gesehen und warf mir so einen Blick zu ... Da dachte ich: ‹Vielleicht lass ich's doch lieber.› Ich hatte schon genug Schwierigkeiten, und wenn er auf mich losgegangen wäre, hätte mir doch niemand geglaubt, dass ich nicht angefangen habe.»

Ein leicht weinerlicher Tonfall hatte sich in seine Stimme eingeschlichen, aber Kate bemerkte es kaum. «Hat er irgendetwas getan?»

«Solange ich da war, nicht, aber wie ich schon sagte, ich bin nicht geblieben. Ich bin nur bis zu deinem Büro gegangen und dann wieder umgekehrt. Als ich wegging, starrte er mich immer noch an. Hör mal, sagst du mir jetzt, was los ist?»

Die Worte wollten ihr einfach nicht über die Lippen kommen. «Die ... die Polizei sucht ihn.»

Wie von ferne hörte sie Pauls überraschten Ausruf, hörte

ihn nach dem Warum fragen und ihre eigene Stimme antworten. Sie hatte ein Tosen in den Ohren. Als es vorüber war, schrie Paul sie an.

«Kate? Kate, bist du noch dran?»

«… ja.»

«Dieser Bursche ist also hinter dir her?»

Eine Erklärung erschien ihr zu anstrengend. «Kann man so sagen.»

«Verdammt! Wenn ich das nur gewusst hätte!» Da war sie wieder, die vertraute Aggressivität. «Bist du allein?»

«Ja, aber –»

«Ich komme rüber.»

Es war eine Aussage, die keinen Widerspruch duldete. Kate spürte, dass sie ganz nah dran war anzunehmen.

«Nein, ich glaube nicht …»

«Ich bin in ungefähr einer Stunde da», sagte er.

«Paul …»

«Keine Angst. Wenn ich ihn nochmal zu Gesicht bekomme, wirst du keine Probleme mehr haben. Hör mal, hast du was gegessen? Ich kann unterwegs –»

«Ich sagte nein!»

Am anderen Ende der Leitung herrschte Schweigen. Kate versuchte, sich wieder zu beruhigen. Sie wusste, dass ihr Zorn sich vor allem gegen sie selbst richtete, weil sie fast wieder nachgegeben hätte. «Ich glaube nicht, dass das eine gute Idee wäre.»

«Nein, du hast wahrscheinlich recht.» Pauls Stimme hatte etwas Kleinlautes. «Ich kann dir wohl keinen Vorwurf daraus machen. Aber wie dem auch sei, das Angebot steht. Wenn du Hilfe brauchst, meld dich einfach.»

Das fällige *Danke* wollte Kate nicht über die Lippen kommen.

«Na gut, das war's dann wohl», sagte Paul. Er schien nach weiteren Worten zu suchen. «Pass auf dich auf.»

Sie nickte, bis ihr klar wurde, dass er sie nicht sehen konnte.

«Mach ich.»

Die Verbindung blieb noch einige Sekunden bestehen, dann war die Leitung tot.

Kapitel 21

Am Morgen darauf verlieh die Sonne den toten Grünstreifen und den kahlen schwarzen Zweigen eine gewisse Härte und zeichnete ihre Silhouetten scharf nach. Die Straßen hatten die Klarheit alter Fotografien, sodass sie in dem hellen Licht beinahe wie Schwarzweißaufnahmen wirkten.

Kate sah sie am Taxifenster vorbeigleiten. Sie ließ sich an der Haltestelle absetzen, und beim Aussteigen verspürte sie flüchtig die Berührung der Sonne. Dann fand sie sich in der schattigen Kühle der U-Bahn-Station wieder, wo die Frische des Frühlingstages von der abgestandenene Untergrundluft verdrängt wurde.

Sie war später dran als gewöhnlich. Die frühmorgendlichen Pendler waren bereits fort, und die Station sah in der auf die Rushhour folgenden Stille seltsam verlassen aus. Als Kate den leeren Bahnsteig betrat, hörte sie noch das Poltern eines gerade abgefahrenen Zuges im Tunnel verschwinden. Sie setzte sich auf einen der an der Wand befestigten Plastiksitze.

Ihre Augen brannten vor Müdigkeit. Sie hatte in der Nacht zuvor kaum geschlafen. Sie hatte versucht, Collins zu erreichen, aber er war nicht auf dem Revier gewesen, daher hatte sie ihm eine Nachricht hinterlassen mit der Bitte, sie zurückzurufen.

Danach hatte sie keine Ruhe mehr gefunden. Sie war nach unten gegangen, um die Türschlösser zu überprüfen, hatte dann die Lampe im Wohnzimmer ausgeschaltet und durchs Fenster gespäht. Die dunkle Straße draußen war leer gewesen und voller Schatten. Sie hatte, bis ihr die Augen wehtaten, darauf gewartet, dass einer der Schatten sich bewegte. Als sie zu Bett ging, lag sie lange wach und lauschte auf jedes Knarren des sich abkühlenden Hauses.

Die elektronische Anzeigetafel kündigte an, dass in zwei Minuten ein Zug einlaufen würde. Kate gähnte. Vom Eingang zum Bahnsteig hörte sie das widerhallende Schlurfen von Schritten. Immer noch gähnend, hielt sie sich eine Hand vor den Mund und sah sich um, in der Erwartung, dass irgendjemand auftauchen würde.

Niemand kam.

Sie wollte gerade den Blick abwenden, als sie das Schlurfen abermals hörte. Diesmal war es leiser, aber näher. Sie wartete und behielt die Öffnung in der Wand im Auge.

Das Geräusch setzte ein drittes Mal ein. Jetzt von der anderen Seite. Kate drehte sich um. Zu ihrer Rechten befand sich ein zweiter Eingang, dieser nur gut drei Meter entfernt. Ein leises Quietschen wie von Gummisohlen auf Beton drang aus der Öffnung. Aber zu sehen war immer noch niemand.

Kate blickte sich hastig um. Der Bahnsteig war still und verlassen. Ihre Handtasche an sich gepresst, stand sie auf. Sie bewegte sich, so leise sie nur konnte, von dem zweiten Eingang weg. Sie versuchte, sich die Gestalt auf der anderen Seite vorzustellen, den Mann, der auf sie lauerte, versuchte sich darauf zu besinnen, wie weit es noch zur Treppe war. Da war es wieder, dieses schlurfende Geräusch. Sie blieb stehen.

Sie wusste nicht, aus welcher der Öffnungen es gekommen war.

Kate rührte sich nicht. Kein Laut mehr. Sie wartete und schlich sich dann abermals den Bahnsteig entlang. Der erste Eingang war sieben, acht Meter weg, dann fünf, dann zwei. Sie blieb an der Ecke stehen, lauschte.

Von der anderen Seite ein schwaches, raschelndes Wispern wie über den Boden gewehtes Papier. Oder der Atem eines Menschen.

Ich bilde es mir nur ein. Da ist nichts.

Die Öffnung in der Wand lag vor ihr. Ein Blick hindurch zeigte ihr das untere Ende der Treppe, die nach oben hin im Nichts zu verschwinden schien. *Renn weg.* Sie spannte die Muskeln an, um loszulaufen, dann war da ein Geräusch hinter ihr, und sie erinnerte sich an den anderen Eingang.

Sie fuhr herum, und ihr Schrei erstarb, als die Fenster des Zugs an ihr vorbeirasten, in die Länge gezogene Quadrate aus Licht, die Fenster und Körper umrahmten. Als die Bahn langsamer wurde und stehenblieb, ließ Kate sich gegen die Wand sinken. Sie warf einen Blick den Bahnsteig hinunter. Er war leer.

Die Zugtüren öffneten sich zischend, und Leute stiegen aus. Kate umklammerte ihre Tasche, rannte auf den nächstbesten Waggon zu und sprang hinein.

Sie blickte an dem Zug entlang, aber außer ihr stieg niemand ein.

Als sie die Agentur erreichte, hatte Kate sich beinahe davon überzeugt, dass das Ganze nur Einbildung gewesen war. Ein Luftzug aus dem Tunnel, ein Stück Papier und ihre Phantasie. Der Gedanke, dass sie den Kampf mit einer leeren Chipstüte hatte aufnehmen wollen, entlockte ihr sogar ein

Lächeln. Dann fiel ihr wieder ein, dass Ellis am Tag zuvor auf der anderen Straßenseite in einem Hauseingang gestanden hatte, und ihr Lächeln erstarb.

Trotzdem, es war ein guter Tag. Ein Importeur südamerikanischer Kunstwerke hatte aus heiterem Himmel angerufen und sie mit der Werbung für eine Ausstellung von mexikanischem Schmuck beauftragt. Ein Freund habe sie ihm empfohlen, erklärte ihr der Mann mit einem schwachen amerikanischen Akzent. Er war während der letzten Monate außer Landes gewesen und würde nächste Woche wieder abreisen, daher hatte er keine Zeit zu verschwenden, indem er sich verschiedene PR-Agenturen ansah. Ob sie Interesse hätte?

Sie hatte.

Der Gewinn eines neuen Klienten gab ihr einen Gutteil des Optimismus zurück, den sie am Vortag zu verspüren begonnen hatte. Es tat gut, mit jemandem zu reden, ohne sich Sorgen darüber machen zu müssen, was er gesehen oder gehört haben mochte. Sie war gerade eifrig mit der Durchsicht des Materials beschäftigt, das der Importeur ihr gefaxt hatte, als Caroline sich über die Gegensprechanlage meldete und sagte, dass Detective Inspector Collins sie unten erwarte.

Kate bat sie, ihn hinaufzuschicken. Sie fragte sich, warum er wohl persönlich vorbeigekommen war. Sie haben ihn geschnappt, schoss es ihr durch den Kopf. Ein Funke der Hoffnung glomm auf.

Aber als Collins eintrat, war ihr sofort klar, dass sie ihn nicht geschnappt hatten. Der großgewachsene Polizist sah müde aus. Sein Gesicht war zerfurcht und grau. Als er sich hinsetzte, knarrte der Stuhl unter ihm. Der Sergeant lächelte sie an, als er sich auf den anderen Stuhl setzte, aber er schien nicht mit dem Herzen dabei zu sein. Ein schwacher Zigarettengeruch war mit ihnen in den Raum gekommen.

«Haben Sie meine Nachrichten erhalten?», erkundigte sich Kate.

Collins nickte. Er wollte gerade etwas sagen, aber Kate konnte es nicht mehr erwarten, ihm ihre Neuigkeit mitzuteilen.

«Er war hier», rief sie. «Gestern Nachmittag.»

Collins war plötzlich wachsam. «Ellis? Sie haben ihn gesehen?»

«Ich nicht, aber jemand anders. Ich habe es erst gestern Abend erfahren, deshalb habe ich Sie auch angerufen.»

«Um wie viel Uhr war das?»

«Ich glaube, es war so gegen vier. Ellis stand in einem Hauseingang auf der anderen Straßenseite.»

«Wer hat ihn gesehen?»

«Paul Sutherland. Das ist der Mann, der wegen des Einbruchs verhaftet wurde. Er rief mich gestern Abend an und ... was ist los?»

Beide Polizisten schauten sie erstaunt an. Der Sergeant war mitten im Niederschreiben seiner Notizen erstarrt. Kate sah, wie er einen Blick mit dem Inspector tauschte.

«Was ist los?», fragte sie. «Was ist passiert?»

Der Sergeant senkte den Blick wieder auf sein Notizbuch. Collins sprach behutsam.

«Paul Sutherland wurde letzte Nacht ermordet.»

Kate fühlte sich in eine andere Zeit zurückversetzt, als dieselben beiden Männer ihr vom Tod eines anderen Bericht erstattet hatten.

«Jemand hat sein Haus in Brand gesetzt», sagte der Inspector. «Der Täter hat Benzin durch den Briefkasten hineingeschüttet und dann Benzinbomben durch die Fenster im Erdgeschoss und im ersten Stock geworfen.»

«Jemand», wiederholte sie starr. Sie konnte. Pauls Stimme noch ganz deutlich hören. *Er hat mich gesehen und mir so einen Blick zugeworfen ... Er starrte mich immer noch an, als ich wegging.*

Collins rieb sich die Augen. Seine Haut war, wo seine Finger sie bearbeitet hatten, faltig wie altes Leder. «Wir können den Täter nicht eindeutig identifizieren. Aber irgendwelche Nachbarn hörten das Glas brechen und sahen einen Mann vor dem Haus auf der Straße stehen. Sie haben die Feuerwehr gerufen und sind dann hinausgegangen, und der Mann stand immer noch dort. Sie sagen, er hätte einfach nur zugesehen. Erst als sie ihm zuriefen, sei er weggelaufen. Sie konnten keine sehr gute Beschreibung abgeben, aber ...»

Er zuckte die Achseln. Kate schloss die Augen. Sie sah Flammen, roch Benzin.

«Sie sagen, Sie hätten mit Paul Sutherland gesprochen», fuhr Collins fort. «Erinnern Sie sich, um welche Uhrzeit das gewesen ist?»

«Ich weiß nicht ... nicht spät. Acht Uhr vielleicht.»

«Das Feuer brach kurz nach drei aus. Aber ich habe selbst erst vor einer Stunde davon erfahren. Sonst hätte ich Sie früher informiert. Angeblich funktioniert bei uns die Kommunikation, aber meistens merkt man nichts davon.» Seine Worte klangen entschuldigend.

Da durchzuckte sie ein Gedanke, bei dem ihr jäh übel wurde. «O Gott, Sie wollen, dass ich ihn identifiziere, nicht wahr?»

Collins sah sie überrascht an. «Gütiger Himmel, nein! Nein, das ist bereits geschehen. Ich bin nur hergekommen, um es Ihnen zu sagen, das ist alles.» Er rutschte unbehaglich auf seinem Sitz hin und her. «Ich möchte Sie nicht unnötig aufregen, aber ... Na ja, es wäre vielleicht keine schlechte Sache, wenn Sie jemanden hätten, bei dem Sie wohnen könnten. Nur für ein paar Tage.»

Es schien ihm schwerzufallen, sie anzusehen.

«Sie glauben, er wollte mir etwas antun, nicht wahr?», sagte sie. «Dann sah er Paul, folgte ihm und steckte stattdessen sein Haus in Brand.»

«Nicht unbedingt. Ich glaube lediglich, dass Sie anderswo besser aufgehoben wären, das ist alles. Aber wir werden Ihre Wohnung dennoch genau im Auge behalten.»

Sein Lächeln war nicht besonders überzeugend, als er aufstand.

«Keine Angst. Wir lassen ihn nicht an Sie heran.»

Caroline und Josefina waren sichtlich überrascht, als Kate die Agentur kurz nach dem Aufbruch der beiden Polizisten für den Tag schloss, aber sie gab ihnen keine Erklärung. Da ihr der Gedanke an die U-Bahn unerträglich war, fuhr sie mit dem Taxi nach Hause. Die Straßen, die an diesem Morgen noch sonnig gewesen waren, waren jetzt, kurz vor der Abenddämmerung, grau geworden.

Der Wagen geriet in einen Stau, und Kate beobachtete das tickende Taxameter, während sie inmitten von Abgasen und Autohupen standen. Flüchtig überlegte sie, ob sie genug Kleingeld dabeihatte, um den Fahrer zu bezahlen. Ein Teil von ihr hoffte, dass dem nicht so war.

Wieder und wieder spulte sich ihr Gespräch mit Paul in ihrem Kopf ab. Jede Nuance, jede Silbe schien von einer neuen und grausamen Endgültigkeit zu künden. Sie dachte an seine letzten Worte zu ihr. *Pass auf dich auf.* Sie hatte sich nicht die Mühe gemacht, ihm dasselbe zu sagen. *Sei vorsichtig,* hätte sie sagen können. *Er ist gefährlich. Er verbrennt Menschen. Pass auf dich auf.*

Aber sie hatte es nicht gesagt.

Es wurde bereits dunkel, als das Taxi in ihre Straße einbog. Sie bezahlte den Fahrer und stieg aus. Das Taxi fädelte sich wieder in den Verkehr ein und ließ sie allein auf dem Pflaster zurück.

Die Straße war leer. Kate bog in den Weg zu ihrem Haus ein und öffnete hastig die Tür. Sie knipste das Licht in der kleinen Diele an und schrie auf, als die Glühbirne mit einem blauen Blitz durchbrannte. Mit klopfendem Herz sank sie gegen die Wand.

Reiß dich zusammen. Es ist nur die Glühbirne.

Aber sie zitterte noch immer, während sie nach oben ging. Schnell zog sie die Wohnungstür hinter sich zu und schaltete das Licht ein. Die Leere der Wohnung schlug ihr regelrecht entgegen, und das grelle Licht schien diese Leere noch zu verstärken. Sie tat einen Schritt, doch dann begann ihre Brust schon heftig zu beben. Sie versuchte dagegen anzukämpfen, als ihr Tränen in die Augen traten und sie nicht mehr an sich halten konnte. Völlig aufgelöst stand sie da, unfähig, sich auch nur zu bewegen, während sie von Heulkrämpfen regelrecht geschüttelt wurde.

«O G-Gott ... o Gott ...»

Da versagte ihr die letzte Kraft. Alles, was in den letzten Wochen passiert war, brach über sie herein. Blind stolperte Kate den Flur entlang, griff nach dem Telefon und tippte unbeholfen auf die Tasten.

Sie bemühte sich, ihr Weinen in den Griff zu bekommen, während es am anderen Ende klingelte. Als sie Lucys Ansagetext hörte, sackte Kate vor Verzweiflung in sich zusammen. Ihr Magen schmerzte von der Wucht ihres Schluchzens, und sie konnte es kaum erwarten, bis die Ansage zu Ende war.

«Lucy, ich bin's, Kate, es tut mir leid, bitte –»

Am anderen Ende der Leitung wurde der Hörer abgehoben.

«Ja?»

Lucys Stimme klang tonlos. Kate hatte Mühe, die Fassung zu bewahren. «Ich ... ich bin's. Hör mal, ich ... ich weiß, ich sollte dich nicht einfach so anrufen, aber ... O Gott, hör mal, kann ich nicht bitte rüberkommen?»

Keine Antwort.

«Bitte!»

Neuerliches Zögern. «Okay.»

Kate brachte ein ersticktes Danke heraus und legte mit zitternden Händen auf. Sie wischte sich mit dem Handrücken die Tränen vom Gesicht und wählte aus dem Gedächtnis die Nummer einer Taxigesellschaft. Dann ging sie schnell ins Bad und tupfte sich die Augen trocken. Ihr Gesicht sah im Spiegel immer noch fleckig und verheult aus, aber das war ihr egal.

Als das Taxi draußen hupte, rannte sie nach unten. Die Straßenlaternen waren mittlerweile angegangen und hüllten den Bereich vor der Gartenmauer in tiefe Schatten. Als Kate die Haustür hinter sich zuschlug und den Weg hinunterrannte, war der Kater nirgends zu sehen. Noch jemand, den zu schützen sie versäumt hatte. Sie wollte gerade ins Taxi steigen, als ihr einfiel, dass ihr ganzes Wechselgeld für die andere Fahrt draufgegangen war. Sie sprang noch einmal in ihre Wohnung hinauf und durchwühlte die Schubladen, bis sie genug Geld für den Fahrpreis zusammengekratzt hatte. Als sie zurückkehrte, schnalzte der Fahrer ärgerlich mit der Zunge.

Kate kauerte sich in den Rücksitz und sah eine normale Welt an sich vorüberziehen.

Die Nervosität kam erst, als das Taxi sie vor Lucys und Jacks Haus absetzte. Es schien eine Ewigkeit her zu sein, seit sie das letzte Mal in dem großen Haus gewesen war. Eine Hand auf dem Tor, blieb sie zögernd stehen. Ich tue genau das, was Lucy mir vorgeworfen hat. Jetzt, da ich in Schwierigkeiten bin, komme ich zu ihnen gerannt. Aber es war ihr egal, wie viel Verachtung und Schuld Lucy auf ihr Haupt laden mochte. Hauptsache, sie stieß sie nicht zurück. Den Gedanken, noch jemanden zu verlieren, konnte sie einfach nicht ertragen.

Kate ging den Weg hinauf. Sie wischte sich die Augen ab, und erst als sie auf die Klingel drückte, wurde ihr bewusst, dass sie furchtbar aussehen musste. Sie hörte jemanden näher kommen, dann öffnete Lucy die Tür.

Sie sahen einander an, ohne etwas zu sagen. Im Hintergrund konnte Kate das Geplapper des Fernsehers hören, konnte das anheimelnde Licht aus dem Wohnzimmer und der Küche sehen. Es zeichnete Lucys Silhouette in der unbeleuchteten Diele nach. Kate konnte ihren Gesichtsausdruck nicht erkennen.

Wortlos trat Lucy zurück, damit sie eintreten konnte. Als sie durch die Tür trat, konnte Kate ihre Freundin nicht ansehen. Sie zog sich von ihrem Schweigen zurück und ging unsicher aufs Wohnzimmer zu. Lucy schloss die Tür und folgte ihr, um Jacks übereinandergetürmte Kisten und Kartons im Flur herum. Das Haus roch nach Essen und schmutzigen Windeln. Kate trat in den hellerleuchteten Raum.

Aus dem Fernseher plärrte irgendeine hektische Kindersendung. Jack und Emily waren ganz in den Film versunken; sie saßen mit dem Rücken zu Kate nebeneinander auf dem

Sofa. Von ihrer Ankunft nahmen sie keine Notiz. Angus stand neben ihnen in seinem Laufstall, was Kate überraschte, da er ihm schon lange entwachsen war. Als er sie sah, begann er zu weinen und hielt ihr die Arme hin, um herausgenommen zu werden. Kate ging instinktiv auf ihn zu. Die gezwungen fröhliche Begrüßung lag ihr bereits auf der Zunge, als sie das Sofa erreichte und ihre Worte erstarben.

Die Münder von Jack und Emily waren mit braunem Paketband zugeklebt.

Das Bild drang in ihr Bewusstsein, aber Kates Verstand weigerte sich, es zu begreifen. Sie hörte einen Laut hinter sich. Sie drehte sich um.

Lucy stand in der Tür. Ihr Kopf wurde von der Klinge des langen Küchenmessers, das ihr an die Kehle gehalten wurde, zur Seite geneigt. Ellis stand hinter ihr. Mit der einen Hand hielt er das Messer fest, mit der anderen packte er Lucys nackten Arm, und seine Finger bohrten sich in das Fleisch über dem Ellbogen.

«*Es tut mir leid.*» Lucys Stimme war ein Flüstern. Ihr Gesicht war aufgedunsen und tränenüberströmt. Die Augen, die Kate anblickten, waren voller Angst. «*Es tut mir leid.*»

Niemand rührte sich.

Kate machte einen Schritt rückwärts.

Ellis trieb Lucy weiter ins Zimmer. Er wandte den Blick nicht von Kate ab. Seine Augen waren leuchtend und fiebrig und das Fleisch darunter von purpurnen Flecken verfärbt. Sein Gesicht war ausgezehrt, und das Haar stand ihm in glanzlosen Strähnen vom Kopf. Auf den Wangen wuchs ein zotteliger Bart.

Er sah Kate an wie einen Menschen, der ihm noch nie begegnet war.

Lucys Brust hob und senkte sich. «Es tut mir leid», flüsterte sie nochmals, und nun nahm Kate zum ersten Mal ihre schmutzigen Kleider und ihr ungewaschenes Haar wahr. Sie sah dünner aus. «Er hat die *Kinder* bedroht, Kate! Er sagte, wenn wir nicht täten, was er will, würde er … würde er …» Ihr Blick huschte gequält zu Emily und Angus. «Er hatte ein Messer! Wir hatten keine *Wahl*! Wir haben es versucht, Jack –»

«Mund halten!»

Lucy verstummte. Ihre Lippen zitterten. Das Messer zwang ihr Kinn in die Höhe und verlieh ihr die selbstbewusste Pose eines Fotomodells. Jack gab ein ersticktes Geräusch von sich. Kate sah ihn an und bemerkte, dass auch seine Hände und Füße gefesselt waren. An einer Schläfe sah sie eine sich gelblich färbende Beule, und in dem Blick, den er Ellis zuwarf, lagen Hass und Rachedurst. Kate sah, wie er gegen das Klebeband ankämpfte, aber es war zu oft um seine Glieder gewickelt worden, als dass er sich hätte befreien können.

Neben ihm saß, auf ähnliche Weise gefesselt, Emily. Die Tränen rollten dem kleinen Mädchen übers Gesicht, und ihr Anblick machte Kate ungeheuer wütend.

«Du Schwein!», rief sie und drehte sich wieder zu Ellis um. «Was haben sie dir getan?»

Bei ihrem Zornesausbruch blinzelte er, nahm aber nicht das Messer von Lucys Kehle.

«Sie k-kennen dich», sagte er. Sein Mund zuckte. «Sie sind deine Freunde!»

Er betonte «deine». Die Hand, die Lucys Arm umklammert hielt, fasste fester zu, und sie hob das Kinn über die Messerspitze hinweg.

Kate zwang sich, seinen Blick zu erwidern. Sie zeigte auf Emily. «Sie ist ein kleines Mädchen, verdammt!»

Sie ging entschieden zum Sofa hinüber.

«Halt still», sagte sie und versuchte zu lächeln, während sie nach dem Klebeband über dem Mund des kleinen Mädchens griff.

«N-nicht!», rief Ellis, als Kate es abriss.

Das Band löste sich mit einem reißenden Geräusch und ließ die Haut darunter stark gerötet zurück. Emily begann zu weinen.

«Bist du jetzt glücklich?», fragte Kate und funkelte Ellis zornig an. Er sah verwirrt aus, beinahe, als wolle er sich verteidigen. Sie trat an den Laufstall, wo Angus ebenfalls weinte. Sie wollte ihn auf den Arm nehmen.

«L-lass ihn!»

Sie kümmerte sich nicht darum.

«Ich sagte, du sollst ihn l-lassen, verdammt!»

Kate erstarrte mitten in der Bewegung. Ellis' Augen waren irre. Die Fingerknöchel um den Messergriff traten weiß hervor. Die Messerspitze erzeugte eine straffe Vertiefung in Lucys Haut. Lucy hatte die Augen geschlossen.

Kate richtete sich langsam wieder auf. «Na schön. Es tut mir leid.»

«G-geh da weg!»

Sie trat in die Mitte des Wohnzimmers.

«Hör mal, ich weiß, dass du mir böse bist, aber lass es nicht an ihnen aus. Sie haben dir nichts getan.»

«Halt den Mund!»

«Lass wenigstens die Kinder gehen.»

«Ich s-sagte, du sollst den Mund halten!»

«Sieh sie doch an, sie sind zu Tode erschrocken! Es sind nur Kinder, um Gottes willen! Wie kannst du ihnen das antun?»

«Weil mein Kind tot ist!»

Kate erschrak vor dem Aufschrei. Ellis' Gesicht war wut-verzerrt. Aber er unternahm nichts weiter. Sie wartete, bis ihr Atem sich beruhigt hatte.

«Ich habe dich belogen», sagte sie, so gelassen sie konnte. «Ich habe keine Abtreibung machen lassen. Ich habe es nur gesagt, weil –»

«Du lügst j-jetzt!»

«Nein –»

«Verdammte *Lügnerin*!»

«Hör mich doch an! Ich habe keine Abtreibung machen lassen –»

«Lügnerin! Verlogene *Hu-Hure*!»

Kate wich zurück, zum Schweigen gebracht von dem hasserfüllten Ausdruck auf seinem Gesicht.

«Er wird dir nicht glauben.» Lucys Stimme zitterte.

«Mund halten», sagte Ellis tonlos.

Tränen rollten über Lucys Wangen, als sie Kate ansah. «Ich habe ihm gesagt, dass du es nicht getan hast, aber er wollte nicht glauben –»

«*Redet nicht über mich, als wäre ich nicht da!*», schrie Ellis, und Kate sah, wie sein Arm sich spannte. *Nein!*, dachte sie, als er das Messer zurückzog, aber an der Klinge war kein Blut zu sehen, als er Lucy auf sie zuschob.

Lucy taumelte nach vorn und wäre beinahe gestürzt. Kate wollte ihr helfen, hielt jedoch inne, als Ellis mit dem Küchenmesser auf sie zeigte.

«Lass das!»

Lucy wischte sich mit der Handfläche über die Augen. Ihr Kopf wackelte wie bei einer alten Frau mit Schüttellähmung. Sie sah Kate nicht mehr an.

«Setz dich da drüben hin», befahl Ellis ihr. «Auf den Stuhl.»

Lucy tat, was er gesagt hatte. Er wandte sich an Kate.

«Hol das B-Band.» Er zeigte auf eine Rolle Paketband auf dem Couchtisch.

«Hör mir doch zu –»

«Hol das *verdammte B-Band*!»

Sie holte es.

«Wickel es zuerst um ihre Fußknöchel, dann um die Handgelenke.»

«Bitte, du kannst doch nicht –»

«*Tu es!*»

Kate sah Jack an, der gefesselt auf dem Sofa saß. Seine Augen starrten sie über den braunen Klebestreifen hinweg an und versuchten, ihr irgendeine Nachricht zu übermitteln, aber Kate wusste nicht, was es war. Emilys Unterlippe zitterte. Nur Angus gab einen Laut von sich, als er schluchzte. Aus der Nähe konnte Kate den säuerlichen Geruch ihrer ungewaschenen Körper riechen. Auf dem Boden um sie herum lagen geöffnete und geleerte Konservendosen, von denen einige mit einer pelzigen, mehrere Tage alten Schimmelschicht überzogen waren. Zwischen den Dosen lagen zusammengeknüllte Stücke Packband, zu viele, um sie zu zählen. Kate schmeckte Galle in ihrer Kehle, als ihr die Bedeutung dessen, was sie da vor sich sah, aufging.

Wie lange war er schon hier?

«Die Knöchel zuerst», sagte Ellis.

Kate kniete sich vor Lucy hin. Das war nicht sie, die sich da bewegte. Sie war nur Zuschauerin; das alles passierte einer anderen. Sie zog das Ende des Klebebands mit tauben Fingern von der Rolle, hielt aber inne, als Jack ein gedämpftes Grunzen ausstieß. Sie sah zu ihm auf. Er starrte sie mit verzweifelter Intensität an. Dann schüttelte er heftig den Kopf.

«Mach schon!», schrie Ellis und ging einen Schritt auf Angus zu, der schniefend in dem Laufstall hockte. Sie sah, wie er das Messer fester umfasste. Mit einem letzten Blick auf Jack schlang Kate das Band einmal um Lucys Knöchel. Die roten Abdrücke früherer Klebestreifen bildeten Ringe auf ihrem Fleisch.

«Nochmal. F-fest.»

Sie zögerte, tat es dann jedoch. Die Klebebandrolle baumelte herunter. Eine schwache Hoffnung durchzuckte Kate. «Ich habe nichts, um es durchzuschneiden.»

«B-beiß es durch.»

Die Hoffnung erlosch. Sie zerrte mit den Zähnen an dem Klebeband.

«Jetzt die Handgelenke.»

Sie konnte das Beben in Lucys Händen spüren, als sie sie fesselte. Es lag keine Anklage in Lucys Augen, als sie einander ansahen, nur Angst.

«Kleb ihr einen Streifen über den M-Mund.»

«Wozu soll das –»

«Tu es!»

Lucy schloss die Augen und presste die Lippen zusammen, während Kate ein Stück Klebeband darüberzog. Kate richtete sich auf und warf die Klebebandrolle weg.

«Bist du jetzt glücklich? Fühlst du dich jetzt sicher, ja?» Ellis starrte sie an und zeigte auf eine Ecke des Zimmers.

«H-heb das auf.»

Kate sah in die Richtung, in die sein Zeigefinger wies, und fühlte sich plötzlich, als ob sie einen Schlag in die Magengrube bekommen hätte. An der Wand standen Materialien für Jacks Arbeit, ein unordentlicher Stapel Pappkartons und Behälter. Obenauf lag ein Stapel Poster. Diese Dinge vor Augen, begann Kate das Geschehene endgültig zu begreifen. Beinahe geistesabwesend fragte sie sich, ob Ellis bereits mit einem Plan zu ihnen gegangen war, weil er sich an all die Gespräche erinnerte, die er mit Jack über Desktop Publishing geführt hatte. Oder ob ihm die Idee zu den Postern erst später gekommen war, als Lucy und Jack gefesselt und ohnmächtig in seiner Gewalt waren und die gesamte Ausrüstung, die er benötigte, ungenutzt im Keller lag.

Aber es waren nicht die Poster, auf die Ellis nun wies. Neben ihnen stand ein roter Benzinkanister.

Jetzt begriff sie, was Jack ihr zu sagen versucht hatte. Sie sah Ellis an. «O nein.» Sie schüttelte den Kopf. «Nein, du kannst nicht –»

«H-heb ihn auf.»

«Bitte ...» Sie geriet in Verwirrung darüber, bei welchem Namen sie ihn nennen wollte. «Bitte, überleg doch nur, was du da tust.»

«Heb ihn hoch.»

«Lass sie wenigstens gehen! Du hast doch jetzt mich hier, du brauchst sie nicht mehr!»

Er kam näher. Sie schrak zurück, aber als er Jack erreichte, blieb er stehen. Er hielt ihm das Messer an den Hals.

«Heb ihn hoch.»

Kate ging langsam durchs Zimmer auf den Benzinkanister zu. Die Poster zogen ihren Blick auf sich. Es waren neue. Diesmal saß ihr lächelndes Gesicht auf einem Pressefoto von einer Frau mit einem toten Kind in den Armen. Es war eine Schwarzweißaufnahme, die offensichtlich aus irgendeiner Kriegszone stammte. Das Bild war unbeholfen von Flammen umringt, damit es so aussah, als stünden Mutter und Baby in Brand. «KATE POWELL, BRENN IN DER HÖLLE, HURE» stand in Druckbuchstaben darunter.

Sie wandte den Blick ab. Der Benzinkanister stand vor

ihren Füßen. Daneben stand ein flacher Pappkarton mit den kleinen gelben Dosen Flüssiganzünder, die Jack als Reinigungsmittel benutzte. Ein Stück weiter entfernt lagen Spraydosen, alle mit dem Aufdruck «Entflammbar». Kate streckte die Hand aus und griff nach dem roten Behälter. Er war schwer. Als sie ihn anhob, hörte sie ein leises, schwappendes Geräusch aus dem Kanister.

«Sch-schraub den Deckel ab.»

Kate tat es. Der Deckel fühlte sich ölig an. Als sie ihn aufgeschraubt hatte, baumelte er an einem Plastikstreifen herab. Der ekelerregend süßliche Geruch des Benzins stieg ihr in Nase und Kehle.

«Sch-schütte es aus.»

«Bitte, tu das nicht.»

Ellis griff nach Jacks Haar und zog seinen Kopf zurück, um seine Kehle für die Klinge zu entblößen.

Langsam kippte Kate den Kanister. Benzin gluckerte aus der breiten Tülle. Es spritzte über die Kartons und Behälter mit Tinte und sickerte in den Teppich. Es lief über das Bild ihres Gesichtes, das ihr von den Postern entgegenlächelte, und ergoss sich über die kalten, stilisierten Flammen.

«G-gieß etwas auf die Vorhänge.»

Die schweren Gardinen vor den Balkontüren waren zugezogen. Kate bespritzte sie mit dem Benzin. Wo die Flüssigkeit in den Stoff eindrang, zeichneten sich dunkle Flecken ab.

«Jetzt der Teppich», befahl Ellis ihr. Seine Stimme klang belegt, als stünde er unter Drogen. Das Stottern war beinahe verschwunden. «Von dahinten bis hier rüber.»

Er trat zurück, und sie ging auf Sofa und Sessel zu, während sie noch mehr von der Flüssigkeit vergoss. Der Kanister war nun halb leer. Der Raum stank nach Benzin.

«Jetzt gieß es über deine Freunde.»

Kate schüttelte stumm den Kopf. Ellis legte Jack wieder die Klinge an den Hals. Seine Augen leuchteten. Kate konnte sehen, dass seine Pupillen schwarz und geweitet waren.

«Tu es.»

Emily stieß kleine, verlorene Schluchzer aus, ein Kontrapunkt zu Angus' heiserem Gewimmer. Der Kanister fühlte sich in Kates Händen glitschig an.

«Ich kann nicht!»

Ellis' Atem ging schwer. Er streckte die Hand aus. «Gib ihn mir.»

Kate rührte sich nicht.

«Ich sagte, du sollst ihn mir geben, v-verdammt nochmal!» Seine Stimme hatte jetzt einen drängenden Klang. «B-bitte!»

Sie schrak vor ihm zurück.

Er blinzelte hastig.

«Erinnerst du dich, was du gesagt hast?» Er griff in seine Tasche und trat ein Stück von Jack weg. «Sie haben es in den Verbrennungsofen geworfen, hast du mir e-erzählt. Erinnerst du dich?»

Er zog eine Streichholzschachtel heraus.

«Ich werde dir zeigen, was leiden heißt», sagte er, aber als er die Schachtel öffnete, schleuderte Kate ihm den Benzinkanister entgegen.

Er schlug gegen seine erhobenen Arme, ein Schwall schwarzer Flüssigkeit folgte ihm durch die Luft wie ein Schweif, und dann war Kate schon an Ellis vorbei. Sie spürte eine Berührung an ihrem Arm, blieb aber nicht stehen. Sie rannte den verdunkelten Flur hinunter, stieß an Jacks Kisten und warf sie hinter sich zu Boden. Sie rannte gegen die

Haustür. Sie war abgeschlossen. Kate zerrte daran, bis sie ein Geräusch von der Wohnzimmertür hörte. Sie drehte sich um und sah Ellis in den Flur treten.

Sie eilte die Treppe hinauf. Die obersten Stufen lagen im Dunkeln. Ein Geländer zog sich an der offenen Seite der Treppe entlang, wo man in den Flur nach unten schauen konnte, und von dort hörte Kate ihn über die Kartons stolpern. Sie drückte sich von der Wand ab, hinein in die tiefere Dunkelheit des Flurs im oberen Stock. Ein helles Quadrat am anderen Ende zeigte ihr an, wo das Fenster war, und in seinem schwachen Licht konnte Kate langsam die Türen als dunkle Rechtecke im Schatten ausmachen. Sie waren alle geschlossen. Mit brennenden Lungen lief Kate an ihnen vorbei und erreichte das Ende des Korridors. Schritte stampften die Treppe hinauf. Kate öffnete die ihr am nächsten gelegene Tür und schlüpfte hindurch.

In dem Raum war es noch dunkler als im Flur. Sie stand mit dem Rücken gegen die Tür gelehnt da und blickte in die Schwärze. Nicht einmal ein winziger Lichtschimmer durchbrach die Finsternis, aber der süße Duft von Talkumpuder und Spielzeug sagte ihr, dass sie im Kinderzimmer war.

Ein Stück den Korridor hinunter wurde eine Tür geöffnet. Kate tastete nach einem Schloss oder einem Riegel. Nichts. Sie bewegte sich blind durch den Raum, mit vor sich ausgestreckten Händen. Sie versuchte, sich daran zu erinnern, ob es hier irgendetwas gab, was sie benutzen konnte. Irgendeine Stelle, um sich zu verstecken. Sie zuckte zusammen, als sie gegen ein Bett stieß. Sie tastete sich darum herum und kam an das Bücherregal.

Und an die Wand.

Sie ließ die Finger über ihre unnachgiebige Härte gleiten.

Ihr Herz hämmerte, als sie sich an dem kleinen Tisch das Schienbein stieß. Sie streckte die Hand aus, damit er nicht umfiel, und traf auf eine Lampe, die sie beinahe ebenfalls umgeworfen hätte. Mit hämmerndem Herzen hielt sie sie fest.

Eine zweite Tür wurde geöffnet.

Vorsichtig stellte sie die Lampe wieder aufrecht hin und drückte sich gegen die Wand. Sie presste sich in die Lücke zwischen dem Bücherregal und dem Tisch, obwohl sie wusste, dass diese Zuflucht eine Illusion war. Ihr Atem ging stoßweise. Sie versuchte, ihn zu beruhigen, und lauschte auf die Geräusche aus dem Korridor. Noch eine Tür öffnete sich, näher diesmal.

Ihr Arm tat weh. Sie betastete die Stelle und hätte beinahe aufgeschrien, als sie plötzlich ein irrsinniger Schmerz durchzuckte. Sie biss sich auf die Lippe und tastete den Arm dann noch einmal ab. Diesmal war sie vorbereitet, als das Benzin an ihren Fingern in dem langen Schnitt über ihrem Ellbogen brannte. Sie erinnerte sich an die Berührung an ihrem Arm, als sie an Ellis vorbeigelaufen war, dachte an die scharfe Klinge des Messers.

Ihr war übel.

Die Tür des Nebenraumes wurde geöffnet. Kate presste die Augen zu. Sie sah grelle Lichtblitze vor sich tanzten. Der süßliche Gestank des Benzins war ekelerregend. Sie hörte das Schlurfen eines Schrittes draußen und verschränkte die Arme vor ihrem Bauch. Sie konnte ihr Herz schlagen spüren; es hämmerte gegen ihre Rippen. Sie dachte an das kleinere Herz, das mit ihm Schritt halten musste, an den winzigen Puls der Unschuld.

Die Tür öffnete sich. Wispernd schabte ihr Holz über den Teppichboden. Kate machte die Augen auf. Sie sah nichts,

nur Schwärze und die verblassenden Funken der Licht-
erscheinung in ihrem Auge.

«Kate.»

Das Wort war wie ein Schrei in der Stille. Kate presste
sich gegen die Wand. Neben ihr glomm ein dumpfer Lichtschimmer auf. Sie wandte sich ihm zu und stellte fest, dass
sie die Lampe auf dem Tisch ansah. Der Raum um sie herum
erwachte zum Leben, während er heller wurde, kleine Betten und Kuscheltiere. Mickymaus und Donald Duck, die auf
dem Lampenschirm herumtollten.

Ellis stand in der Tür, mit der Hand auf dem Dimmer.
Seine Augen waren rot vom Benzin. Sie konnte die dunklen Spritzer auf seinen Kleidern sehen. Er trat in den Raum,
erfüllte ihn mit einem noch stärkeren Gestank. Kate machte
einen Schritt zur Seite, weil sie hoffte, um ihn herum durch
die Tür rennen zu können, aber er versperrte ihr den Flucht-
weg. Das Messer lag immer noch in seiner Hand. Kate sah
den dunklen Fleck auf seiner Klinge.

Wieder schob sie sich zwischen die Bücherregale und den
Tisch.

Ellis stand in der Mitte des Zimmers.

«Das hättest du nicht t-tun sollen.» Er klang jetzt ruhiger.
Kate war sich nicht sicher, ob er ihren Fluchtversuch meinte
oder die vermeintliche Abtreibung. Sie konnte nicht sprechen.

«Du hattest k-kein Recht», sagte er. «Es war mein
B-Baby. Du hattest kein Recht.»

Sie schüttelte den Kopf, aber er achtete nicht darauf. Er
starrte ihren Arm an.

«Du blutest.»

Er klang überrascht. Kate blickte an sich herab. Im linken Ärmel ihres Mantels klaffte ein Riss. Ihr Arm war blut-

durchtränkt. Sie hatte die Verletzung ganz vergessen, aber jetzt begann sie wieder zu pochen. Der Schmerz fachte ihren Zorn an.

«Was guckst du denn so entsetzt?», fragte sie. Sie wischte mit der Hand über ihren blutigen Ärmel und hielt sie ihm hin. «Genau das wolltest du doch, oder?»

Ein betroffener Ausdruck legte sich über seine Züge. «I-ich wollte das nicht.»

«Du *wolltest* das nicht? Was, verdammt nochmal, *wolltest* du dann?» Plötzlich brachen sich die Wochen voller Angst Bahn. Sein Anblick versetzte sie in Rage. «Dann ist das also meine Schuld?» Sie streckte ihm den verletzten Arm hin. «Ja? Habe ich dich gezwungen, mich zu verletzen?»

«N-nein, ich –»

«Also, wer hat dich gezwungen? Wer hat dich gezwungen, irgendetwas von alldem zu tun? Wer hat dich gezwungen, Alex Turner zu töten?»

Er riss den Blick von ihrem Ärmel los. «Ich habe es dir ges-gesagt! Ich w-wollte das nicht!»

«Aber er ist trotzdem tot, oder? Du wolltest es nicht, aber du hast es trotzdem getan! Und seine Frau war schwanger, wusstest du das?»

Kate konnte an seinem Gesicht sehen, dass er es nicht gewusst hatte. Er sah bestürzt aus.

«N-nein!»

«Sie war im achten Monat! Vielleicht hat sie das Baby sogar schon bekommen, und Alex Turner wird es nie sehen, weil du ihn getötet hast!»

«N-nein!» Er schüttelte heftig den Kopf. «I-ich wollte nicht ...»

«Du hast ihn getötet, und jetzt willst du auch noch eine unschuldige Familie töten!»

«Halt den Mund!»

Er machte einen Schritt auf sie zu, aber sie hatte mittlerweile alle Vorsicht über Bord geworfen.

«Warum? Mich wirst du doch sowieso verbrennen! Du hast mir ja schon den Arm aufgeschnitten! Was willst du noch tun?»

«*Ich weiß es nicht!*», schrie er. «Lass mich in Ruhe!»

«*Dich* in Ruhe lassen?» Kate starrte ihn an. «Mein Gott, hör doch bloß, wie du redest! Denk doch eine Sekunde lang darüber nach, was du tust!»

Sein Gesicht war verzerrt von Schmerz. Als sie ihn ansah, löste sich ihr Zorn auf.

«Leg das Messer weg.» Beinahe hätte sie ihn Alex genannt, und in ihrer Hast, den Ausrutscher zu kaschieren, sprach sie ohne nachzudenken weiter. «Du brauchst Hilfe.»

Er riss den Kopf hoch.

«Was für Hilfe, v-verdammt nochmal? Leute, die dumme F-Fragen stellen und mir sagen, wo mein verdammtes P-Problem liegt? Die wollen nicht helfen! Die wollen bloß, dass ich mich benehme! Hauptsache, ich b-belästige niemanden, alles andere interessiert sie nicht! Aber es interessiert niemanden, ob man mich belästigt! Niemand i-interessiert sich für mich!»

Mich hast du interessiert. Der Gedanke blieb unausgesprochen.

«Lucy und Jack hast du interessiert», sagte sie stattdessen.

«Nein, habe ich n-nicht! Zuerst dachte ich es, aber dann habe ich gemerkt, dass es ein Irrtum war! Das ist der Grund, warum ich hergekommen bin, aber sie sind wie alle anderen!»

«Was ist mit Angus und Emily?»

«Darüber will ich nicht r-reden!»

«Also wirst du sie auch töten? Sie verbrennen wie deine eigene Familie?»

Der Schock ließ ihn erbleichen.

«Wer hat dir das ges-gesagt?»

«Egal, wer es mir gesagt hat, es stimmt, nicht wahr?»

«N-nein!»

«Doch, es stimmt! Du hast das Haus angesteckt, während dein Vater, deine Mutter und deine Brüder schliefen, und dann hast du dagestanden und sie brennen sehen!»

«Ha-hab ich nicht! So war es nicht, es war ein Unfall!»

«Ein Unfall, dass du das Haus in Brand gesteckt hast?»

«Ja! Nein! Ich ha-habe das nicht –» Sein Gesicht war gequält. «Ich wollte ihnen nicht wehtun! Ich wollte nur, dass sie mich *b-beachten*! Sie haben immer gestritten und mich mit M-Michael und Andrew allein gelassen, und die beiden haben S-Sachen mit mir gemacht, und wenn ich es meiner M-Mama und meinem Papa erzählen wollte, haben die mir nicht geglaubt! Obwohl ich es ihnen immer wieder gesagt habe, haben sie mir nicht geglaubt. Und dann hat meine G-Großmutter versucht zu helfen, sie hat versucht, es ihnen zu erk-erklären, und sie haben angefangen zu schreien, und – und dann lag Großmutter auf dem Boden, ganz *blau*, ihr Ge-Gesicht war *blau*. Und sie sagten, sie sei – sie sei *tot*, und niemand – niemand hat sich darum geschert, außer mir. Also habe ich das Feuer angezündet, und ich dachte: *J-jetzt* werden sie zuhören, *jetzt* werden sie es begreifen, wird es ihnen leidtun ...»

Sein Blick heftete sich auf etwas, das Kate nicht sehen konnte. «Und dann hat es angefangen zu b-brennen, und ich konnte direkt in die Flammen sehen, als wäre es eine andere Welt, ganz rein und sauber. Ich habe sie beobachtet und ... und nichts hat mich mehr gequält. Sie wurden größer und größer, bis nichts anderes mehr da war, und sie waren ... sie waren wunderschön.»

«Aber nachher ist es nicht schön, oder?», sagte Kate.

Sein Gesicht verfinsterte sich und verlor etwas von seiner glückseligen Miene.

«Nein.»

Einen Augenblick sah er aus wie ein kleiner Junge, verloren und verängstigt.

«Du wolltest ihnen nicht wehtun», sagte Kate.

«N-nein.»

«Willst du Angus und Emily wehtun?»

Er schüttelte den Kopf.

«Dann lass sie gehen! Bitte!»

«Ich k-kann nicht.»

«Warum nicht?»

«Es ist zu sp-spät.» Es war ein Flüstern.

«Ist es nicht!», schrie Kate. «Es ist nicht zu spät! Denk doch nach! Denk darüber nach, wie du dich nachher fühlen wirst!»

Er sah sie an. «Es wird kein Nachher geben.»

Sie hatte denselben Ausdruck auf seinem Gesicht gesehen, als der Mann sich in das Feuer geworfen hatte. *Vielleicht erschien es ihm ja gar nicht so grauenhaft.* Damals hatte sie seine Bemerkung nicht verstanden.

«Das willst du also, ja?», entfuhr es ihr unwillkürlich. «Das ist es, was du immer gewollt hast.»

Sein Blick ruhte immer noch auf fernen Flammen. Sie registrierte, dass er seine Hand fester um das Küchenmesser schloss.

«Es m-muss so sein.»

Sie spürte, wie er wieder in seinen früheren Fatalismus glitt. Sie versuchte, ihn zu durchbrechen.

«Es muss sein? Wie bei Paul Sutherland? Musste auch er getötet werden?»

Plötzlich kehrte sein Blick zu ihr zurück. «Er war ein T-Trinker. Er hat es verdient. Trinker richten sich doch eh schon zugrunde.»

«Also dachtest du, du würdest ihm die Mühe abnehmen?», verhöhnte sie ihn. «Na, komm schon, was ist deine Entschuldigung? Du hast doch immer eine! Lass sie hören! Hast du's getan, weil er dich geschlagen hat?»

«Nein.» Er sah sie mürrisch an.

«Warum denn dann? Du kanntest ihn doch nicht mal?»

«Ich wusste, was er get-getan hatte!»

Seine plötzliche Heftigkeit überraschte sie. Kate brauchte einen Augenblick, um zu begreifen, was er meinte.

«O mein Gott. Du hast ihn wegen dieser Sache getötet, die er *mir* angetan hat?»

Ellis mied ihren Blick.

«Was ist mit den Dingen, die *du* getan hast?», fragte sie.

«D-das ist etwas anderes!»

«Wieso? Wieso das?»

«Weil du unser B-Baby g-getötet hast!»

«*Ich habe unser Baby nicht getötet!*», schrie sie ihn an. «Ich habe *nichts* getötet! Ich bin immer noch *schwanger*, verdammt nochmal! Ich muss mich jeden verdammten Morgen übergeben und ... Gott!»

Sie brach ab und verbarg ihr Gesicht in den Händen. Als sie wieder aufsah, beobachtete Ellis sie immer noch. Aber jetzt hatte seine Miene etwas Seltsames, beinahe Verängstigtes.

«Die Abtreibung war eine Lüge», sagte Kate ruhig. «Ich

wollte dir wehtun. Man hatte mir gesagt, du seist tot, und ich sollte dich identifizieren und habe gesehen, dass es jemand anders war. Und dann habe ich herausgefunden, dass du gar nicht Alex Turner bist und ... und ich wollte dir auch wehtun!»

Sie schüttelte den Kopf und spürte, wie ihr die Tränen kamen. «Meine Güte, was hast du denn erwartet? Ich habe dich *geliebt*!»

Er sah sie an wie ein Mensch, der aus einem bösen Traum erwacht, nur um sich in dem nächsten Albtraum wiederzufinden.

«Du bist immer noch schw-schwanger?»

Kate schloss die Augen und nickte müde.

Ein beinahe unhörbares Stöhnen durchdrang die Stille. Sie öffnete die Augen. Ellis hatte sich die Arme um den Leib geschlungen und wiegte sich sanft hin und her. Tränen rannen ihm übers Gesicht.

«O G-Gott.» Er schloss gequält die Augen. «O Gott. Alles ist schiefgegangen.»

Kate löste sich ganz allmählich von der Wand. «Lass uns einfach von hier weggehen. Das kannst du doch jetzt, oder? Es ist nicht nötig, irgendjemandem wehzutun.»

Er sagte nichts. Wiegte sich nur hin und her und weinte lautlos.

«Du möchtest dem Baby doch nicht wehtun, oder?», drängte Kate weiter. «Nicht nach alledem?»

Ellis schüttelte den Kopf.

«Lass uns gehen. Gib mir das Messer und lass uns gehen.»

Sie war sich nicht sicher, ob er sie gehört hatte. Er schüttelte immer noch den Kopf.

«Es tut mir leid», sagte er. «Ich habe alles k-kaputt gemacht. Es tut mir leid.»

Er weinte, als er auf sie zukam, und Kate hätte später nicht sagen können, ob er sich für das entschuldigte, was er bereits getan hatte, oder für das, was er noch tun würde. Sie sah das Messer in seiner Hand und warf instinktiv die Tischlampe nach ihm.

Die Birne explodierte mit einem lauten Knall. Kate prallte zurück, benommen von dem Lichtblitz, und wartete auf den Schnitt des Messers. Aber er kam nicht. Und dann wurde die Dunkelheit von einer neuen und unstetigen Lichtquelle erhellt.

Das entflammte Benzin auf Ellis' Kleidern erfüllte den Raum mit einem grauenvollen Schein. Als Kates Augen sich an daran gewöhnt hatten, sah sie, wie er auf die Flammen einschlug, die an seinem Arm und seiner Brust zehrten. Im nächsten Augenblick hatten sie sich wie eine Flutwelle auch auf seinen Schultern und seinem Kopf ausgebreitet.

Ein Klappern ertönte, als er das Messer zu Boden fallen ließ. Er schrie auf und schlug immer wilder auf sich ein, als sein Haar Feuer fing. Das Licht im Raum war jetzt heller, gelblicher, und der Gestank von brennendem Haar und Benzin ließ Kate würgen. Sie stand einen Augenblick lang einfach nur da, zu benommen, um etwas zu tun, dann stürzte sie vor und begann auf die Flammen einzuschlagen, die von Ellis' Kopf aufsprangen. Als sie die Hände zurückzog, waren sie in blaue Handschuhe aus Flammen gehüllt, da das Benzin auf ihrer Haut Feuer gefangen hatte. In Panik schlug sie das Feuer an ihrem Mantel aus, spürte den ersten brennenden Schmerz und zerrte dann eine Decke von dem nächstgelegenen Bett.

Sie versuchte, sie über Ellis zu werfen, aber der prallte zurück, stieß gegen die Wand und stürzte aus dem Zimmer. Behindert durch die sperrige Decke, rannte Kate hinter ihm her. Die Flammen warfen ein irrsinniges Licht auf die Wände, während er blind durch den Flur taumelte und mit beiden Händen auf sich einschlug. Kate wusste, was passieren würde, eine Sekunde bevor es tatsächlich passierte. Sie schrie ihn an, aber da prallte er schon gegen das Geländer am Ende des Flurs, zu weit von ihr entfernt, als dass sie ihn hätte festhalten können, und in einer schnellen choreographischen Drehung stürzte er hinunter.

Kate hörte den Aufprall, als er unten auf dem Boden aufschlug. Plötzlich war alles wieder dunkel. Kate stürzte die Treppe hinunter, ohne sich die Zeit zu nehmen, nach einem Lichtschalter zu suchen, und rannte zu der im Flur liegenden Gestalt. Ellis war auf den Kartons neben der Kellertür gelandet. Sie waren bei seinem Sturz geborsten und hatten ihr Papier über den Teppich verteilt. Ein Teil der Flammen war bei seinem Aufprall erloschen, aber Ellis brannte immer noch. Das Feuer züngelte bereits nach dem überall herumliegenden Papier und den Pappkartons, wirkte aber im Licht der offenen Wohnzimmertür weniger dramatisch. Kate warf die Decke über ihn und schlug auf den reglosen Körper ein, aber ein jäher Schmerz in ihrem Bein ließ sie aufschreien und zurückprallen. Eine Ecke der Decke hatte brennendes Papier hinter sich hergezogen und Feuer gefangen. Kate riss die Decke weg und versuchte, die Flammen zu ersticken, bevor sie sah, dass es nun auch an anderen Stellen zu brennen begonnen hatte.

Kate warf die Decke auf den Boden, trat mit beiden Füßen darauf herum und verfluchte Lucy dafür, eine billige Decke gekauft zu haben. Etwas berührte schmerzhaft ihre Wange. Sie wischte sich ein glühendes Aschenbröckchen aus dem Gesicht. Als sie aufblickte, sah sie, dass der Flur voll von solchen brennenden Fetzchen war. Der Gestank des Benzins aus dem Wohnzimmer kehrte wie eine vergessene Drohung zurück, und sie drehte sich gerade rechtzeitig um, um brennende Papierstückchen wie schwarze Blätter durch die offene Tür wehen zu sehen.

Das Licht aus dem Wohnzimmer veränderte sich plötzlich.

Angus schrie.

«O Gott, nein», flüsterte Kate.

Sie ließ die schwelende Decke fallen und rannte an Ellis vorbei ins Wohnzimmer. Die Hitze schlug ihr entgegen, bevor sie die Tür erreichte. Der Raum war voller Feuer. Flammen sprangen überall auf, wo das Benzin hingeflossen war. Der Teppich war ein einziges Flammenmeer. Die Vorhänge waren lodernde Lumpen und der Posterstapel eine Fackel, die Qualmwolken und Asche zu den viktorianischen Stuckdecken emporsandte. Kate prallte zurück, aber die Schreie der Kinder waren stärker. Sie konnte hinter den Flammen sehen, dass der Bereich um das Ledersofa und die Sessel bisher unberührt geblieben war, und ohne noch länger zu warten, zog sie sich ihren Mantel über den Kopf und sprang durch die Tür.

Heiße Hände schlugen auf ihren Rücken und klatschten gegen ihre Beine, dann war sie durch. Sie hielt sich an der Seite des Zimmers, abseits der Fenster, wo das Feuer noch nicht hingekommen war, und rannte auf das Sofa zu. Jack beugte sich vor und warf wie wild den Kopf von einer Seite zur anderen, und sie konnte sehen, dass sein Haar im Nacken angesengt war und schwelte. Ein oder zwei Meter hinter ihm erzeugten die Überreste des Benzinkanisters ein tosendes gelbes Leuchtfeuer, das bis zur Decke aufschoss. Er hatte es geschafft, Emily zu sich heranzuziehen, sodass sie quer über seinem Schoß lag und vor den schlimmsten Flammen abgeschirmt war, und Kate schlug auf sein Haar, spürte den Biss der Funken an ihren bereits verbrannten Händen. Lucys Augen ihr gegenüber blickten verzweifelt um sich, sie saß gefesselt und geknebelt in dem Ledersessel, dessen hohe Rückenlehne sie bisher vor den Flammen geschützt hatte.

Jack zog den Kopf weg und hob das Kinn, damit Kate das Klebeband von seinem Mund ziehen konnte. «Bring die Kinder raus!», stieß er hervor, als sie es abgerissen hatte.

«Was ist mit dir?»

«Keine Zeit! Um Gottes willen, tu es!»

Kate zauderte, denn sie wusste, dass sie keine Chance hatte, wieder zurückzukommen, um Lucy und Jack zu holen. Es war ohnehin schon so, als versuche man, in der geöffneten Tür eines Brennofens zu atmen. Der Raum füllte sich mit Rauch, während die Flammen sich ausbreiteten und den Raum um die Stühle und das Sofa herum umfingen. Kate sah Lucy an. In ihren weit aufgerissenen blauen Augen über dem Klebeband standen Tränen, während sie nickte.

Kate riss Angus aus dem Laufstall und zog Emily von Jacks Schoß. Emily begann zu schreien: «Mami! Mami!», als sie die beiden Kinder wegtrug. Kate sah Jack mit den Zähnen das Klebeband um seine Handgelenke bearbeiten, und plötzlich kehrte sie um. Immer noch mit beiden Kindern auf dem Arm, kniete sie sich unbeholfen vor ihn hin.

«Verdammt, was machst du denn noch hier? Hau ab!», rief Jack, aber sie hatte sich bereits vorgebeugt, um das Klebeband um seine Knöchel zwischen die Zähne zu nehmen. Sie zerrte und zog daran, dann riss es endlich, und mit einem einzigen Ruck konnte er die Beine befreien. «Gut, und jetzt weg mit euch!», schrie er.

Sie stand auf, zog Angus und Emily ein Stück höher, und ihr verwundeter Arm pochte unter dem Gewicht der Kinder. Jack hatte sich auf alle viere niedergelassen und biss das Band um Lucys Füße durch, zog mit seinen immer noch gefesselten Händen daran, während Kate sich mit den beiden Kindern zu der von den Flammen am weitesten entfernten Wand durchkämpfte. Als eine Glühbirne an der Decke platzte, zuckte Kate zusammen, aber das Licht war mittlerweile kaum noch nötig. Umfangen von unmenschlicher Hitze, presste sie blinzelnd die Gesichter der Kinder in ihren Mantel und schob sich an dem flammenden Benzinkanister vorbei. Dann blieb sie plötzlich stehen.

Durch den Rauch sah sie, dass der Türrahmen und der Teppich davor in Flammen standen.

«Jack!», schrie sie.

Sie hörte ihn fluchen, dann folgte ein plötzliches Klappern. Sie drehte sich um und sah ihn mit mittlerweile befreiten, blutenden Handgelenken den Läufer vom Fußboden ziehen, sodass der Couchtisch umkippte. Jack sprang auf sie zu, unbeholfen durch den Schmerz des Blutes, das wieder durch seine Glieder pulsierte. Lucy hinter ihm begann durch den Raum zu hüpfen und wäre beinahe gestürzt. Kate machte einen Schritt auf sie zu, um ihr zu helfen, aber heißer Qualm raubte ihr plötzlich alle Luft aus den Lungen. Hustend und um Atem ringend drehte sie das Gesicht ab und grub Mund und Nase in ihren Mantel, während Jack sich an ihr vorbeidrängte und mit dem schweren Läufer auf die Flammen um die Tür einschlug. Lucy schaffte es zu Kate hinüber und brach an ihrer Schulter fast zusammen. Schwer atmend versuchte sie, mit immer noch zugeklebtem Mund gleichzeitig zu atmen und zu husten. Sie versuchte, den Klebestreifen abzuziehen, aber ihre Handgelenke waren ebenfalls gefesselt, und sie krümmte sich unter einem neuerlichen Hustenanfall. Kate stützte sie, so gut es ging, konnte aber, solange die Kinder sich an sie klammerten, nichts mehr tun. Die Haut ihres Gesichts fühlte sich unangenehm straff an, während sie hinter Jack hertaumelten. Sie konnte riechen, dass ihr Haar brannte. Es war schwer, durch die Hitze und den Rauch etwas zu sehen. Bei einem plötzlichen Knall von der anderen Seite des Raumes ging sie in Deckung; ein weißer Flammenstrahl schoss auf sie zu. Ihm folgten eine Sekunde später zwei weitere Feuerschwalle, als die Sprühdosen explodierten. An die Wand gekauert, konnte Kate selbst über dem Tosen des Feuers ein metallisches Klirren hören und erinnerte sich an die Behälter mit Flüssiganzünder. Jack hatte anscheinend denselben Gedanken, denn sie sah ihn einen Blick in diese Ecke werfen, bevor er sich zu ihr und Lucy umdrehte.

«Kommt!», rief er und warf ihnen den dicken Läufer über wie ein Mann, der unter seinem Jackett Zuflucht nimmt. «Vorwärts!»

Sie stolperten auf die Tür zu. Der Teppich davor brannte immer noch, aber Jack hatte die Flammen so weit zerschlagen, dass sie hindurchkonnten, und der Teppich um ihre Schultern schirmte sie gegen den brennenden Türrahmen ab. Kate spürte den heißen Atem der Flammen an ihren Beinen, dann waren sie draußen in der relativen Kühle des Flurs.

Ellis lag immer noch mit dem Gesicht nach unten auf dem Boden. Seine Kleider waren größtenteils weggebrannt, und mittlerweile hatten auch die meisten Papiere und Kartons Feuer gefangen. Kate stockte kurz, aber Jack hielt den Läufer zwischen sie und Ellis' Scheiterhaufen, sodass er nicht zu sehen war, als Jack sie daran vorbeitrieb.

Ein kleines Stück weiter stand die Decke da, wo Kate sie zurückgelassen hatte, in hellen Flammen. Sie lag quer im Flur, und Jack warf den Läufer darüber. Er landete mit einem schweren Aufprall und ließ die Flammen der Decke wie eine Kerze erlöschen. Mit einem langen Schritt stiegen sie darüber und gingen zur Haustür. Der Qualm drohte sie zu ersticken, während Jack noch mit dem Schloss kämpfte. Dann löste es sich mit einem Klicken, er zog die Tür auf und führte sie hinaus in die süße, kalte Nachtluft.

Dicht aneinandergedrängt taumelten sie den Weg hinunter, stützten einander und machten nicht eher halt, als bis sie das Tor erreicht hatten. Kate blickte zurück. Qualm wogte durch die offene Tür, und ohne darüber nachzudenken, was sie tat, setzte sie die Kinder ab und rannte zurück ins Haus.

Sie hörte Jack rufen, dann war sie im Flur, und die undurchdringliche Hitze und der Rauch schlossen sich abermals um sie. Sie hielt den Atem an und rannte zu Ellis hinüber, konnte kaum etwas sehen, während sie die brennenden Papiere wegtrat und seine Füße packte. Seine nackten Knöchel sahen über den versengten Trainingsschuhen knochendürr und mitleiderregend aus, als sie ihn hinter sich herzog. Nach ein paar Schritten blieb sie stehen, zog sich den Mantel über Mund und Nase und holte hastig ein paarmal tief Luft. Sie wollte gerade wieder nach seinen Füßen greifen, als die Dosen mit dem Flüssiganzünder explodierten.

Es folgte ein lautloser Blitz, und ein Hitzeschwall schlug sie zur Seite. Der Flur verwandelte sich augenblicklich in einen Ofen. Sie spürte, wie die Haut ihres Gesichts abblätterte, und wusste, dass ihr Haar in Flammen stand. Sie holte Atem, um zu schreien, erstickte den Schrei jedoch, als die überheiße Luft ihre Kehle und ihre Lungen verbrannte.

Blind und nun selbst in Flammen stehend, taumelte sie weiter, bis sie plötzlich gegen einen festen Gegenstand stieß.

Als der Läufer die Flammen erstickte, wurde sie von Dunkelheit umfangen. Sie spürte, wie Jack sie auf die Haustür zuzog, riss sich aber von ihm los und kam unter dem Läufer zum Vorschein, um abermals nach einem von Ellis' Knöcheln zu greifen.

Sie sah, wie Jacks Lippen Flüche formten, aber ihr Kopf war erfüllt vom Widerhall der Explosion, und sie konnte nichts hören. Sie schüttelte trotzdem den Kopf und zog heftiger, und einen Augenblick später warf er den Läufer über sie beide und umfasste Ellis' anderen Knöchel.

Gemeinsam schleppten sie ihn zur Haustür und taumelten rückwärts über die qualmende Decke, so schnell sie nur konnten. Kate wäre beinahe die Treppe hinuntergefallen, und dann holperte Ellis über die Stufen auf den Weg. Eine dumpfe Erinnerung regte sich in Kate, aber sie war verflogen, bevor sie sich ihrer richtig bewusst werden konnte.

Sie zogen ihn noch bis zum Tor, bevor sie stehenblieben und den schwelenden Läufer abstreiften. Die kalte Luft war wie Balsam auf Kates Haut. Sie saugte sie tief in ihre Lungen und zuckte bei dem Schmerz, den ihr das bereitete, zusammen. Mit tränenden Augen konnte sie sehen, dass Lucy schluchzte, während sie mit immer noch gefesselten Händen versuchte, Jack zu umarmen.

Kate drehte sich wieder zu Ellis um. Er lag halb auf der Seite. Kate hatte es bisher vermieden, ihm ins Gesicht zu sehen, aber jetzt tat sie es. Sein Haar war weggebrannt und die Haut aufgesprungen wie zu lange gegartes Fleisch. Der Geruch ließ sie beinahe würgen. Sie war sich ziemlich sicher, dass er tot war. Sie wusste selbst nicht, warum sie noch einmal zu ihm zurückgekehrt war. Dann zuckten seine Augen.

Der größte Teil seiner Augenlider war weggebrannt, und Kate wusste, dass er blind sein musste. Aber seine Augen bewegten sich, als suche er nach etwas. Seine Hände waren nicht allzu schlimm verbrannt, und Kate ergriff eine.

Ihre Kehle fühlte sich an, als hätte sie zerbrochenes Glas darin, als sie versuchte zu sprechen. Sie versuchte es noch einmal.

«Ich bin hier.»

Die krächzende Stimme war nicht ihre. Sie hallte hohl und fern durch das Klingeln in ihren Ohren. Sein Blick heftete sich auf den Klang ihrer Stimme. Sie konnte das Beben spüren, das ihn durchlief. Sein Mund öffnete sich leicht, und mit sicherer Intuition wusste Kate, was er wollte.

«Ich habe das Baby noch», krächzte sie flüsternd.

Er starrte weiter in ihre Richtung; seine blicklosen Augen sahen an ihr vorbei. Aber er rührte sich nicht wieder. Nach einer Weile wusste sie, dass er tot war.

Sie legte seine Hand nieder und stand auf. Die Flammen, die das Haus verzehrten, loderten mittlerweile wild gen Himmel. Qualm quoll durch die Tür und die Fenster. Sie spürte, dass der Schmerz ihrer Brandwunden stärker wurde. Sie ging dahin, wo Lucy und Jack mit den Kindern standen.

Lucy hatte kein Klebeband mehr an Mund und Händen. Sie weinte immer noch, und sie und Kate sahen einander an und fielen sich dann taumelnd in die Arme. Kate spürte, wie ihr eigenes Schluchzen sie zu schütteln begann, und die beiden Freundinnen klammerten sich aneinander fest und weinten, während das Haus brannte und in der Ferne Sirenen laut wurden.

Epilog

Das Krankenhaus riecht nach warmen Heizkörpern und Antiseptika. Sie schreit laut auf, als der Schmerz immer wieder auf sie eindrischt. Es fühlt sich an, als würde es nie mehr aufhören. Aber endlich spürt sie ihn nicht mehr. Erschöpft lässt sie sich zurücksinken.

Ihr kurzes Haar, das immer noch nachwächst, klebt ihr am Kopf. Unter einem Ärmel des weißen Baumwollnachthemds sieht man die pinkfarbene Linie einer frisch verheilten Narbe. Als der Schmerz verebbt, hebt sie den Kopf, und eine Frau im weißen Kittel nähert sich, hält ein schwächlich zappelndes Etwas in den Armen.

Die Frau lächelt.

«Es ist ein Junge.»